司法書士試験

松本の新教科書 5ヶ月合格法

リアリスティック②

民法II
［物権］

辰已専任講師
松本雅典
Masanori Matsumoto

第4版

辰已法律研究所

初版はしがき

　物権総論・担保物権は，司法書士試験の「本丸」です。民法 20 問中，これらの分野から 8 ～ 9 問出題されます。また，民法と同じ主要科目である不動産登記法の学習の中心は，不動産についての物権の変動をどう登記するかを学ぶことです。

　その非常に重要な物権総論・担保物権について，「物権とは？」というハナシから始め，各種の物権の内容までを真に理解・記憶していただけるよう書いたのが，この『司法書士試験　リアリスティック民法II』です。

　なお，以下のすべてを実現しようとしたのは，『司法書士試験　リアリスティック民法I』と同様です。

多すぎず少なすぎない情報量
体系的な学習
わかりやすい表現
基本的に「結論」→「理由」の順で記載
理由付けを多く記載する
思い出し方を記載する
図を多めに掲載する
表は適宜掲載する

　このテキストで，みなさんが司法書士試験の本丸を攻め落とし，それが不動産登記法・不動産登記（記述）の攻略につながり，そして「合格」を掴み取る。このテキストが，そんなアイテムになることを祈念しております。

平成 28 年 7 月

辰已法律研究所 専任講師

松本 雅典

第2版はしがき

　本書を発売してからこの2年間の間に，本書をお使いいただいた方から多数の合格報告を頂きました。また，本書は私が担当しているリアリスティック一発合格松本基礎講座の指定テキストとしていますが，本書を指定テキストにしてからも堅調に合格者が出ています。

　書籍の執筆は，正直筆が進まない日もありますが，頂く合格報告が筆を進める何よりの原動力になります。

　この度，平成29年の債権法の改正および平成30年の相続法の改正を受け，『リアリスティック民法Ⅰ〜Ⅲ』の改訂を行いました。

　改正点も正確に効率的に学習していただけるような書籍にしましたので，今後も多数の方の合格の助けになることを祈念しております。

平成30年12月
辰已法律研究所 専任講師
松本 雅典

第3版はしがき

　第2版では，平成29年の債権法の改正および平成30年の相続法の改正を反映させましたが，改正前の民法の学習経験のある方が切り替えができるように，基本的に改正前の民法の記載も残し，どう変わったのかを説明する体裁を採りました。しかし，改正後数年が経ち，切り替えを目的にする方が大幅に減少しましたので，第3版は改正前と改正後の区別のない完全に改正法ベースの記載にしました。ただし，理由として使えるものは，理由として改正前の規定の説明をしている箇所もあります。

　また，令和4年4月1日に成年年齢の改正が施行されるため，この改正を反映させました。

令和3年3月
辰已法律研究所 専任講師
松本 雅典

第4版はしがき

　令和3年4月，民法の物権法，相続法および不動産登記法の改正がされました。この改正は，以下の2つの社会問題に対応するためのものです。

1．所有者が不明の不動産が増えている
　→　所有者が不明の不動産を増やさないようにする必要があるとともに，不動産の所有者を探索する負担を軽減する必要がある
　平成29年に行われた調査によって，所有者が不明の土地が九州の土地の面積に相当するという推計がされています。

2．所有者が不明または管理不全の不動産が増えている
　→　所有者が不明または管理不全の不動産の利用や管理をしやすくする必要がある
　所有者が不明であると，不動産の管理がされず，隣の土地に木が倒れてきたり土砂が流れ込んできたりするといった事態が生じます。また，所有者が判明していても，所有者が離れた都会に住んでおり，相続した地方にある不動産に関心がなく，まともに管理がされていないといった不動産もあります。さらに，共有者の一部が不明であり，他の共有者だけではできることが限られるといった問題もあります。

　民法の物権法，相続法の改正が主に上記2.に対応するためのもので（相続法の改正は上記1.に対応するためのものもあります），不動産登記法の改正が主に上記1.に対応するためのものです。

　今回の改訂で，これらの改正を反映させました。

令和4年4月
辰巳法律研究所　専任講師
松本　雅典

目　次

本テキストご利用にあたっての注意

1. 略称

- ・民訴法 → 民事訴訟法
- ・民執法 → 民事執行法
- ・仮登記担保法 → 仮登記担保契約に関する法律
- ・最判平 20.6.10 → 最高裁判所判決平成 20 年 6 月 10 日

2. テキストをお読みいただく順序

このテキストは，基本的に民法の条文の順に沿って説明を記載しています。しかし，条文順ですと理解できない箇所もありますので，先に後半部分を読んだり飛ばしたりしたほうがよい箇所については，以下のような注をつけています。

*抵当権が担保物権の基本ですので，「第 5 章 抵当権→第 2 章 留置権→第 3 章 先取特権→第 4 章 質権→第 6 章 根抵当権→第 7 章 非典型担保」の順でお読みください。

注で示した順番でお読みいただく前提で説明を記載していますので，最初にお読みになる際は，上記のような注に従ってお読みください。

3. Case・具体例

Case・具体例には，できる限り「あなた」（読者の方を想定しています）を入れています。法律問題を他人事と考えるよりも，当事者意識を持って考えていただきたいからです。たとえば，現在離婚調停中の方がいらっしゃれば，まさに自分の問題ですので，離婚に関する知識は容易に記憶できるでしょう。すべてについて当事者意識を持つのは容易ではありませんが，できる限り Case・具体例の「あなた」になったつもりで考えてください。このような趣旨がありますので，私が「まずこの人の立場に立って考えてほしい」と考えた「この人」が，Case・具体例の「あなた」になっています。

最終的には当事者双方の立場を考え，妥当な結論を導き出すのが法（裁判所）の役目ですが，いきなりそれはできません。まずは，Case・具体例の「あなた」の立場から考えてみてください。

4. 表

　このテキストで出てくる表は，一貫して，「当たる」「認められる」などその事項に該当するもの（積極事項）は表の左に，「当たらない」「認められない」などその事項に該当しないもの（消極事項）は表の右に配置する方針で作成しています。これは，試験で理由付けから知識を思い出せなかったとしても，「この知識はテキストの表の左に書いてあったな。だから，『当たる』だ。」といったことをできるようにするためです。

　2つの説を示した学説対立の表は，基本的に，判例があれば判例を表の左に，判例がなければ通説を表の左にといった形で，重要度の高いものを表の左に配置する方針で作成しています。
　また，民法の学説の対立は，一方の説が「Aの味方，Bの敵」であり，他方の説が「Bの味方，Aの敵」である，となっていることが多いです。この場合には，学説対立の表の冒頭で，以下のように，その説がどちらの味方であり，どちらの敵であるかをわかるようにしています。
　「 ↗ 」はその者の味方，「 ↘ 」はその者の敵という意味です。

ダレ の味 方か	A ↗ B ↘	B ↗ A ↘

5. 参照ページ

　できる限り参照ページをつけています。これは，「記載されているページを必ず参照してください」という意味ではありません。すべてを参照していると読むペースが遅くなってしまいます。わかっているページを参照する必要はありません。内容を確認したい場合のみ参照してください。その便宜のために参照ページを多めにつけています。

　また，ページの余白に表示している参照ページの記号の意味は，以下のとおりです。

P50=   ： 内容が同じ

P50≒   ： 内容が似ている

P50   ┌   P50   ┐ ： 内容が異なる
  └   P50   ┘ P50

6．Realistic rule

　「Realistic rule」とは，試験的にはそのルールで解答してしまって構わないという
ルールです。

― 第3編 ―

物権総論

第1章　物権全体のハナシ

第1節　物権とは？

　財産法は以下の社会を規定しています。財産法は，取引社会の主体（メンバー）は「人」であり，客体は「物」であるとしました。そして，権利を「物権」（人が有する物に対しての権利）と「債権」（特定の人が特定の人に対して特定の行為をすること〔またはしないこと〕を請求できる権利）の2つに分け，この2つの権利で取引社会を規定できると考えたのです。このテキストで扱うのは，この2つの権利のうちの「物権」です。

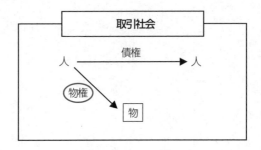

1　物権の性質

　Iのテキスト第1編第1章3で，「物権は，誰に対しても主張できる権利であり，債権と比べると強いイメージです」と以下の図を示し説明しました。

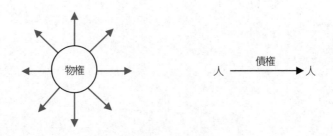

　この物権の「強さ」を以下のようにいいます（物権の性質です）。

①直接支配性

　物権は，物を直接に支配することができる権利です。債権は権利の内容を実現するのに債務者の協力が必要ですが，物権は他人の手を借りることなく権利の内容を実現することができます。

②排他性

　物権は，排他的に利益を受けることができる権利です。つまり，他人を排して独占できるのです。そのため，1つの物の上に，両立しない同一内容の物権が重ねて成立することはありません。

　このように，やはり物権は「強い」イメージなのです。

2　一物一権主義

　物権の客体は，P2の図にもあるとおり「物」です。この物と物権との関係について，「一物一権主義」という原則があります。これはどのような原則でしょうか。一物一権主義には，以下の2つの意味があります。

①1個の物権の客体は1個の独立した「物」でなければならない

　これは「物」のほうのハナシです。物権は物を他人を排して直接に支配することができる強い権利ですから，どの物に誰の支配が及んでいるかが明確でないと周りが混乱してしまいます。よって，物権の客体は，明確な「1個の独立した物」でなければなりません。

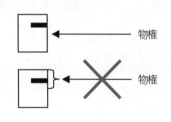

ex1. みなさんがお持ちのこのテキストは，みなさんに所有権がありますが，「テキストの前半部分だけに所有権がある」などとはならず，すべてに所有権があります（独立性）。

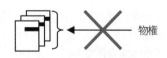

　　　また，Ⅰのテキスト，Ⅱのテキスト，Ⅲのテキストをお持ちの方は，「Ⅰ，Ⅱ，Ⅲ」に対して1つの所有権を有しているわけではなく，「Ⅰのテキスト」に対して1つ，「Ⅱのテキスト」に対して1つ，「Ⅲのテキスト」に対して1つの所有権を有しています（単一性）。

ex2. 装飾用ステンドガラスは，建物の窓として開閉することができない状態ではめ込まれているときは，独立の所有権の客体とはなりません。ステンドガラスは元々

　　は独立した物でしたが，建物に付合している（くっついている）ので（民法242
　　条。P121），独立した物とはいえないからです。
　　この①の趣旨は，物の一部または物の集団の上に1個の物権を認める必要性や実益
がないことと，これを認めると公示が困難になってしまう（または公示を混乱させる）
ことにあります。「テキストの前半部分だけは誰々に所有権がある」とする必要はな
いですし，それを認めても公示するのが難しいですよね。

※例外
　　この①について，たとえば，以下の例外があります。

・一筆の土地の一部に所有権が成立することもあります。たとえば，一筆の土地の一
　　部を譲渡することもできますし，一筆の土地の一部を時効取得することもできます
　　（大連判大13.10.7）。
　　土地は，たとえば，本州であれば1個の土地（本州）を「ここからここまでが1つ
の土地」と人為的に分けただけです。よって，それと異なる範囲での所有権を認める
こともできるのです。ただ，登記はできません（不動産登記法で学習します）。

・立木法上の立木と認められる樹木の集団は，独立の不動産とみなされ（立木法2条1
　　項），一括して所有権および抵当権の目的とすることができます（立木法2条2項）。

＊以下の3つの例外は，この後に学習するハナシです。よって，このテキストの最後までお読みになった後に
　お読みください。
・地役権は，土地の一部に設定することもできます（民法282条2項ただし書参照）。
　　P164[1]の ex.の通行地役権など，土地の一部に設定する必要のある地役権もあるか
らです。

・抵当権の効力は，設定時に目的物の上に存在する従物にも及びます（P242）。

・動産の集合体である「集合動産」は，譲渡担保の目的となります（P337（a））。

②1個の物の上に同一内容の「物権」は1つしか成立しない
　　これは「物権」（権利）のほうのハナシです。物
権は物を他人を排して独占できる権利ですから，1
個の物の上に同一内容の物権は1つしか成立しま
せん。

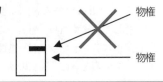

4

ex. みなさんがお持ちのこのテキストには，みなさんの所有権があるので，私の所有
　　権は成立しません。

※例外

　この②について，たとえば，以下の例外があります。
＊以下の2つの例外は，この後に学習するハナシです。よって，このテキストの最後までお読みになった後に
　お読みください。

・1つの物を複数の者が共有している場合，1つの物に複数の所有権が成立し，目的
　物が1個であることにより制限を受けます（複数説。P127 1 ）。
＊所有権は1個であり，その1個の所有権を複数の者が分割して有しているという見解もあります（単一説）。

・1つの不動産に複数の抵当権を設定することもできます。

3　物権の種類

1．物権法定主義

　Ⅰのテキスト第1編第1章 3 の2．で説明しましたが，物権については以下の条文が
ありました。

> **民法175条（物権の創設）**
> 　物権は，この法律その他の法律に定めるもののほか，創設することができない。

　誰に対しても主張できる強い権利であるため，物権の種類および内容は法定さ
れており（民法などの法律で定まっており），勝手に作ることはできません。

2．物権法定主義の例外 ── 慣習法上の物権

　上記1．のように，物権は法定されているもののみ認められるのが原則なのです
が，例外的に，実務で生み出され，その後に判例で認められた物権がわずかにあ
ります。
　試験的には，民法では，このテキストの第4編第7章で扱う「譲渡担保」「所有
権留保」「代理受領」を押さえれば問題ありません。

3．民法に規定されている物権

　民法には，物権は10種類しか規定されていません。以下の①～⑩です。

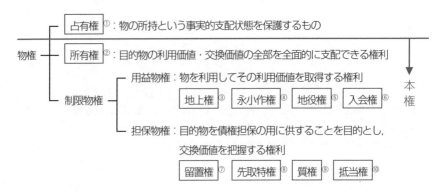

（1）占有権

　この10種類の物権のうち，①の占有権のみ特殊です。占有権は，自己のためにする意思をもって物を所持しているだけで成立します。そのため，ドロボウが盗んできた物を所持している場合でも占有権は成立します。

（2）本権

　占有権以外の物権を「本権」といいます。本権は，ドロボウなどには認められず，正当に成立した権利である必要があります。

（a）オールマイティーな所有権

　本権のうち，②の所有権は，物の「利用価値」と「交換価値」を把握する，最もオールマイティーな物権です。所有者が物に対して有している物権です。
　利用価値とは，その名のとおり，使うことができるということです。
ex. みなさんは，このテキストの所有権を有していますので，このテキストを自由に使うことができます。
　交換価値とは，お金に替えることができることだと考えてください。
ex. みなさんは，このテキストの所有権を有していますので，このテキストを売っ払ってお金に替えることができます。

　このように，所有権は利用価値と交換価値を把握するオールマイティーな物権であるため，所有権があれば，その物を使うことも，売ることも，タダであげることも，貸すこともできます。また，捨てたり壊したりすることもできます。

（b）使うことのできる用益物権

　用益物権である，③の地上権，④の永小作権，⑤の地役権，⑥の入会権は，物の利用価値と交換価値のうち，「利用価値」を把握する物権です。つまり，物を売っ払ったりすることはできませんが，他人の物を使うことができます。

　なお，入会権は細かいので，このテキストでは扱いません。

（c）金に替えることができる担保物権

　担保物権である，⑦の留置権，⑧の先取特権，⑨の質権，⑩の抵当権は，物の利用価値と交換価値のうち，「交換価値」を把握する物権です。つまり，原則として物を使うことはできませんが，他人の物を売っ払ったりすることはできます。たとえば，銀行が建物を目的として抵当権の設定を受けた場合は，銀行からみると，その建物は右の図のように見えているのです。銀行にとってはその建物にシステムキッチンが付いていて使いやすいかなどはどうでもよく，銀行は「金に替えるといくらになるのか」しか考えていないのです。

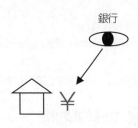

銀行

「所有権」「用益物権」「担保物権」のイメージ

　物の所有者が物に対して持つオールマイティーな権利が「所有権」です。所有権は物の「利用価値」と「交換価値」を把握しています。その「利用価値」と「交換価値」を他人に切り売りすることができます。利用価値を切り売りしてできた他人の物権が「用益物権」であり，交換価値を切り売りしてできた他人の物権が「担保物権」です。

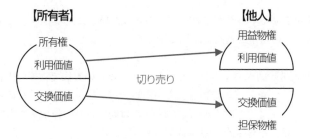

第2節　物権の効力

　ここまで学習してきて「物権は，強くて偉そうな権利だな」と感じたと思います。それが，この「物権の効力」にも現れています。物権の効力とは，「物権があると何が言えるのか」というハナシです。

1　意義
　物権一般に認められる物権の効力は，以下の2つがあります。

①優先的効力
②物権的請求権（物上請求権）

　①はP260〜262で説明します。この第2節では，②を説明します。

2　物権的請求権
1．意義
　物権的請求権とは，簡単にいうと，物権の対象である物の支配をジャマする（しそうな）者がいる場合に，「やめろ！」などと要求できる権利のことです。
　物権的請求権は，原則として占有権以外の物権（本権）に認められています。占有権は正当に成立した権利である必要がないので（P6（1）），少し効力の弱い占有の訴えという別の制度（民法197条〜201条。P89〜99 1 ）があります。
　物権的請求権には，以下の3種類があります。

P91≒　①物権的返還請求権：物権の対象である物を他人が占有しているために物権を持つ者が占有を失っている場合に，物を「返せ！」と要求できる権利
　　ex. 所有権を有するバッグがドロボウに盗まれた場合に，「返せ！」と要求できる権利は，この物権的返還請求権です。

P95≒　②物権的妨害排除請求権：占有を奪われる方法以外の方法で物権の内容の実現が妨害されている場合に，「どけろ！」「やめろ！」などと妨害の除去または妨害行為の停止を要求できる権利
　　①との違いは，占有は失っていないという点です。

ex1. 所有権を有する土地の隣の土地から木が倒れてきたり土砂が流れ込んできた場合に，「木をどけろ！」「土砂を撤去しろ！」と要求できる権利は，この物権的妨害排除請求権です。

ex2. 所有権を有する土地に第三者の不法な登記がされている場合に，「登記を抹消しろ！」と要求できる権利は，この物権的妨害排除請求権です（大判明43.5.24）。

③物権的妨害予防請求権：物権に対する妨害が生じるおそれが強い場合に，その　≒P97
　　　　　　　　　　　　原因を除去して妨害を未然に防ぐ措置をとるよう要求
　　　　　　　　　　　　できる権利

　②との違いは，まだ妨害が生じていないという点です。

ex. 所有権を有する土地の隣の土地から木が倒れてきたり土砂が流れ込んできたりしそうな場合に，「木が倒れないようにしろ！」「土砂が流れ込まないようにしろ！」と要求できる権利は，この物権的妨害予防請求権です。

２．根拠

　民法に，物権的請求権を認めた明文規定（条文）はありません。しかし，本権よりも弱い占有権でさえ物権的請求権に類似する占有の訴え（民法 197 条〜201条．P89〜99 1 ）が認められているので，本権の物権的請求権は当然に認められると考えられています。また，民法 202 条（P98）に「本権の訴え」という文言があり，この民法202条の「本権の訴え」は本権の物権的請求権を指すと考えられる点も根拠の１つです。

３．対抗要件具備の要否

　物権的請求権を行使するにあたって，物権的請求権を行使しようとする者が対抗要件（登記など）を備えている必要があるかが問題となります。これは，行使の相手方が対抗関係にある者かどうかによって変わります。

（１）対抗関係にある者に対して

　対抗関係にある者に対して物権的請求権を行使するには，対抗要件を備えている必要があります。「対抗要件」は，対抗関係にある者に対して，「私の権利があるよ〜」と主張するために必要なものだからです。

ex. Aがあなたとに土地を二重譲渡したところ，Bがその土地を占有している場合，あなたがBに所有権に基づいて土地の返還請求（物権的返還請求権の行使）をするには，あなたは登記を備えている必要があります。

（2）無権利者に対して

　不法占拠者などの無権利者に対して物権的請求権を行使するには，対抗要件を備えている必要はありません（最判昭25.12.19）。上記（1）で説明したとおり，対抗要件は対抗関係にある者に対して「私の権利があるよ～」と主張するために必要なものですので，対抗関係にない者に対しては不要です。

ex. Aがいきなりあなたの土地の不法占拠を始めた場合，あなたは登記を備えていなくても，Aに所有権に基づいて土地の返還請求（物権的返還請求権の行使）をすることができます。

4．当事者

　物権的請求権の当事者は，以下のとおりです。

（1）請求権者

　請求権者は当然，侵害を受けまたは侵害を受けるおそれのある物権を有する者（所有者など）です。

（2）請求の相手方
（a）当初の侵害者か現在の侵害者か

　請求の相手方は，現に他人の物権を侵害しまたは侵害の危険を生じさせている者です。侵害や侵害の危険を除去することを要求するので，「現に」侵害しまたは侵害の危険を生じさせている者が請求の相手方となるのです。よって，当初の侵害者がその妨害物を第三者に譲渡したときは，当初の侵害者に対しては物権的請求権を行使できなくなります（大判大6.3.23，大判大9.7.15，大判昭5.10.29，大判昭12.11.19）。

　ただし，侵害者が目的物を賃貸し，現実にはその賃借人が目的物を侵害している場合には，現実に侵害している賃借人だけでなく，賃貸人に対しても物権的請求権を行使できます（最判昭36.2.28）。賃貸人は賃借人を介して占有権を有しているからです。これを代理占有（間接占有）といいます（P78の1.）。

（b）責任能力や故意過失の要否

P90＝　侵害者に責任能力や故意過失がなくても，物権的請求権を行使できます。「責任がないのに？」と思われるかもしれませんが，具体的に考えてみるとわかります。

　たとえば，みなさんがお持ちの色々と書き込みなどをしているこのテキストを6歳の子（責任能力なし）が持っていったら，「返せ！」と言えて当然ですよね。物権が侵害されているわけですから，相手方に責任があるかは関係がないのです。それに，物権は日本中の誰に対しても主張できる権利でした。

（c）土地に権原なく建物が建っている場合

　物権的請求権を誰に行使すべきかという問題で最もよく出題されるのが、「土地に権原なく建物が建っている場合」です。

用語解説 ──「権原」

　「権原」とは、ある物を使用したり処分したりすることを正当とする法律上の原因のことです。簡単にいうと、正当に使える権利があるということです。

　以下の Case で考えてみましょう。

Case

（1）無権原であなたの土地に建物を建てたAは、その建物をBに譲渡した。あなたは、AとBのどちらに対して建物収去土地明渡請求権を行使すべきか？

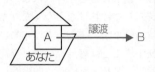

（2）上記（1）の Case において、まだ建物の登記名義がAにある場合は、どうか？

（3）Aは、無権原であなたの土地に建物を建てた。Aとの合意により、Bが建物の所有権の登記名義人となっている。この場合、あなたは、AとBのどちらに対して建物収去土地明渡請求権を行使すべきか？

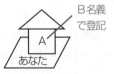

　上記 Case のように、土地に権原なく建物が建っている場合に、土地の所有者は建物収去土地明渡請求を誰にすべきかが問題となります。

用語解説 ──「建物収去土地明渡請求」

　「建物収去土地明渡請求」とは、土地の権利者が、土地を建物によって侵害されている場合に、侵害者に「建物」を「収去」して「土地」を「明」け「渡」すよう「請求」することです。建物によって侵害されている場合、侵害者が単に土地から去るだけでは侵害は消えないため、建物の収去も請求するわけです。

ⅰ　原則 ── 上記 Case（1）

建物収去土地明渡請求は，建物の実質的所有者に対してするべきとされています（最判昭35.6.17，最判昭47.12.7）。

上記（a）で説明したとおり，侵害を除去することを要求するので，「現に」建物を所有している者に請求すべきなのです。よって，上記 Case（1）は，Bに対して行使すべきです。

ⅱ　例外 ── 上記 Case（2）

上記 Case（2）のAのように，建物を譲渡したがまだ登記名義人である者が，自らの意思で所有権取得の登記を経由していた場合には，登記名義人に対しても建物収去土地明渡請求をすることができるとされています（最判平6.2.8）。

この理由を上記 Case（2）に当てはめて説明します。常に実質的所有者であるBを相手方としなければならないとすると，土地の所有者であるあなたはそれを調査しなければならなくなります。Bが建物に住んでいない場合は，探し出すのは困難です。また，Aは本当に建物の所有権を移転したのならば，登記をBに移転することは容易なので，登記を自分の名義のままにしておきながら「私は実質的所有者じゃないから関係ないよ」というのは盗人猛々しいです。

なお，この場合，実質的所有者であるBに対しても請求することができます。

よって，上記 Case（2）は，AまたはBのどちらに対しても行使できます。

このⅱは，「自らの意思で」所有権取得の登記を経由していた場合のハナシです。よって，あなたの申立てにより処分禁止の仮処分命令がされ，裁判所書記官の嘱託によってA名義の所有権の保存の登記がされたときは当たりません（あなたはBに対してしか建物収去土地明渡請求権を行使できません。最判昭35.6.17）。

ⅲ　登記名義人となっているだけの者 ── 上記 Case（3）

上記ⅰの原則とⅱの例外が基本ですが，上記 Case（3）のBのように，「所有権を有したことはないが，登記名義人となっているだけの者」は，どうでしょうか。この場合は，あなたは，Bに対しては請求できず，実質的所有者であるAに対して請求するしかありません（最判昭47.12.7）。

「Bには登記があるのに？」と思われたかもしれません。上記 Case（2）のAにも登記がありますが，何が違うのでしょうか。これを理解するには，判例がなぜ上記ⅰの原則とⅱの例外の考え方を採っているかを理解する必要があります。それを理解すれば，上記ⅱの例外の判例の射程（どのような事案に例外が当てはまるか）がわかります。理解するカギは，実は「民法177条」です。

　民法177条（P22）には、「不動産に関する物権の得喪及び変更は、……登記を
しなければ、第三者に対抗することができない」と規定されています。「物権の得
喪」とありますとおり、物権（このCaseでは所有権）を失ったことも、登記をし
ないと「私は関係ない」と言えないのです。所有者であった上記Case（2）のA
は、建物の所有権を有していました。よって、登記をBに移転しないと、「私は関
係ない」と言えません。それに対して、上記Case（3）のBは、そもそも所有権
を有したことがありません。よって、「登記をしなければ、所有権を失ったことを
あなたに主張できない」とはならないのです。

　つまり、「登記名義人であることを理由に建物収去土地明渡請求をされるのは、
民法177条により所有権を失ったことを主張できないからである」→「だから、
所有権をそもそも有していない場合は、登記名義人であっても建物収去土地明渡
請求をされない」という論理になります。

　理屈っぽいハナシですが、理論を説明しましたので、上記Case（1）から再度、
みなさんの頭の中で理論を整理してみてください。

（d）土地に権原なく建物が建っている場合において、建物が賃貸されている とき

　たとえば、あなたが所有している土地上にAが建物を
所有し、かつ所有権の登記名義を有している場合におい
て、建物に賃借人Bが居住しているとき、建物収去土地
明渡請求は建物の所有者であるAに対してすべきです。

　現在建物を使っているのはBですが、Bは賃借人であるため、建物を収去する権利
がないからです。

　Bに対しては、建物からの退去と土地の明渡しを請求します。

5．効果 ── 誰が妨害の排除などをし誰が費用を負担するか？

　物権的請求権の行使によって侵害者に請求できることは P8①〜P9③にあることですが，以下の２つの問題があります。

①誰が妨害の排除などをするのか（労力の問題）
②誰が費用を負担するのか（費用の問題）

　以下の Case を基に考えてみましょう。

Case

　あなたが所有している自動車を，Bがあなたに無断で乗り回し，Aの所有する土地に放置したところ，その土地の沼地にはまってしまい，撤去するのに費用が必要となった。
　（1）あなたがAに対して自動車の返還を請求した場合，その費用はあなたとAのどちらが負担するか？
　（2）Aがあなたに対して自動車の引取りを請求した場合，その費用はあなたとAのどちらが負担するか？

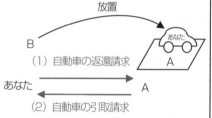

　上記 Case では，あなたは自分の自動車が自分の所になく占有を奪われているので，物権的返還請求権を行使すべきところです。Aは，自分の土地があなたの自動車に妨害されているので，物権的妨害排除請求権を行使すべきところです。また，悪いのはBであり，あなたとAは悪くありません。

　このようなとき，あなたが物権的返還請求権を行使した場合，または，Aが物権的妨害排除請求権を行使した場合，労力と費用をどちらが費やすかについては，学説が対立しています。主に以下の３つの学説があります。判例は一応，行為請求権説です。ただし，忍容請求権説よりの判例もあります。よって，この論点は，普通は学説問題で出題されます。

─ Realistic 1　3説あるときは両端（りょうはし）の説から ─

　以下のように，学説が３つ出てきた場合は，まずは両端の説の内容を確認し，最後に真ん中の説の内容を確認してください。３説ある場合は，通常は両端の説が対立する説で，真ん中の説がその２説の間を採った説（「折衷説」といいます）だからです。

	行為請求権説 （大判昭5.10.31）	修正行為請求権説 （折衷説）	忍容請求権説
内容	この説は，その名のとおり，相手方の「行為」を「請求」できるとする説です。相手方が，労力と費用を費やすとします。 →上記 Case（1）は，あなたが請求していますので，Aが自動車をあなたに返し，Aがその費用を支払う必要があります。 →上記 Case（2）は，Aが請求していますので，あなたが自動車をどかし，あなたがその費用を支払う必要があります。	【原則】 行為請求権です。相手方が，労力と費用を費やすべきです。 ------------------ 【例外】 相手方の行為によらないで目的物が相手方の支配下に入った場合に限り，忍容請求権と考えます。この場合には，請求者が，自らの労力と費用を費やします。	この説は，その名のとおり，侵害状態を自ら除去することを相手方に「忍容」させる権利にとどまるとする説です。請求者が，自らの労力と費用を費やすとします。 →上記 Case（1）は，あなたが請求していますので，あなたが自動車を取り戻し，あなたがその費用を支払う必要があります。 →上記 Case（2）は，Aが請求していますので，Aが自動車をどかし，Aがその費用を支払う必要があります。
理由	物権は物に対する直接支配を内容とするので，本来は相手方の関与なく自分だけで物権的請求権を実現できるはずです。しかし，自力救済は禁止されています（P89）。よって，物権的請求権は，他人の行為を要求する権利となるのです。	相手方の行為によらないで目的物が相手方の支配下に入った場合にまで，相手方に労力と費用を負担させるのはおかしいので，行為請求権説に例外を設けるべきです。	物権は，人ではなく物に対する権利であるため，物権的請求権も人に何かを要求できるわけではありません。

	行為請求権説 (大判昭5.10.31)	修正行為請求権説 (折衷説)	忍容請求権説
この説 への 批判	上記 Case がまさにそうですが, 先に請求したほうが, 相手方にやらせ, 費用も負担させることができることになってしまいます。つまり, 「早い者勝ち」になってしまうのです。		相手方の所有権によって妨害が生じている場合には, 相手方に故意・過失がなくても, 相手方に費用を負担させるべきです。

第3節　物権変動

1　物権変動とは？

1．意義

物権変動：物権の発生・変更・消滅のこと。物権を持つ者からすると，物権の取得・
　　　　　変更・喪失のこと。

　このテキストは，財産法が以下の社会を規定していることを基礎として説明を進め
ていますので，しつこいですが，またこの図を示します。

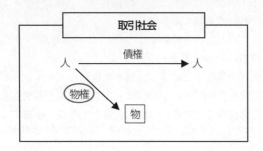

　今は物権をみているのですが，「物権変動」とは，この物権が発生し，変更し，消
滅することをいいます。

ex. 所有権であれば，建物を新築すればその建物の所有権が「発生」し，建物の増築
　　をすれば所有権の内容が「変更」し，その建物が火災で滅失すれば所有権が「消
　　滅」します。

2．物権を持つ者からみた物権変動の種類

　物権の「発生」「変更」「消滅」は，物権を持つ者からすると，物権の「取得」「変
更」「喪失」となります。

（1）物権の「取得」

　物権を取得する方法には，以下の2つがあります。

①原始取得：前主の権利とは無関係に物権を取得すること

　前の人が背負っていたものが原則として消えるのが，この原始取得です。原始
取得は，アダムとイブが生まれた時のようにサラの状態になりますので，いわば
「アダムとイブ取得」といえるでしょう。

ex. 時効取得（民法 162 条以下。Ⅰ のテキスト第 2 編第 10 章第 1 節 6 ※で説明し
たハナシです），即時取得（民法 192 条。P49〜60 の 2.），無主物の取得（民
法 239 条 1 項），添付（民法 242 条以下。P120〜126）

　具体例として挙げたもののうち，「無主物の取得」のみ他の箇所で登場しません
ので，ここで説明します。民法 239 条 1 項に「所有者のない動産は，所有の意思
をもって占有することによって，その所有権を取得する」という規定があります。
ex. ノラ猫を拾ってくれば，ノラ猫の所有権を取得することができます。

②承継取得：前主の物権上に成立していた権利（抵当権など）や負担・瑕疵など
　　　　　も合わせて承継するもの

　前の人が背負っていたものも付いてくるのが，この承継取得です。承継取得は，
さらに以下の 2 種類に分かれます。
　・特定承継：売買や贈与などによって個々の権利などを承継すること
　・包括承継：相続や合併（＊）などによって被相続人や被合併会社（合併され
　　　　　　た会社のことです）の権利義務をまるごと承継すること
＊合併は不動産登記法や会社法・商業登記法で学習しますので，現時点では読み飛ばしてください。

（2）物権の「変更」

　物権の同一性を害しない範囲で，物権の客体や内容が変わることです。
ex1. 増築により所有している建物の床面積が広くなった場合は，所有権に変更が
　　あったといえます。
ex2. 設定者と地上権者の合意で地上権の存続期間（P153〜154 の 3.）を延長した
　　場合は，地上権に変更があったといえます。

（3）物権の「喪失」

　物権を失うことです。

3．物権変動の原因

　物権変動の原因となるものは，様々なものがあります。たとえば，以下のもの
が物権変動の原因となります。

（1）法律行為

　契約（ex. 売買契約で所有権移転），単独行為（ex. 取消しで所有権復帰）は，
物権変動の原因となります。

（2）その他

時効取得，添付（P120〜126），混同（P66〜74 の 4.），相続は，物権変動の原因となります。

2 公示の原則と公信の原則

物権変動には「公示の原則」と「公信の原則」というものがあります。

1．公示の原則

公示の原則：物権変動が生じたならば，外部から認識できるように一定の公示を必要とするという原則

この原則は，不動産にも動産にも当てはまります。簡単にいうと，「所有権が移転したりしたら，それがわかるようにしろ（＝公示しろ）」ということです。不動産は「登記」（民法177条），動産は「引渡し」（民法178条）によって公示します。

なお，この公示の原則によって許されるのは，「公示されていない物権変動は，存在しないとして取引をしていいよ」（消極的信頼）ということにすぎません。

ex. AがBに建物を売ったが，Aにまだ登記があったとします。この場合，あなたがAから建物を買いたいと思ったとき，Bに登記（公示）がありませんので，AからBへの所有権の移転は無視して構いません。ただし，Aに登記があるからといって，Aが真の所有者であると保証されているわけではありません。

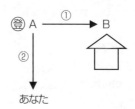

つまり，登記には，「公示のない物権変動は無視していいよ」という意味しかないのです。

2．公信の原則

公信の原則：真実の権利関係と異なった公示が存在しても，それを信頼した者が保護されるという原則（積極的信頼）

公示の原則よりもさらに進んだ原則です。権利者であるような外観があり，それを信頼すれば，たとえその者が権利者でなかったとしても，信頼した者が保護される（所有権を取得することなどができる）という原則です。

（1）不動産

　不動産の登記には，公信力は与えられておらず，不動産に公信の原則は採用されていません。上記1.のex.にも記載しましたが，上記1.のex.において，真の所有者がAではなくCであった場合，Aに登記があるからといって，あなたはAから建物を譲り受けても所有権を取得できません。不動産はあまり取引がされませんので，静的安全を重視し，真の権利者を保護しているのです。

　ただし，Ⅰのテキスト第2編第5章第2節③5.で学習した民法94条2項を類推適用できる場面では，登記に公信力が認められたのと同じ結果が生じます。民法94条2項が類推適用される場合は，外観を信じた者が保護されます。

（2）動産

　動産については，公信の原則が採用されています。P49〜60の2.で学習する即時取得（民法192条）という制度がそれです。即時取得が成立する場合には，権利者でない者から所有権を譲り受けた場合でも所有権を取得できます。動産は毎日バンバン取引がされますので，動的安全を重視し，取引の安全を保護しているのです。

まとめ

　以上を「不動産」「動産」という軸からまとめると，以下のとおりとなります。

【不動産】
　公示がないものは無視してよいが，公示があるからといって信じちゃダメ（民法94条2項類推適用を除く）
【動産】
　公示がないものは無視してよく，公示がある場合にそれを信じた者が保護されることがある（即時取得）

3　物権変動の効力が生じる時期

Case

　Aは，あなたに，令和5年5月1日に土地と建物を売ったが，売買代金の支払および土地と建物の引渡しの日は令和5年6月1日とされた。この土地と建物の所有権は，いつAからあなたに移転するか？

1．原則

民法176条（物権の設定及び移転）
　物権の設定及び移転は，当事者の意思表示のみによって，その効力を生ずる。

　この条文は，Ⅰのテキスト第1編第2章 2 で説明しました。民法は，常識よりもかなり早い時点で物権変動が生じるとしていました。
　物権変動を生じさせる原因はP18〜19の3.でいくつか紹介しましたが，その中でも特に重要なのが売買契約のような法律行為（意思表示を含むもの）です。売買契約の場合は，売主から買主に売買の目的物の所有権が移転するわけですが，所有権の移転は，ほかに何らの形式を必要とせずに，当事者の意思が合致する（「売ります」「買います」の意思が合致する）ことのみによって生じます（民法176条。最判昭33.6.20・通説）。これを「意思主義」といいます。
　よって，上記Caseでは，令和5年5月1日に土地と建物の所有権が移転します。

2．例外
　物権変動の時期が，少し遅くなることがあります。以下の場合です。

①当事者が特別の定め（特約）をしていればそれに従います。
ex. 通常の不動産の売買契約書には，所有権の移転時期を買主の代金支払時とする特約があります。この場合には，代金支払時に所有権が移転します。上記Caseの売買契約にこの特約があれば，令和5年6月1日に所有権が移転します。

②直ちに物権変動の効果を生じるのに支障があるときは，その支障がなくなった時に物権変動の効力が生じます。
ex. 他人の物の売買（Ⅲのテキスト第7編第2章第2節 3 で扱います）においては，売主が目的物を取得した時に，所有権が買主に移転します（最判昭40.11.19）。

4 不動産の物権変動の対抗要件 —— 177条論

Ⅰのテキスト第1編第2章③2.で最低限の基本は説明しましたが，ここでは民法177条をさらに掘り下げてみていきましょう。

> **民法177条（不動産に関する物権の変動の対抗要件）**
> 不動産に関する物権の得喪及び変更は，不動産登記法（平成16年法律第123号）その他の登記に関する法律の定めるところに従いその登記をしなければ，第三者に対抗することができない。

1．対抗要件主義を定めた民法177条

どんなハナシだったか，簡単に復習します。

たとえば，あなたがAから建物を買って，売買代金も支払い，近所の人と仲良くなり，快適な生活をしていましたが，登記はあなたに移さずにまだAにあったとします。この場合に，AがBに建物を売って，Bに登記を移してしまえば，Bはあなたが先に買ったことを知っていても，あなたに「出て行け！」と言うことができます。

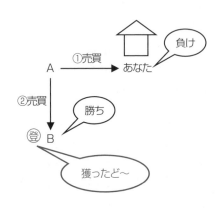

このように，所有権を得たことなどを第三者に対抗する（主張する）には登記が必要であると定めたのが，この民法177条です。

P47＝ 対抗要件（不動産では登記）が必要であることを「対抗要件主義」といいます。

2．なぜAは2回も売れたのか？（二重譲渡ができるのか？）

1つ疑問があります。上記③で学習した民法176条との関係での疑問です。

上記1.の例で，Aはあなたとbに建物を売っています。しかし，上記③の1.で説明したとおり，登記などは関係なく意思の合致だけで所有権は移転しているのですから，Aはあなたと契約した時に，建物の所有権を失っているはずです。そうすると，AがBと契約をした時には，すでにAは所有権を有しておらず，Bも所有権を取得できないのではないかと思えます。

　結論は上記1.のとおりですから，AはBにも売ることができるのですが，これをどううまく説明するか（こじつけるか）が学者の中で一大論点となります。
　完璧な説明方法はないのですが，通説の「不完全物権変動説」という考え方のみ紹介します。

不完全物権変動説 （通説）

　物権変動は，登記をしない限り完全な効力を生じていません。その結果，第1の譲渡をしたとしても譲渡人には「不完全な所有権」が残っており，この不完全な所有権が第2譲受人に移転し，第2譲受人が登記を備えることにより完全な所有権となります。そして，第1譲受人が第2譲受人に対抗できない結果，第1譲受人は所有権を取得できません。

　つまり，上記1.の例でいえば，Aはあなたに建物を売っても，あなたが登記を備えていないので，あなたのところには所有権100のうち90しか移転しておらず，Aのところには所有権10が残っているのです（数字は私が勝手に決めています。以下同じ）。よって，Aはその所有権10をBに移転することができ，Bが登記を備えると，この所有権10が100になり，あなたの所有権90が0になるのです。

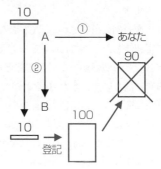

　完璧な説明ができない部分ですので，「多少無理があるな……」と思っておいてください。

3．民法177条の対抗することができない「第三者」とは？
（1）「第三者」の意義

　登記がないと「自分が所有者だ！」などと主張できないのは，自分以外のすべての人でしょうか。そのように考える無制限説という考え方もありますが，判例・通説は自分以外のすべての人とは考えません。
　民法177条の対抗することができない「第三者」に含まれない人であれば，登記がなくても，その人に対して「自分が所有者だ！」などと主張できます。
　判例・通説は，登記がないと「自分が所有者だ！」などと主張できない「第三者」を以下のように定義します。

| 制限説 |（大連判明41.12.15・通説）

　「第三者」とは，当事者およびその包括承継人以外の者であって，不動産に関する物権変動について登記の欠缺（けんけつ）を主張する正当の利益を有する者です。

　民法177条が登記を要求したのは，登記で公示することによって正当の利益を有する者を保護するためであり，正当の利益を有しない者（無権利者や不法行為者など）に対して権利を主張するときにまで登記を要求する趣旨ではないからです。

　判例・通説の定義では，登記がなくても，以下の①～③の者に対しては物権変動を対抗できることになります。

①当事者

　何度か例に出している，Aがあなたとבに不動産を二重譲渡した事案では，「Aとあなた」あるいは「AとB」との関係が当事者の関係となります。これは，当たり前といえば当たり前です。たとえば，売買では，買主は売主に対して「所有者だから，私に登記を移せ」と言えるのです。「登記がないと，私が所有者だと言えない」となったら，永遠に登記を得られないことに

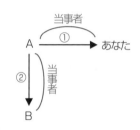

なります。売主は，買主に対して登記を移すべき義務を負う者なのです。

　なお，Aがあなたとבに不動産を二重譲渡した後，BがAに不動産を譲渡した（Aに不動産が戻った）場合にも，あなたはAに対して登記なく不動産の所有権を対抗できます（最判昭42.10.31）。Aとあなたは当事者の関係だからです。

②当事者の包括承継人（相続人や合併会社）

　たとえば，Aがあなたに建物を売り，あなたに登記を移す前に死亡した場合，あなたはAの相続人に，登記がなくても「私が所有者だ」と言えます。なお，Aが合併された会社であった場合も同じく，あなたはAを合併した会社に，登記がなくても「私が所有者だ」と言えます。

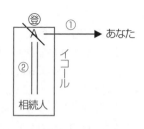

　物権変動においては，相続が発生した場合，右の図のように被相続人と相続人は「イコールとして」（同じ人のように）考えてください（合併も同様です）。

③登記の欠缺を主張する正当の利益を有しない者

　正当の利益を有しない者とは，具体的には以下の者です。

ア　実質的無権利者（大判明32.6.7，大判大3.12.1，大判昭5.3.31，大判昭5.
　4.17，大判昭10.11.29，最判昭24.9.27，最判昭34.2.12）
　無権利者ですから，登記がなくても対抗できます。
イ　不法行為者・不法占拠者（大連判明41.12.15，大判昭12.5.20，大判大9.4.19，
　最判昭25.12.19）
　不法行為や不法占拠をしている者を保護する必要はないでしょう。
ウ　詐欺または強迫によって登記の申請を妨げた者（不登法5条1項）
　詐欺や強迫をする者を保護する必要はないでしょう。
エ　他人のために登記を申請する義務を負う者（不登法5条2項本文）
　たとえば，登記申請の依頼を受けた司法書士が当たります。きちんと登記を実
現するのが仕事ですから，「登記がないだろ」などと言えません。
オ　一般債権者
　担保権者と異なり，一般債権者は特定の不動産に対して特別な権利を持っているわ
けではないからです。Ⅰのテキスト第2編第5章第2節③4.（2）（c）の「一般債
権者が該当するかどうかの記憶のテクニック」もご確認ください。
カ　転々譲渡の場合の前主（最判昭39.2.13，最判昭43.11.19）
　たとえば，不動産がA→B→Cと譲渡されたが，まだAに登記が残っている場
合，CはAに対して登記がなくても所有権を主張できます。これは，「A→B→C」
と所有権が移転してきているので，上記①の「当事者」の関係の延長線上のハナ
シといえます。Cは所有者だから，「A→B→Cと登記を移せ」と言えるのです。
「登記がないと，私が所有者だと言えない」となったら，永遠に登記を得られな
いことになります。
キ　背信的悪意者（最判昭43.8.2）
　これについては，いくつか論点がありますので，下記（2）で別途説明します。

イ・ウ・キの思い出し方

　上記イ・ウ・キの思い出し方ですが，Ⅰのテキスト第2編第5章第2節②4.で以下
の「帰責性と保護の程度」の図を示しました。民法177条は，悪意であっても第三者
を保護しますが，背信的悪意者，不法行為者・不法占拠者，詐欺者・強迫者は保護し
ません。よって，以下の図の位置に境界線が引かれるのです。「悪意」と「背信的悪
意者」の間に境界線が引かれることを記憶すれば，イ・ウ・キは思い出せます。

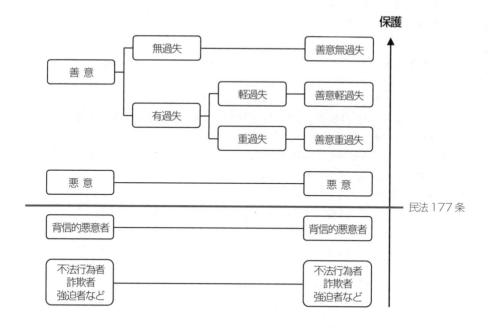

（2）背信的悪意者
（a）背信的悪意者とは？

　上記（1）③キの背信的悪意者を少し掘り下げてみましょう。背信的悪意者とは，以下のような者です。

ex. あなたは，Aから建物を買って，売買
　　代金も支払い，近所の人と仲良くなり
　　快適な生活をしていましたが，登記は
　　あなたに移さずにまだAにあったと
　　します。この場合に，Bが，あなたの
　　登記がされていないのに乗じ，あなた
　　にその建物を"高く売りつける意図
　　で"Aとその建物の売買契約を締結し
　　て，登記を備えたとします。この場合

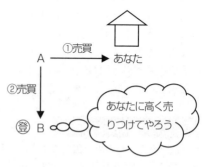

は，あなたの勝ちであり，Bはあなたに「登記を備えたから出て行け」と言うことはできません（最判昭43.8.2）。

　このBのように，登記がされていないのに乗じあなたに高く売りつける意図で取引をしている者は，保護するに値しません。なお，この背信的悪意が，日常用語でいう「悪意」（害意があるなど）です。法律でいう「悪意」とは，単に「知っている」という意味にすぎませんので，ご注意ください。なかなか「悪」という文字のイメージが抜けないと思いますが，日常用語と異なります。

　他の背信的悪意者の例を挙げると，上記ex.において，Bがあなたに対する害意をもって積極的にAに対し，あなたに売却済みの建物を自分に売るよう働きかけ，あなたの権利を侵害しようとした場合が背信的悪意者に当たります。

（b）背信的悪意者からの転得者の地位

　背信的悪意者が民法177条で保護されないことはわかりましたが，では背信的悪意者から不動産を譲り受けた者はどうでしょうか。以下のCaseで考えてみましょう。

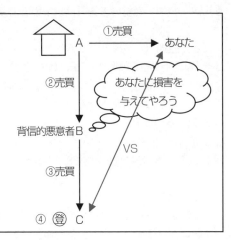

Case

　Aが所有している建物をあなたに売却したが，登記は依然としてAのもとにあった。その後，背信的悪意者Bが，Aとその建物の売買契約を締結して，登記を備えた。そして，Bが，背信的悪意者ではないCにその建物を譲り渡し，Cに登記名義が移された。あなたは，Cに対して，登記がなくても建物の所有権を主張することができるか？

　上記Caseのように転得者Cが出てきた場合，あなたは，Cが背信的悪意者でなければ，登記がないとCに対抗できません（最判平8.10.29）。つまり，第1譲受人であるあなたと，背信的悪意者Bからの転得者Cとの関係は，民法177条の対抗関係（登記で決まる関係）となります。

　背信的悪意者に該当するかは，相対的に考えるからです。法律でいうところの「相対」とは，人ごとに考えるということです。上記（a）で説明したとおり，背信的悪意者Bは登記があっても第1譲受人であるあなたに対抗できません（最

判昭 43.8.2)。しかし，Bがあなたに対抗できないからといって，AとBとの売買が無効となるわけではありません。よって，Bからの転得者Cは，有効に所有権を取得できます。そこで，Cとあなたとの関係が問題となりますが，この関係は対抗関係になるため，民法 177 条により登記を備えたほうが優先するのです。

　このように，背信的悪意者であるかは，相対的に（人ごとに）考えるのです。

4．登記が要求される物権変動

　上記 3.では，民法 177 条の「人のハナシ」をみました。この 4.では，民法 177 条の「物権変動のハナシ」をみます。

（1）基本的な考え方

　物権変動といっても，様々なものがあります。所有権の移転だけでも，契約（売買など）による移転もあれば，相続や遺贈による移転もあります。そこで，第三者に対抗するためにはすべての物権変動について登記が必要なのかが問題となりますが，判例・通説の考え方は以下のとおりです。

（a）原則

| 無制限説 | （大連判明 41.12.15・通説）

　すべての物権変動について，第三者に対抗するためには登記を必要とします。所有権の移転に限られません。

ex1. 抵当権の設定
ex2. 差押え
ex3. 仮差押え（最判昭 38.3.28)

（b）例外

　無制限説を貫くと，すべての物権変動につき登記がないと第三者に対抗できないことになります。しかし，無制限説は貫かれていません。以下の①〜④のような例外があります。

①相続による権利の取得

■ 相続登記は放置していても OK？

　法定相続分に応じた権利の取得は，登記を備えなくても第三者に対抗できます（民法 899 条の 2 第 1 項参照。最判昭 38.2.22)。このため，数十年間，相続登記がされずに被相続人名義のまま放置されている不動産が多数存在します。みなさ

んも司法書士になれば，数十年前に亡くなった被相続人名義で登記されている不動産についての依頼を受けることになるでしょう。なお，「法定相続分」とは，民法で決まっている相続分のことです（民法900条，901条）。たとえば，息子2人が相続人の場合，息子それぞれの相続分は「長男1/2，二男1/2」です（民法900条4号本文）。

それに対して，遺言による指定相続分に応じた権利の取得は，法定相続分を超える部分については，登記を備えないと第三者に対抗できません（民法899条の2第1項）。「指定相続分」とは，遺言で相続人の相続分を変更することです（民法902条）。たとえば，息子2人が相続人の場合に，被相続人が遺言で「長男は介護をしてくれたから2/3，二男は何もしなかったから1/3」などと相続分を変更することができます。指定相続分に応じた権利の取得が法定相続分を超える部分については登記を備えないと第三者に対抗できないのは，以下の2つの理由によります。

・遺言で，対抗要件が不要な状態を作り出せるのはおかしいです。
・遺言に基づく権利の承継は，意思表示による移転といえます。よって，対抗要件を要求してもおかしいものではありません。

※相続登記の義務化

相続登記がされない不動産が多く，現在の所有者が登記からわからない不動産が多かったため，令和3年の改正で，不動産の所有権を相続した相続人に相続登記を義務づける改正がされました（不登法76条の2）。違反すると10万円以下の過料に処せられます（不登法164条1項）。これで相続登記がされることが増えることが望まれています。
＊この相続登記の義務化は，令和6年4月1日から施行されます。

②弁済による抵当権の消滅（大決昭8.8.18）

弁済による抵当権の消滅は登記なく対抗できるため，住宅ローンを完済したが，抹消されずに残っている抵当権は割と多くあります。抵当権者である銀行のほうも，住宅ローンを完済してもらえれば抵当権を抹消することにあまり興味はないため，抵当権の設定者であった者に抵当権の抹消の登記に必要な書類を渡して「あとは好きに抹消してください」というスタンスであることもあります。そして，そのまま放っておく人もおり，抹消されずに残っている抵当権もあるのです。

なお，被担保債権の一部が返済されたことによる抵当権の債権額の変更の登記も，登記しなくても第三者に対抗できます（大判大9.1.29）。これで登記が必要だとすれば，毎月の住宅ローンの返済ごとに登記が必要となり，かなり大変です（必要なら司法書士の仕事は増えるのですが……）。

③混同による抵当権の消滅

混同はP66～74の4.で説明しますが，所有者と抵当権者が同一人物になったなどのハナシです。これは登記をみれば同一人物になったことがわかるので，抵当権の抹消の登記をしなくても第三者に対抗できます。

④存続期間満了による不動産質権の消滅

不動産質権の存続期間についてはP221の3.で説明しますが，存続期間は登記されるので（不登法95条1項1号），これも登記をみれば不動産質権が消滅していることがわかります。よって，不動産質権の抹消の登記をしなくても第三者に対抗できます。

（c）第三者に対抗するために登記を要するかどうかの判断の思考過程

ここからP41（f）まで，第三者に対抗するために登記を要するかどうかを事案ごとにみていきますが，判断の思考過程は以下のとおりです。

```
判断の思考過程
```

第1段階

対抗問題になる第三者かどうかを考えます。対抗問題にならない第三者ならば，「当事者の関係」となり，対抗するのに登記は不要です。当事者の間では登記が不要なのは，P24①で説明したとおりです。

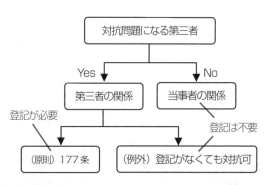

第2段階

対抗問題になる第三者の場合は，原則として民法177条の問題となり登記が必要です。しかし，例外的に登記が不要となる場合があります（P40~41（e））。

具体例 ── 持分の譲受人と他の共有者

*この具体例は，P145までお読みになった後にお読みください。

一例を紹介します。たとえば，Aとあなたが土地を共有している場合において，Aがその共有持分をBに譲渡したが，その旨の持分の移転の登記をしていないとき，Bは，あなたに，不

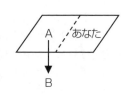

動産の共有持分の取得を対抗できません（大判大5.12.27，最判昭 46.6.18）。上記の「判断の思考過程」でいうと，第1段階であなたはBにとって第三者の関係であり，第2段階で例外に該当しませんので，民法177条の問題となります。

　これは，共有物分割の訴えを誰に対して提起すべきかが問題となった事例です。共有物分割の訴えは，共有者全員が裁判の当事者とならなければなりません。そこで，共有者を確定する必要があったのですが，Bが登記を得ていないと，あなたにはBが共有者であるかがわからないため，Bが共有者であることをあなたに対抗するためには登記が必要であるとされました。

（2）時効取得と登記

　P17〜18①で説明したとおり，時効取得も物権変動（原始取得）です。そこで，時効取得による物権変動を第三者に対抗するために登記が必要かが問題となります。

（a）当事者関係

　時効取得者は，原権利者に対しては，登記がなくても対抗できます（大判大7.3.2，大判大 13.3.17）。P30 の「判断の思考過程」でいうと，第1段階で当事者

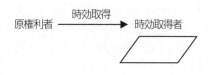

の関係となるからです。時効取得者は，「所有者だから，原権利者に『登記をよこせ』といえる」のです（P24①で説明した論理です）。

（b）時効完成前の第三者と時効取得者

Case

　あなたは，Aが所有している土地の占有を開始した。その後，AはBに，その土地を売却した。その後，あなたの取得時効が完成した。この場合，あなたはBに対して，登記がなくてもその土地の所有権を主張できるか？

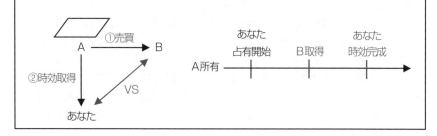

　時効取得者は，原権利者から時効完成前に目的不動産を取得した者に対しても，登記がなくてもその取得を対抗できます（最判昭 41.11.22，最判昭 42.7.21）。よって，上記 Case において，あなたはBに登記なく所有権を主張できます。

　Bは，あなたの取得時効の完成時の所有者ですので，Bとあなたは P30 の「判断の思考過程」でいうと，第1段階で当事者の関係となるからです。また，時効完成前には，あなたには登記をする方法がありません。I のテキスト第2編第5章第2節⑤ 4.（3）（c）ⅱ の「民法 177 条を適用できるかを考える視点」で説明したとおり，民法 177 条を適用するには「登記できたのに，しなかっただろ！」と責めることのできる状況があったことが必要ですが，上記 Case では，あなたの取得時効の完成前にBが登場していますので，その状況がありません。

（c）時効完成後の第三者と時効取得者

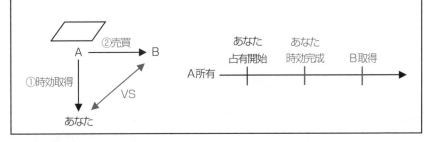

Case

　あなたは，Aが所有している土地の占有を開始した。その後，あなたの取得時効が完成した。その後，AはBに，その土地を売却した。この場合，あなたはBに対して，登記がなくてもその土地の所有権を主張できるか？

ⅰ　登記の要否

　時効取得者は，原権利者から時効完成後に目的不動産を取得した者に対抗するには，登記が必要です（最判昭 33.8.28）。よって，上記 Case において，あなたはBに登記なく所有権を主張できません。なお，対抗するのに登記が必要であるのは，時効完成後に原権利者が設定した抵当権の抵当権者に対しても同じです。

　P30 の「判断の思考過程」でいうと，第1段階でBはあなたにとって第三者の関係であり，第2段階で例外に該当しませんので，民法 177 条の問題となります。また，時効完成時からBの登場までに，あなたには登記をする方法があります。「登記できたのに，しなかっただろ！」と責めることのできる状況が，上記 Case ではあるのです。

※Bが背信的悪意者に当たるとき

　もしBが，Aと土地の売買をした時に，あなたが何年も土地を占有している事実を認識しており，あなたの登記の欠缺を主張することが信義に反するものと認められる事情が存在するときは（Bはその土地が代々進入路として使われていることを知っており背信的悪意者に当たるとされました），あなたは登記がなくてもBに土地の所有権を主張できます（最判平18.1.17）。

　背信的悪意者は，民法177条の第三者に当たらないからです（P26〜27（a））。

ii　時効の起算点の選択の可否

　上記Caseにおいて，あなたは，時効の起算点を選択できるでしょうか。どういうことかというと，時効完成"後"の第三者に対抗するのには登記が必要ですが，上記（b）でみたとおり時効完成"前"の第三者に対抗するには登

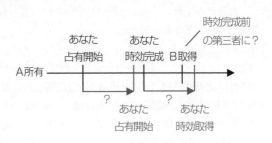

記は不要です。そこで，上記Caseにおいて，あなたは，実際の時効の起算点よりも遅い時点を起算点だったことにし，「Bは時効完成"前"の第三者だよ」と言えるかということです。

　これは，認められません（大判昭14.7.19，最判昭35.7.27）。これが認められると，常に時効完成"前"の第三者（当事者の関係）とすることができることになってしまうため，このようなセコイ方法は認められないのです。

iii　新たな時効期間の経過による再度の時効取得の可否

　では，上記Caseにおいて，Bが登記を備えた場合，あなたは新たな時効期間の経過によりBに対して所有権の取得を主張できるでしょうか。

　これは主張できます（最判昭36.7.20）。再度時効期間を経過すれば，Bは上記（a）の原権利者となります。

　所有者となったBがあなたの占有を放置し，あらためてあなたが時効取得したのですから，BとあなたはP30の「判断の思考過程」でいうと，第1段階で当事者の関係となります。

　なお，この場合の新たな時効期間の起算点は，Bが所有権の移転の登記をした時です（最判平24.3.16）。

（3）相続と登記
　相続も物権変動ですので（P18②の包括承継），相続による物権変動を第三者に対抗するために登記が必要かが問題となります。

（a）当事者関係
　相続の当事者間では，相続による物権の取得を登記なく対抗できます。
ex. 長男と二男が相続人である場合に，長男が相続登記をしていないからといって，二男から「お兄ちゃんは登記していないから，お兄ちゃんの持分は僕のね」と言われることはありません。

　また，P24 の②で説明したとおり，物権変動においては，相続が発生した場合は，被相続人と相続人は「イコールとして」（同じ人のように）考えます。
ex. Aが所有する建物をBが時効取得した場合において，Bがその旨の登記をする前にAが死亡し，Aの相続人であるあなたが相続登記をしました。この場合であっても，Bはあなたに対して，その建物の所有権を時効により取得したことを主張できます。

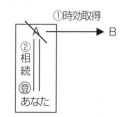

（b）被相続人からの譲受人と相続人からの譲受人

Case

　AはBに所有している建物を売却したが，所有権の移転の登記をしないうちに死亡した。その後，Aの相続人Cがその建物をあなたに売却した。この場合，Bはあなたに対して，登記がなくてもこの建物の所有権を主張できるか？

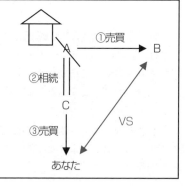

P24の②で説明したとおり，上記Caseの場合，BはC
に対しては，登記がなくても対抗できます。

しかし，Bとあなたは，登記を備えたほうが優先する関
係となります（最判昭33.10.14）。

AとCは P24 の②で説明したとおり同じ人のように考
えます。そうすると，A（C）からBとあなたに二重譲渡
がされたような構図となります。よって，Bとあなたの関
係には民法177条が適用され，Bはあなたに対して，登記
なくして建物の所有権を主張できないことになるのです。

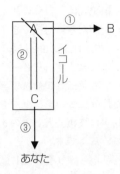

※遺贈の場合

似たような事例ですが，上記CaseのAB間の移転が，
売買によるものではなく，「遺贈」によるものであった
場合，どうなるでしょうか。その他の事情は，上記Case
と同様です。

この場合でも，Bとあなたとの関係には，民法 177
条が適用され，登記を備えたほうが優先します（大判昭
8.12.6，最判昭39.3.6）。

AとCを同じ人のように考え，遺贈も意思表示による
移転であるため売買などと同じように考えるので，上記
Caseと同様の結論となるのです。

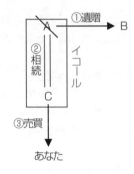

（c）共同相続人の登記冒用

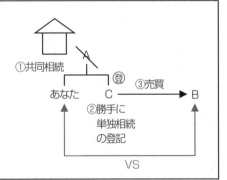

> **Case**
>
> 　Aが死亡し，あなたとCが共同相
> 続した建物を，Cが勝手に単独で相
> 続した旨の登記をしてBに売却し
> た。この場合，あなたは，自分の法
> 定相続分に応じた持分を登記がな
> くてもBに主張できるか？

　相続人は，自分の法定相続分に応じた持分を登記がなくても他の相続人から譲り受けた者に対抗できます（民法899条の2第1項参照。最判昭38.2.22・通説）。よって，上記Caseにおいて，あなたはBに登記なく自分の相続分に応じた持分を主張できます。P28〜29①で「法定相続分に応じた権利の取得は，登記を備えなくても第三者に対抗できる」と説明しましたとおり，あなたは法定相続分に応じた持分については登記を放置していても大丈夫なのです。だから，相続登記がされずに被相続人名義のまま放置されている不動産が多数存在し，社会問題になっているんです。

　Cから譲り受けたBは，あなたの持分についてはまったくの無権利者であり，登記に公信力がない以上（P20），Cが単独相続の登記をしていても，それを信頼したBが保護されるわけではなく，Bはあなたに対抗することができないのです。

　なお，Bは，もちろんCの持分については有効に取得できます。Cの持分については，権利者であるCから譲り受けているからです。

※Bが救われる場合
　民法94条2項の類推適用（Ⅰのテキスト第2編第5章第2節3 5.）の要件を充たす場合は，Bが保護される可能性があります（最判昭44.5.27参照）。民法94条2項の類推適用は，「信じた者が救われる」というハナシだからです。

（d）遺産分割
　「遺産分割」とは，相続人などが複数いる場合に，相続人などの間で話し合い，「不動産は長男。預金は二男。」などと具体的に相続財産の分け方を決めることです。民法では「相続分 1/2」などと抽象的にしか決まっていないのですが，実際には「不動産を誰が取得するか，預金を誰が取得するか」などと分ける必要がありますので，相続人などが複数いる場合には遺産分割をするのが一般的です。
　ここでは，遺産分割で決めたことと異なる売買がされた場合などに，誰が不動産の権利を取得するのかという問題をみていきます。

i　共同相続人が持分を第三者に譲渡した後，遺産分割協議が行われた場合（譲渡→遺産分割）

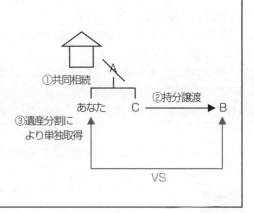

> **Case**
>
> 　Aが死亡し，共同相続人であるあなたとCのうちCが，相続財産である建物の自分の法定相続分に応じた持分をBに譲渡した。その後，遺産分割協議が行われ，その建物をあなたが単独で相続することとなった。この場合，Bはあなたに対して，登記がなくてもCから取得した持分を主張できるか？
>
> ①共同相続
> ②持分譲渡
> ③遺産分割により単独取得
> あなた　C　B
> VS

遺産分割の効力について，以下の条文があります。

> **民法909条（遺産の分割の効力）**
>
> 　遺産の分割は，相続開始の時にさかのぼってその効力を生ずる。ただし，第三者の権利を害することはできない。

　遺産分割は，民法909条本文に「相続開始の時にさかのぼってその効力を生ずる」とありますとおり，遺産分割をすると，相続開始時（被相続人の死亡時）から遺産分割協議の内容どおりに相続財産を承継したことになります（遺産分割の遡及効）。上記 Case の場合，あなたは相続開始時から建物を単独で有していたことになります。

　しかし，民法909条ただし書に「第三者の権利を害することができない」とあります。上記 Case のように，遺産分割の前に登場した第三者Bがいる場合，Bを害してはいけないのです。ただし，Bが保護されるには，権利保護資格要件としての登記が必要です（通説）。よって，上記 Case でBは，登記がなければ，Cから取得した持分をあなたに対抗できません。

> ── 用語解説 ──「権利保護資格要件としての登記」─────────────
>
> 　少し細かいハナシになりますが,「権利保護資格要件としての登記」は,民法177条の「対抗要件としての登記」とは異なります。
>
> 　民法177条の対抗要件としての登記であれば,あなたとBは,「登記を備えたほうが権利の取得を主張できる」となります。よって,あなたとBのどちらにも登記がなければ,お互いに「私の物だ」とは言えません。
>
> 　それに対して,権利保護資格要件としての登記は,その名のとおり「権利」を「保護」されるための「資格要件」としての登記です。よって,あなたに登記がなくても,Bに登記がなければ,あなたはBに「私の物だ」と言えます。Bは,登記がない限りは保護されないのです。

ii　遺産分割協議後,共同相続人が持分を第三者に譲渡した場合（遺産分割 →譲渡）

Case

　Aが死亡し,共同相続人であるあなたとCが遺産分割協議を行い,相続財産である建物をあなたが単独で相続した。その後,Cが第三者Bに,その建物の自分の法定相続分に応じた持分を譲渡した。この場合,あなたはBに対して,登記がなくてもその建物の全部の所有権を主張できるか？

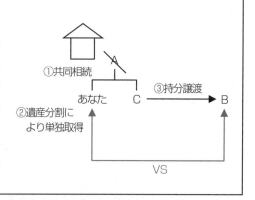

民法899条の2（共同相続における権利の承継の対抗要件）

1　相続による権利の承継は,遺産の分割によるものかどうかにかかわらず,次条及び第901条の規定により算定した相続分（法定相続分）を超える部分については,登記,登録その他の対抗要件を備えなければ,第三者に対抗することができない。

遺産分割の遡及効はかなり曲げる

　上記 i でみた民法909条本文には,遺産分割は「相続開始の時にさかのぼってその効力を生ずる」とありましたが,この民法909条本文は,よく曲げられます。本当によく。

　上記 Case は，上記 i とは逆に，遺産分割後に，CがBに自分の法定相続分に応じた持分を譲渡しています。この場合，あなたはBに対しては，自分の法定相続分に応じた持分を超える部分（Cの法定相続分に応じた持分）の承継については登記がなければ対抗できません（民法 899 条の 2 第 1 項）。

　判例（最判昭 46.1.26）は，遺産分割は第三者に対する関係においては，相続人が相続によりいったん取得した権利につき遺産分割時に新たな変更を生じるのと実質上異ならないため，あなたは，遺産分割後に登場したBに対しては，登記がなければ対抗できない（民法 177 条の問題である）としました。「遺産分割時に新たな変更を生じる」とは，遺産分割をした時点で移転するということです。遺産分割の遡及効をかなり曲げています。判例がこのように考えた理由は，P41 で説明します。

　なお，あなたは，自分の法定相続分に応じた持分 2 分の 1 については登記なく対抗できます。これは，法定相続分に応じた権利の取得ですから登記なく対抗できるのです（P28〜29①）。

※遺産分割により相続財産を承継しなかった者が単独相続の登記をした場合

　たとえば，Aの相続人であるあなたとCが，相続財産である建物をCの単独所有とする遺産分割協議をしたとします。その後，あなたが勝手に単独相続の登記をした場合，その建物をCから買い受けたBは，あなたに対し，所有権の移転の登記の全部の抹消を請求できます。あなたは，遺産分割によって，この建物について無権利者となっ

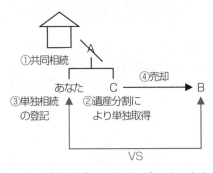

ているからです。また，自ら「C単独所有でいいよ」と合意したわけですから，あなたが相続登記をしても無駄なのです。

（e）相続放棄

「相続放棄」とは，相続人が家庭裁判所に申述することによって，その者を初めから相続人でなかったものとする制度です（民法938条，939条）。主に，被相続人に多額の借金があった場合に，その借金を相続したくないときに利用します。相続放棄をすると借金は相続しなくて済むのですが，初めから相続人でなかったものとされるので，プラスの財産も相続できなくなります。

共同相続人の1人が相続放棄をした場合に，登記との関係で問題が生じます。

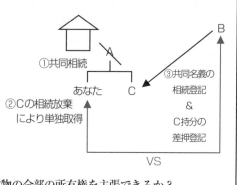

Case

Aが死亡し，共同相続人はあなたとCであったが，Cが相続放棄をしたことによって，相続財産である建物をあなたが単独で相続した。しかし，Cの債権者であるBは，その建物についてあなたとC共同名義の相続登記をした上でCの持分を差し押さえ，差押登記もされた。この場合，あなたはBに対して，その建物の全部の所有権を主張できるか？

遺産分割協議によりあなたが単独所有者となった後に第三者Bが登場し，Bが登記を備えた場合は，Bの勝ちでした（上記（d）ⅱ）。

しかし，判例は，遺産分割が相続放棄に変わると，あなたはBに対して，登記がなくても建物の所有権すべてを対抗できるとしました（最判昭42.1.20・通説）。よって，上記Caseの場合，Bは登記を備えていますが，Bの差押登記は無効となり，あなたはBに対して，建物の全部の所有権を主張できます。

遺産分割が相続放棄に変わると登記が問題とならなくなるのは，遺産分割と相続放棄には以下のような違いがあるからです。

遺産分割	相続放棄
①遺産分割は，実質的には相続人間の持分の譲渡と異なりません。	①相続放棄をすると，相続人としての資格をさかのぼって喪失します。
②遺産分割により個々の財産の帰属が最終的に確定するので，登記をしないことを怠慢とみることができます。	②相続放棄はいわば「包括して放棄」するものであり，個々の財産の帰属を決めるものではないので，登記をしないことを怠慢とみることはできません。
③遺産分割は家庭裁判所の手続による必要はないため（家でできます），第三者が家庭裁判所で確認できません。	③相続放棄は家庭裁判所でしなければならないので（民法 938 条），第三者が家庭裁判所で相続放棄の有無を確認できます。

　上記の表の右の①に関係しますが，相続放棄には以下の強力な効果があります。

　相続放棄の効果

　相続放棄の効果は，とにかく「絶対的」です（初めから完全に相続人でなかったものとみなされます）。

　上記 Case では，C は初めから完全に相続人でなかったものとみなされるので，完全な無権利者Cの持分を差し押さえたBは保護されないのです。

（ f ）「特定の相続財産を」「特定の相続人に」「承継（相続）させる」旨の遺言（特定財産承継遺言）

＊この（ f ）は，Ⅲのテキスト第 10 編第 3 章第 3 節 ②1.（1）（b）で「特定の相続財産を」「特定の相続人に」「承継（相続）させる」旨の遺言の論点を学習した後にお読みください。

　「特定の相続財産を」「特定の相続人に」「承継（相続）させる」旨の遺言（特定財産承継遺言）によって不動産を取得した者は，法定相続分を超える部分については，登記を備えないと第三者に対抗できません（民法 899 条の 2 第 1 項）。
　これは，遺言による指定相続分（P29）と同じく，以下の 2 つの理由によります。
・遺言で，対抗要件が不要な状態を作り出せるのはおかしいです。
・遺言に基づく権利の承継は，意思表示による移転といえます。よって，対抗要件を要求してもおかしいものではありません。

5．不動産登記法との橋渡し

第三者に対抗するために登記が必要であるかという問題をずっとみてきましたが，民法177条の最後に，少し登記の手続についてみます。不動産登記の手続を定めたのが不動産登記法なので，具体的な手続に関しては不動産登記法で学習しますが，その不動産登記法への橋渡しになるハナシをここでします。なお，まだ不動産登記法を学習していないため，少しわかりづらいハナシもあるかもしれませんが，不動産登記法を学習した後に再度この5.をお読みいただくと，さらに理解が深まります。

（1）登記請求権
（a）意義

登記請求権：登記申請手続に協力することを請求することができる権利

たとえば，買主は売主に「登記を移せ」と請求できます。このような権利のことを「登記請求権」といいます。

この登記請求権は，登記権利者（上記の例では買主）だけでなく，登記義務者（上記の例では売主）にもあります（最判昭36.11.24）。登記義務者の登記請求権を「登記引取請求権」ということがあります。「売主は登記名義を失うほうなんだから，登記請求権なんて要らないんじゃないの？」と思われるかもしれませんが，登記名義があると固定資産税の請求がきたりと不都合なこともあるので，売ってしまったのならば，「早く登記名義を移したい」と考える売主もいるのです。

（b）発生原因

登記請求権は，いかなる理由で発生するのでしょうか。以下のCaseで考えてみましょう。

Case

Aが売主，あなたが買主となって建物の売買が行われた場合，Aとあなたはいかなる登記請求権を有するか？

A ──────→ あなた
（売主）　　　　　（買主）

登記請求権の発生原因には，以下の3種類があります。

万能な分類ではない

　以下の３つに分類するのが通常なのですが，この分類は万能ではありません。以下の３分類で説明するのが難しい登記請求権もあります。

①物権的登記請求権：実体的権利関係と登記の不一致。物権そのものの効力として発生。

　請求者が物権を有している場合に，その物権そのものの効力として発生する登記請求権です。

②債権的登記請求権：当事者の特約。債権的効果として発生。

　登記をする当事者の間に合意がある場合に発生する登記請求権です。

　なお，Ⅰのテキスト第２編第10章第３節 2 に「登記請求権は消滅時効にかからない」というハナシがありますが，この債権的登記請求権だけは，消滅時効にかかります。合意から生じる債権であるため，通常の債権と同様に扱われるのです。

③物権変動的登記請求権：物権変動と登記の不一致。物権変動を反映するため，当然に当事者間に発生。

　登記をする当事者の間に物権変動がある（線がつながる）場合に発生する登記請求権です。

ex. A→B→Cと不動産の所有権が移転した場合，Bは，Cに不動産を転売した後でも，Aに対する移転登記請求権を失いません（大判大5.4.1）。このように「A→B」という物権変動があれば，現在の権利者（C）だけでなく，従前の物権変動の当事者（B）にも登記請求権が発生します。

※具体例

ex1. 上記Caseにおいて，あなたにいかなる登記請求権があるかというと，あなたとAとの間に合意（売買契約）がありますので②の登記請求権があり，あなたには物権（所有権）がありますので①の登記請求権があり，Aからあなたに物権変動（所有権の移転）がありますので③の登記請求権があります。

ex2. 上記Caseにおいて，Aにいかなる登記請求権があるかというと，Aとあなたとの間に合意（売買契約）がありますので②の登記請求権があり，Aには物権がありませんので①の登記請求権はなく，Aからあなたに物権変動（所有権の移転）がありますので③の登記請求権があります。

　このように，①〜③の登記請求権は，同時に複数成立することもあります。

どの登記請求権に該当するかの検討順序

この登記請求権の論点は，事例が示され「①〜③のどの登記請求権に基づいて登記を要求できますか？」という問題が最も多いです。よって，問題演習が重要となります（平成20年度第8問や平成10年度第15問を解いてください）。

問題を解く際の検討順序は，「②（登記をする当事者の間に合意があるか）→①（請求者に物権があるか）→③（登記をする当事者の間に線がつながるか）」が最善です。上記の「※具体例」は，この順で記載しています。合意があるかが最も判断しやすく，物権があるかが次に判断しやすいからです。また，前述したとおり，この3分類は万能ではないため，「どの登記請求権でも説明しがたいが，③の登記請求権にしておこう」と，なかば無理矢理の結論となることがあることも理由の1つです。

（c）中間省略登記の登記請求権は発生するか？

「中間省略登記」とは，たとえば，A→B→Cと順次に所有権が移転した場合に，Bをすっ飛ばしてAからCに直接に移転の登記をすることです。登記には，「物権変動の過程を忠実に」という大原則があり，「A→B」「B→C」と2つの登記をするのが原則です。

ⅰ　原則

実体的な物権変動の過程（A→B→C）と異なる移転の登記（A→C）を請求する権利は，当然には発生しないと解すべきです。よって，Cは，Aに対し直接自分に登記を移転すべき旨を請求できません。

その理由ですが，まず，通常は売買代金の支払と引換えに登記をするのですが，BがCから売買代金を受け取っていなかった場合，Bがすっ飛ばされてしまうと，BがCから売買代金を受け取れなくなってしまうかもしれません。

また，登録免許税など税金の潜脱（脱税）になります。不動産の売買には，1回1回様々な税金がかかります。1人飛ばせると，その税金が1回分節約できるのです。実際に「中間省略登記お願いできない？」と違法な依頼をする不動産会社もいますが，ほとんどが税金逃れが目的です。

※真正な登記名義の回復を登記原因としてなら中間省略登記が認められる？

中間省略登記は原則として認められないとしても，「真正な登記名義の回復」を登記原因としてならば認められるのではないかと争われたことがあります。「真正な登記名義の回復」とは，実際の権利者でない者が登記を得ている場合に，実際の権利者

に登記を移転する登記です（詳しくは不動産登記法で学習します）。

　判例は，真正な登記名義の回復を登記原因としても，Bをすっ飛ばしてAからCに直接に移転の登記をすることはできないとしました（最判平22.12.16）。登記には，「物権変動の過程を忠実に」という大原則があります。よって，実際の物権変動と一致しない登記となる真正な登記名義の回復は，他の手段では登記する方法がないときに限り認めるなど，できる限り限定的に認めるべきだからです。

ii　例外
　ただし，この中間省略登記には，判例が認めた以下の2つの例外があります。

①すでに中間省略登記がなされた場合，判例は，これを無効となるとはしていません（最判昭35.4.21）。つまり，「やっちゃった中間省略登記」については，後から無効にはしなかったのです。
　なお，これは，すっ飛ばされたBがすでに売買代金を受け取っていた事案です。
②A，B，Cの3者で合意すれば登記請求権が生じるとした判例があります（最判昭40.9.21）。
　Bも納得しているので，実体上（民法上）は3者で合意すれば中間省略登記の登記請求権が生じます。しかし，登記実務は3者の合意があっても中間省略登記を受理していません。このように，実体（民法など）の解釈と手続（不動産登記法など）の取扱いが異なる部分はいくつかあります。勉強するほうからしたら迷惑なんですが……。

（2）登記の流用
　登記の流用とは，効力が失われた登記があるが，その登記に一致する実体が生じた場合に，効力が失われた登記をその新しく生じた実体の登記として使うことです。
　こう説明してもわかりにくいでしょうから，具体的なCaseでみてみましょう。

> **Case**
>
> 　1番抵当権が被担保債権の弁済により実体上消滅したが，その抹消の登記がいまだされていない場合，他の債権を担保するものとして，その実体上消滅した抵当権の登記を流用できるか？

　登記の流用は，好ましくはありません。上記Caseにおいても，物権変動を忠実に登記に反映するには，抵当権は消滅したわけですから抵当権の登記を抹消し，新たに抵当権の設定の登記をするのが好ましいです。

（a）抵当権の登記の流用

しかし，抵当権の登記の流用について，以下の判例があります。

前の抵当権の登記が現在の権利状態に一致する限り，その効力が認められますが，流用されるまでの間に出現した第三者（ex. 後順位抵当権者）に対する関係では，流用された登記の効力を主張できません（大判昭 11.1.14 参照）。

登記の流用は好ましいことではありませんが，判例は抵当権の登記の流用を認めました。登記をする労力や費用の節約になるからです。よって，上記 Case において，消滅した抵当権の登記の流用は可能です。

ただし，登記が流用されるまでに出現した第三者（ex. 後順位抵当権者）には，流用された登記の効力を主張できません。これは，抵当権などの担保物権は順位（登記の前後）で優先関係が決まるからです（民法 373 条）。

ex. ある建物に被担保債権 3000 万円の 1 番抵当権，被担保債権 5000 万円の 2 番抵当権が設定されていた場合，この建物が 4000 万円で競売されたときは，1 番抵当権者が 3000 万円，2 番抵当権者が 1000 万円の配当を受けます。つまり，「1 番」「2 番」という順位で優先関係が決まるのです。仮に 1 番抵当権の被担保債権が 4000 万円であったなら，2 番抵当権者は 1 円も配当を受けることができません。

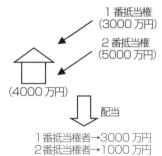

このように，担保物権は順位が非常に重要であり，2 番抵当権者などがいるときに 1 番抵当権が消滅すれば，2 番抵当権者などが「順位が上がった！」と喜んでいますから，それを害してはいけないのです。

（b）滅失した建物の登記の新築建物への流用

火災などにより建物が滅失した後に建物を新築した場合に，滅失した建物の登記を新築建物の登記として流用することはできません（最判昭 40.5.4）。

これはさすがにダメです。建物が滅失した場合は建物の登記をゼロから作り直します。この場合に登記の流用を認めてしまうと，登記が公示制度である趣旨に真っ向から反してしまいます。

5　動産の物権変動

続いて，動産のハナシに入りましょう。

1．対抗要件主義を定めた民法178条

> **民法178条（動産に関する物権の譲渡の対抗要件）**
> 動産に関する物権の譲渡は，その動産の引渡しがなければ，第三者に対抗することができない。

　動産の対抗要件についても I のテキスト第1編第2章 4 で最低限の説明はしましたが，もう少し民法178条を掘り下げてみましょう。まずは，どんなハナシだったか簡単に復習しましょう。

　たとえば，あなたがAからパソコンを買って，売買代金も支払ったが，忙しくて新しいパソコンにデータを移す時間が取れないために，Aの所にまだパソコンがあったとします。この場合に，AがBにパソコンを売って，Bに"引き渡してしまえば"，Bはあなたが先に買ったことを知っていても，あなたに「このパソコンは私の物だよ」と言うことができます。

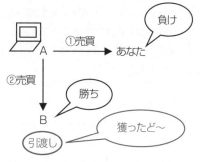

　このように，所有権を得たことを第三者に対抗する（主張する）には引渡しが必要であると定めたのが，この民法178条です。

　これも「対抗要件主義」を定めた条文です。

=P22

※例外

　「引渡し」が対抗要件とならない例外的な動産があります。以下の①や②の動産です。

①登記・登録で公示される動産
ex. 登記された船舶，登録された自動車

　これらは，登記制度・登録制度がありますので，登記・登録が対抗要件となります。

②不動産とともに不動産の登記によって公示される動産
ex. 建物の従物（Ⅰのテキスト第2編第3章③）たる建具類。建具とは，部屋の
　　出入口などにある仕切りのことです。
　この対抗要件は，主物である建物の登記となります。建物と一体として扱うほ
うが，常識にかなうからです。

（1）「引渡し」とは？

　上記※のような例外もありますが，原則としては「引渡し」が動産の対抗要件です。
では，その引渡しとはなんでしょうか。以下のCaseで考えてみましょう。
＊先にP84〜86の1.をお読みください。

> **Case**
>
> 　あなたは，友人のAがノートパソコンを買うというので，これまでAが使って
> いたデスクトップパソコンを贈与されたが，ノートパソコンがAの家に配送され
> るまでの1週間は，あなたに贈与したデスクトップパソコンをAがあなたから借
> りて，Aが引き続き使用することとした。この場合，あなたは，Aから贈与され
> たデスクトップパソコンについて，対抗要件を備えたといえるか？

　民法178条の「引渡し」とは，占有の移転のことです。この「引渡し」には現
実の占有移転である現実の引渡しだけでなく，観念的な引渡しである簡易の引渡
し，指図による占有移転，占有改定も含まれます。多様な引渡しを認めたほうが，
当事者の便宜になるからです。よって，上記Caseにおいて，あなたは占有改定
による引渡しを受けているので，対抗要件を備えたといえます。
　占有改定が含まれるかだけを記憶してください（P86の「記憶のテクニック」）。

（2）民法178条の引渡しを対抗要件とする動産の物権変動

　民法178条が適用されるのは，動産の所有権の譲渡（譲渡担保も含みます。P339
〜340の4.）および復帰に限ります。その他の物権については，それぞれの規定
（ex. P218〜219の2.）があるからです。

2．即時取得

即時取得という動産に特有の制度をみていきましょう。いきなりですが，Case からみます。

Case

Aは，Bにパソコンを預けていた。しかし，Bはそのパソコンを自分の物であると偽って，あなたに売ってしまった。あなたはそのパソコンが，Bの物であると過失なく信じた。そして，あなたはBから購入したそのパソコンを家に持って帰った。この場合，パソコンはAの物か？　あなたの物となるか？

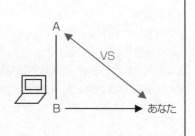

民法192条（即時取得）

取引行為によって，平穏に，かつ，公然と動産の占有を始めた者は，善意であり，かつ，過失がないときは，即時にその動産について行使する権利を取得する。

（1）意義

不動産の登記には公信力がありませんので，上記 Case の取引の対象が不動産であった場合は，あなたは単に無権利者Bと取引をしたことになります。無権利者から権利を承継することはできませんので，あなたは原則として所有権を取得できません。

しかし，取引の対象が動産であった場合，民法192条の要件を充たせば（要件は1つ1つ下記（3）でみます），あなたが所有権を取得できるとしたのが，「即時取得」という制度です。

（2）趣旨

民法178条の「引渡し」には，現実の引渡しだけでなく，当事者の意思表示だけでなされる引渡し（最も公示度が低いのが占有改定）も含んでいるため，公示方法としては非常に不完全なものです。このように公示方法が不完全であるということは，不動産の登記と比べて，取引の安全が害されることが多くなることを意味します。また，動産は毎日バンバン取引されますので，取引の相手方が所有者であるかをいちいち念入りには確認していられません。つまり，動産の取引は，「所有者でない者を所有者だと思ってしまう」という事態が生じやすくなるのです。そのため，不動産と比較して，取引の安全を保護する必要性が高いのです。

　そこで，動産には公信の原則（公信力）の現れである，「即時取得」の制度が設けられました。「公信の原則（公信力）」とは，無権利者からの取得であっても，その無権利者に権利者であるような外観があり，それを信じたのであれば，それを信じた者が権利を取得することができるということでした（P19〜20の2.）。

（3）要件

　即時取得の要件は，「動産」「前主の無権利または無権限」「取引行為」「平穏・公然」「善意無過失」「占有を始めた」です。「前主の無権利または無権限」以外は，民法192条に記載されています。即時取得は無権利者から取得した場合のハナシですから，「前主の無権利または無権限」も要件に加わります。

　それでは，これらの要件を1つ1つみていきましょう。

（a）「動産」であること

　上記（2）の趣旨でみたとおり，動産特有の問題点があるために設けられている制度が即時取得ですので，対象が「動産」であることが要件となります。本条の「動産」に該当しない物は，即時取得できません。

「動産」に該当する	「動産」に該当しない
①**未登録の自動車**（最判昭45.12.4） 　登録によって権利を公示できませんので，即時取得の対象となります。	①**登録自動車**（最判昭62.4.24） 　登録によって権利を公示します。
	②**金銭（価値としての金銭。**最判昭39.1.24） 　金銭の所有と占有は一致します。よって，たとえば，金銭を他人に預けた場合，金銭の所有権は預かった者に移転します。預けた者には，「○円返せ」と請求できる債権が生じるだけなのです。そのため，預かっている者が無権利者とはならず，即時取得の対象となりません。即時取得は，所有者と占有者が異なる場合のハナシだからです。 　逆に，即時取得が問題とならないため，金銭を預かった者から金銭を譲り受けた者は，悪意でも金銭を取得できます。
	③**伐採前の立木**（大判昭7.5.18） 　伐採前の立木は土地の一部として扱われるからです（Ⅰのテキスト第2編第3章 2 1.（2）（c））。

（b）前主の無権利または無権限

即時取得は，占有者に処分権限がないことが要件となります。では，以下の Case のような場合も即時取得が可能でしょうか。

Case

未成年者Bは，親Aに内緒で，所有しているパソコンをあなたに売却し現実の引渡しをした。あなたは，BがAの同意を得ていないことを過失なく知らなかった。この場合，あなたは，そのパソコンを即時取得できるか？

親Aの同意を得ていないので，法律行為に瑕疵があることになります。しかし，この場合，あなたは即時取得できません（依然として売買契約を取り消される可能性があります）。

判断基準

あなたがBから動産を譲り受け，即時取得できるかが問題となる場合，あなたとBとの間の取引に「Bが所有者ではないこと」以外の瑕疵があると，即時取得は成立しません。これが，この（b）の要件に該当するかの判断基準です。

Bとあなたとの間の取引に「Bが所有者ではないこと」以外の瑕疵がある場合にまで即時取得を認めると，制限行為能力者制度などの意味がなくなってしまいます。

また，即時取得によって実際の状況が変化するのは，「占有者（B）が所有者として扱われるようになる」ということだけです。制限行為能力などの瑕疵は，変わらないのです。

この判断基準で，以下の表をご覧ください。

この要件に該当する	この要件に該当しない
①上記の図のBが賃借人	①上記の図のBが無権代理人 　即時取得により無権代理が有権代理になることはありません。
②上記の図のBが受寄者（預かっている者）	②上記の図のBが意思無能力者・制限行為能力者
③BがAに動産を売却し，Bが占有改定によりまだその動産を所持している場合に，Bがあなたにもその動産を売却したとき（二重譲渡のとき）のB	③上記の図のBが錯誤に陥った者 　即時取得により錯誤の効果が取り消すことができないものになることはありません。
	ただし，上記の①から③までの場合の転得者には，民法192条の適用があります。 ex. 上記 Case において，Bがあなたとの間の売買契約を取り消した後，あなたがパソコンを自分の所有物であるとしてさらにCに売却した場合，Cは即時取得できます。 あなたは制限行為能力者ではなく，所有権のない占有者であり，即時取得により占有者（あなた）が所有者として扱われるからです。

（c）有効な「取引行為」によること

即時取得は，動産が毎日バンバン"取引"されることから，取引の安全を保護したものですので，即時取得者は取引行為によって動産を取得する必要があります。

取引行為に該当する	取引行為に該当しない
①売買	①包括承継（相続や合併）
②代物弁済（Ⅲのテキスト第5編第6章第1節⑤で説明します）	②原始取得
③競売 　特にこれにご注意ください。競売は裁判所の手続によりますが，競売で買い受けた者からすると，通常の売買と大きな違いはないため，取引行為に該当します。	③伐採する前の登記された立木を非所有者から譲り受け，譲受人が自ら伐採しても即時取得できません（大判大4.5.20，大判昭7.5.18） 　伐採は取引行為とはいえないからです。 　ただし，伐採した者からの転得者は即時取得できます。転得者は取引行為によって取得しているからです。

（d）「平穏」「公然」「善意無過失」

即時取得しようとする者が善意無過失で平穏・公然と占有を開始することが，即時取得の要件となります。これらの要件は，占有取得時に必要です。逆にいうと，占有取得時にこれらの要件を充たせば OK で，その後にたとえば悪意になっても構いません。これは，よく考えると当たり前です。占有取得後にたとえば悪意になったら即時取得できないのであれば，原権利者（即時取得された者）は即時取得者に，「私が本当の所有者だぞ！」と知らせれば即時取得を妨げられてしまいます。それはおかしいので，占有取得時に善意無過失などの要件を充たすかを考えるのです。

「平穏・公然」の要件はあまり出題されませんが，「善意無過失」は重要です。善意無過失まで要求されるのは，基本的に所有権を失う所有者が悪いわけではないからです（勝手に自分の物であると売っ払ってしまうような賃借人などを選んだ点に責任がある場合もありますが）。責めることが難しい所有者に，取引の安全の趣旨から，泣いてもらうのが即時取得です。そこで，即時取得しようとする者にも，善意無過失という厳しい要件が課せられているのです。

i 平穏・公然・善意無過失は即時取得しようとする者が立証する必要があるか？

> **民法186条（占有の態様等に関する推定）**
> 1　占有者は，所有の意思をもって，善意で，平穏に，かつ，公然と占有をするものと推定する。
>
> **民法188条（占有物について行使する権利の適法の推定）**
> 占有者が占有物について行使する権利は，適法に有するものと推定する。

　民法186条1項によって「平穏」「公然」「善意」は推定されますので，立証する必要はありません。占有している場合，通常は問題のない占有だからです。

　また，「無過失」については，民法188条により推定されます。民法188条は，譲受人（P49のCaseのあなた）から見て，譲渡人（P49のCaseのB）の占有が適法なものであると推定されるということです。よって，無過失についても，即時取得しようとする者が立証する必要はありません（最判昭41.6.9）。

ii 法人における善意無過失は誰を基準とするべきか？

　法人における善意無過失は，法人の代表者について判断します。

　ただし，代理人が取引行為をしたときは，代理人について判断します（最判昭47.11.21）。これは，法人が下請会社の代表者を代理人にした事案で，善意無過失かどうかは代理人である下請会社の代表者を基準とするとされました。

　要は，取引をした人を基準とするということです。

（e）「占有を始めた」

　即時取得しようとする者は，占有を取得する必要があります。では，以下のCaseのように，占有改定による占有の取得でも構わないのでしょうか。

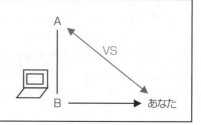

Case
Bは，友人Aから借りていたパソコンをあなたに売却したが，そのパソコンは，Bがあなたから借りる形で引き続きBが使うことにした。この場合，あなたは，そのパソコンを即時取得できるか？

　占有を承継取得するには，P84①〜P85④の4つの方法がありますが，いずれの方法でも即時取得に必要な要件である「占有を始めた」といえるのでしょうか。

①現実の引渡し（民法182条1項）
②簡易の引渡し（民法182条2項）
　これらの方法によって「占有を始めた」といえます。

③指図による占有移転（民法184条）
　下記④の占有改定と異なり，指図による占有移転でも「占有を始めた」といえます（最判昭57.9.7）。しかし，指図による占有移転は，外観上物の占有状態に変動を生じさせない点では占有改定と同じなのです。ではなぜ結論が異なるのでしょうか。以下のような理由が挙げられています。
　指図による占有移転だと，外観上は変更はありませんが，所有者の信頼は形の上でも完全に裏切られています（ちょっと苦しい言い方ですね……）。
　自分の物であるとして売却した者が現に所持していない点と，第三者たる所持人に対する命令を必要とする点（民法184条。P85③）で，即時取得行為があったか否かを外部から認識することができます。これが占有改定との大きな違いです。特に「自分の物であるとして売却した者が現に所持していない点」が大きいです（これについては，下記④でも説明します）。

　指図による占有移転については，少し苦しい説明もありました。しかし，結論を記憶するのは，占有改定が含まれるかだけで構いません（P86の「記憶のテクニック」）。記憶のテクニックを有効活用してください。

④占有改定（民法183条）
　判例は，占有改定では「占有を始めた」とはいえないとします（最判昭35.2.11）。よって，上記Caseでは，あなたは即時取得できません。
　なお，学説には「占有改定でも即時取得できる」という説もあり，以下のように対立があります。

	否定説（最判昭 35.2.11）　━→ ←━	肯定説
ダレの味方か	所有者（A）↗ 即時取得者（あなた）↘	即時取得者（あなた）↗ 所有者（A）↘
結論	占有改定によっては即時取得できません。よって，即時取得するには，その後に実際に引渡しを受けるまで善意無過失であることを要します。	占有改定によって即時取得できます。よって，占有改定時に善意無過失であれば OK です。
理由	①指図による占有移転では，実際に動産を所持している第三者がいますが，占有改定では外観上従来の占有事実の状態に何の変更も生じません。 ②上記①から，占有改定ではまだ A の信頼は裏切られていないといえます。 ③A が B に動産の返還を請求した場合に，B があなたの権利取得を理由としてこれを拒否し得るとするのは不都合です。 　この③が，判例が占有改定による即時取得を認めない本質的な理由だといわれています。B が"自分で持っているにもかかわらず"「売却したから，お前（A）には返せないよ」という盗人猛々しい主張をするのを認めたくないのです。指図による占有移転との大きな違いもここにあります。指図による占有移転の場合は，B が実際に持っているわけではありません。	即時取得が取引安全のための制度であることを重視すべきです。占有の取得は，即時取得の本来的な要件ではなく，単に対抗要件として必要であるにすぎません。

（4）効果

即時取得は，原始取得（アダムとイブ取得。P17~18①）です。よって，所有権に付いていた負担や制限は，ふっ飛びます。

即時取得者は，法律上原因なく権利を取得したとはいえないため，原権利者に対して不当利得返還義務（民法 703 条）を負いません。即時取得されてしまった原権利者は，自分の物であるとして処分した譲渡人に債務不履行責任（民法 415 条）または不法行為責任（民法 709 条）を追及できます。つまり，「譲渡人に損害賠償を請求することで我慢しろ」ってことです。

※即時取得できる物権

　ずっと所有権の即時取得について説明してきましたが，実は所有権以外にも即時取得できる物権はあります。以下の物権は，即時取得が可能です。

・動産質権
ex. Bがあなたに借金をしており，その債務の担保として友人Aから預かっていたパソコンを質に出したとします。Bは所有者ではないため，そのパソコンに質権を設定する権利はありません。しかし，あなたは即時取得の要件を充たせば，そのパソコンについて質権を取得することができます。
・一部の動産の先取特権（民法 319 条）
・動産の譲渡担保権

| 思い出し方 |

　即時取得できることがある物権は，P5の2.および P6〜7の3.にある物権のうち，「サ行で始まるものから占有権と所有権留保を除いた物権」です。
　上記のふりがなをふった部分をみると，すべてサ行で始まっています。ただし，「占有権」と「所有権留保」は即時取得の対象とはなりません。占有権は，即時取得が成立するかという問題の以前に，占有を取得すれば悪意でも占有権を取得できます（P75 1）。所有権留保は，所有権を有している者が，所有権を自分に留保して物を売却することです（P350 1）。所有権を有していますので，即時取得は問題となりません。

（5）盗品・遺失物に関する特則

| Case |

　Bは，Aが電車内に置き忘れたパソコンを拾って，Bが所有者ではないことについて善意無過失のあなたに売却した。このとき，紛失から1年が経過している場合，Aはあなたに対して，そのパソコンを返還するよう請求できるか？

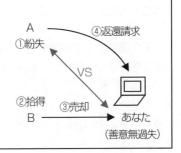

民法193条（盗品又は遺失物の回復）

前条〔即時取得の規定〕の場合において，占有物が盗品又は遺失物であるときは，被害者又は遺失者は，盗難又は遺失の時から2年間，占有者に対してその物の回復を請求することができる。

（a）意義

上記Caseの場合，先ほどまでのハナシでは，あなたが即時取得することになります。しかし，「盗難」「遺失」については，民法193条に即時取得の特則があります。所有者が盗難または遺失によって動産を失ったときは，盗難または遺失の時から2年間は即時取得の成立が猶予されます。

よって，上記Caseにおいて，Aは，遺失によってパソコンを失い，2年経過していませんので，あなたにパソコンを返還するよう請求できます。

（b）趣旨

動産が意思に反し（盗難）または意思によらずに（遺失）その占有を離れた場合，原権利者（上記CaseのA）の保護を図る必要があるからです。

（c）要件

i　盗品・遺失物

本条が適用されるのは，盗品・遺失物であって，詐欺・恐喝・横領で占有を失った場合には適用されません。詐欺・恐喝・横領だと，所有者は被害者ではありますが，所有者の意思に基づくため，上記（b）の趣旨の「意思に反しまたは意思によらずにその占有を離れた場合，原権利者の保護を図る必要がある」に当たらないからです。この民法193条は，即時取得が成立しないという特則なので，できる限り限定的に（盗難または遺失のみと）解するわけです。

ii　盗難または遺失の時から2年以内に回復請求すること

即時取得は，民法の条文で「占有権」の項目に規定されています。この占有権についての権利行使期間の「記憶のテクニック」はP95にありますので，先にそちらをご覧ください。

占有の場合は，起算点が「知った時から」となることがないので，起算点は「盗難または遺失の時」です。

占有権の権利行使期間の原則は1年ですが，この民法193条のみ例外的に「2年間」となっています。

（d）当事者
ⅰ　回復請求権者
　原権利者が回復請求できることはもちろんですが，賃借人や受寄者も請求でき
ます（大判大 10.7.8，大判昭 4.12.11）。
ex. 上記 Case において，A が C にパソコンを賃貸しており，C がパソコンを置き
　　忘れたのであれば，A だけでなく C も，あなたに対してパソコンを返還する
　　よう請求できます。

ⅱ　相手方
　動産を現に占有している者です。即時取得者からの特定承継人（転得者）も含
みます（通説）。

（e）効果
　原則として無償で回復請求できます（民法 193 条）。でなければ，盗難の被害者
または遺失者の保護になりません。
　ただし，回復請求権を行使する前に動産が滅失したときは，回復請求権は消滅
し，回復に代わる賠償も請求することができません（最判昭 26.11.27）。この民法
193 条は，動産の回復請求を特別に認めて原権利者を保護した規定なので，動産
が滅失してしまえば回復請求権は消滅してしまうんです。

（f）所有権の帰属
　この民法 193 条については，「回復請求をすることができる 2 年間，動産の所有
権は，原権利者または即時取得者のいずれにあるのか」という問題があり，学説
の対立があります。判例は，原権利者説です。

	原権利者説 ━━▶ ◀━━ 即時取得者説	
	原権利者説 （大判大10.7.8，大判昭4.12.11）	即時取得者説
結論	回復請求が可能である2年間は，動産の所有権は原権利者にあります。	動産の所有権は即時取得者にあります。
理由	民法193条の「回復」とは，占有の回復を意味するからです。	民法193条の「回復」とは，所有権の回復を意味するからです。即時取得（民法192条）の原則を重視し，「即時取得者が即時取得により所有権を取得するが，2年間は原権利者が所有権を回復できる」と考えるのです。

（g）さらなる特則 ── 代価の弁償

> **民法194条**
> 占有者が，盗品又は遺失物を，競売若しくは公の市場において，又はその物と同種の物を販売する商人から，善意で買い受けたときは，被害者又は遺失者は，占有者が支払った代価を弁償しなければ，その物を回復することができない。

　盗品または遺失物であれば，原権利者は2年間は回復請求できるのですが，占有者（上記 Case のあなた）が競売もしくは公の市場において，または，目的物と同種の物を販売する商人から善意で買い受けた場合には，原権利者は回復請求をするのに占有者に代価を支払う必要があります（民法194条）。代価の支払義務があるのは，占有者が原権利者に盗品または遺失物を返還した後であっても同じです（最判平12.6.27）。

　公の市場はたとえばお店のことですが，お店で売っている物に盗品や遺失物が混じっているとは普通の人は思いません。よって，これらの場合には，買い受けた者を保護する必要があるのです。

※使用利益の返還の要否

　占有者は，上記の代価が支払われ，原権利者に盗品または遺失物を返還する場合でも，使用利益の返還義務を負いません（最判平12.6.27）。上記の代価が支払われるまで，占有者はその盗品または遺失物を使用収益する権原を有するからです。

6　明認方法

　不動産の対抗要件は「登記」，動産の対抗要件は「引渡し」ですが，変わった対抗要件が認められるものがあります。

1．意義

　明認方法：権利の所在を公示する方法で，慣習上，対抗要件としての効力が認められてきたもの。立木法の適用を受けない（登記をしていない）立木，みかんや稲立毛（刈り入れ前の稲）などの未分離の果実に認められます。

＊試験で出題されるのは通常は立木ですので，以下，立木で説明します。

　登記をしていない立木には独自の対抗要件があります。それが「明認方法」です。

　明認方法のやり方は，権利取得の事実が明らかである方法であれば OK です。

ex1. 木に氏名を彫る。

ex2. 木に氏名の記載されたプレートをぶら下げる。

　このような方法で対抗要件を備えることにより，土地を取得し登記をした者に，立木の所有権を対抗できます（大判大 10.4.14）。

　ただし，明認方法は，第三者が利害関係を有するに至った当時（ex. 第三者が土地を購入した時）にも存在しなければ，対抗力が認められません（最判昭 36.5.4）。

ex. 木に氏名の記載されたプレートをぶら下げたが，第三者が木を取得した時にはプレートが台風で吹っ飛んでしまっていた場合，対抗力は認められません。

　明認方法によって対抗力が認められるのは，氏名の記載されたプレートなどがあり，第三者に立木の所有権が公示されているからです。よって，その公示がなくなってしまえば，対抗できなくなるのです。

2．事例ごとの処理

　立木の所有権を対抗できるか，いくつかの事例をみていきます。

> **注意**
>
> 　以下の事例では，「土地のみを売買」「土地と立木を売買」などと出てきますが，あくまで土地の上に立木は存在しています。立木が土地から離れているわけではありません。売買の対象が土地のみか，土地と立木なのか，というだけです。その点は間違えてイメージしないようにご注意ください。

（1）売主が立木の所有権を留保した場合

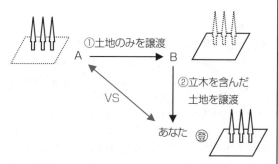

Case

　Aは，立木の所有権を自己に留保して，Bに土地を売却した。その後，Bはその土地および立木をあなたに売却し，あなたはその土地の所有権の移転の登記を経由した。この場合，Aはあなたに対して立木の所有権を主張できるか？　なお，Aは立木について明認方法を施していない。

　上記Caseにおいて，Aは，明認方法を施していないので，立木の所有権を留保したことをあなたに対抗できません（最判昭34.8.7）。よって，あなたは，土地だけでなく，立木の所有権も取得します。
　立木は原則として土地の構成部分です（土地にセットでついてきます）。よって，明認方法が施されていない限り，上記Caseのあなたは土地の上にある立木もセットでついてくると思ってしまうのです。

（2）土地の譲渡と明認方法

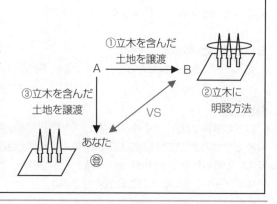

Case

　Bが，Aから立木とともに土地を譲り受け，立木に明認方法を施した。その後，Aがあなたにその土地を立木とともに二重に譲渡し，あなたはその土地の所有権の移転の登記を経由した。この場合，Bはあなたに対して立木の所有権を主張できるか？

　上記Caseにおいて，Bは，土地の所有権の登記をしなければ，たとえ立木について明認方法を施しても，立木の所有権をあなたに対抗できません（大判昭9.12.28）。

　Bは，土地の上に立木がある状態で，つまり，立木も土地の一部として譲り受けています。土地の一部ですから，土地について登記をすればよかったのです。よって，土地について登記できたのにしなかったBに責任があり，Bは立木の所有権さえあなたに対抗できないことになります。

　「土地について登記できた」という点が，上記（1）のAと異なります。上記（1）のAは，土地を譲渡していますので，土地の登記を備えることができません。よって，上記（1）は立木について明認方法を施したかが問題となるのです。

（3）更地に立木を植栽した場合の立木の対抗要件
*この（3）は，P122まで学習した後にお読みください。

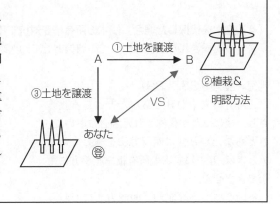

Case

　BがAから土地（更地）を譲り受け，未登記のまま土地上に立木を植栽し，立木に明認方法を施した。その後，Aがその土地をあなたに二重譲渡し，あなたが土地の所有権の移転の登記を経由した。この場合，Bはあなたに対して立木の所有権を主張できるか？

①土地を譲渡　A → B　②植栽＆明認方法
③土地を譲渡　あなた㊙　VS

　上記Caseにおいて，Bは「権原」に基づいて土地に立木を植栽したといえますので，P121の民法242条ただし書が類推され（権原が所有権であるため「類推」となります），この立木は土地に付合せず，立木はBの所有権の独立の客体となります。つまり，土地の上に立木はありますが，法律上，土地から浮いている（くっついていない）のです。

　しかし，土地から浮いていることは見えないことから，取引の安全をはかる必要がありますので，Bがこの立木の所有権をあなたに主張するには，対抗要件，少なくとも明認方法を施すことを要します。この立木の所有権の帰属は，Bによる立木についての明認方法とあなたによる土地の所有権の移転の登記の先後によ

り決まります（最判昭 35.3.1）。よって，上記 Case において，Bは先に明認方法を施していますので，Bはあなたに対して立木の所有権を主張できます。

　ここで1つ疑問が生じるかもしれません。「Bは土地を譲り受けているのだから，上記（2）のように，『土地について登記をしろ！』とならないのか？」という疑問です。少し難しいハナシになるのですが，上記（2）とこの（3）の違いは，"立木が土地に付合しているかどうか"です。

　上記（2）は，Bは，土地の上に立木がある状態，つまり，立木が土地の一部である状態で譲り受けています。よって，立木は，法律上，土地から浮いていません（くっついています）。

　それに対して，この（3）は，Bが権原に基づいて立木を植えています。よって，法律上，土地から浮いている（くっついていない）のです。そのため，この（3）は立木が独立の客体となり，立木について明認方法を施すことで立木の所有権について対抗要件を備えることができるのです。

（4）立木を伐採した場合，伐木の所有権を対抗することができるか

　立木が伐採された場合についての判例として，以下の2つを押さえてください。

判例（最判昭 33.7.29）

　A所有の立木がBとあなたとに二重譲渡され，後にこれが伐採された場合において，Bとあなたがともに明認方法を施していないときは，互いに立木の所有権を相手方に主張できません。

　不動産でいう登記が，明認方法に変わったと考えてください。民法 177 条の登記と

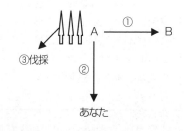

同じく，第三者が対抗要件（明認方法）を備えていなくても，自分が対抗要件（明認方法）を備えていなければ，第三者に対抗できません。

判例（最判昭 38.12.13）

　Aがあなたが所有している土地に無権原で立木を植栽した場合において，Aが所有の意思を持って平穏かつ公然と 20 年間立木の占有を継続した後にその立木をあなたが伐採したときは，Aはあなたに対して，立木の所有権の侵害を理由として損害賠償を請求できます。

　「勝手に土地に立木を植えられて，なんで損害賠償請求までされるの？」と思われるかもしれませんが，立木も取得時効の対象となり，立木はAの物となっています。よって，他人（A）の物を勝手に伐採したあなたは損害賠償責任を負うのです。

7　物権の消滅

　物権変動の最後に，物権がどのような原因で消滅するかをみます。ここでみる消滅原因は，基本的にすべての物権に共通するものです。抵当権について問われたことなどもありますので，「所有権だけ」と思わないようにご注意ください。
　なお，各物権に特有の消滅原因は，各物権のところで説明します。

1．目的物の滅失

　物権は「物」に対して成立する権利ですが，その物がなくなれば物権も消滅します。当たり前といえば，当たり前です。
ex. 建物が火事で燃えつきれば，その建物に成立していた所有権や抵当権は消滅します。

2．消滅時効

　所有権，占有権・留置権以外の物権は，消滅時効にかかります（民法166条2項）。これは，Ⅰのテキスト第2編第10章第3節2の表にあります。

3．放棄

　放棄：権利を消滅させる単独行為
　要は「こんな物権，いらね」ということです。
　抵当権など所有権以外の物権は，消滅しても，その物に対する所有権は残っていますので，単に所有権以外の物権（所有権の負担）が消えるということで問題はありません。
　問題なのは，所有権です。所有権が消滅すると，その物に対する物権が何もないことになってしまいます。このとき，不動産の場合は，国庫（国のお財布）に帰属すると規定されています（民法239条2項）。しかし，実際には，なかなか国が受け取ってくれないなど，問題はあります。そこで，令和3年に，「相続等により取得した土地所有権の国庫への帰属に関する法律」が制定され，一定の要件を充たせば，法務大臣に対し，土地の所有権を国庫に帰属させることについての承認を申請することができる「相続土地国庫帰属制度」ができました。この制度ができたため，上記の民法239条2項に基づく土地の所有権の放棄はできなくなると解されています。

　なお，物権を共有していた場合には，放棄したときはその物権が他の共有者に帰属するという規定があります（民法255条）。これは，P137～138の3.で説明します。

４．混同

　物権の消滅で最も重要なのが，この「混同」です。
　混同：両方残しておく必要のない2個の物権が同じ人に帰属することにより，一方の物権が消滅すること

混同により消滅するかどうかの判断基準

　混同により物権が消滅するか様々な事例をみていきますが，以下の判断基準で考えてください。
　（原則）誰かの<u>正当な利益</u>を害するならば消滅しません
　（例外）P73のCase（債権混同）

（1）所有権と制限物権の混同

　所有権とその他の物権（制限物権）との関係を定めたのが，民法179条1項です。

民法179条（混同）

1　同一物について所有権及び他の物権が同一人に帰属したときは，当該他の物権は，消滅する。ただし，その物又は当該他の物権が第三者の権利の目的であるときは，この限りでない。

　他の物権を残しておく意味がないときは，他の物権は混同で消滅します。

（a）原則（民法179条1項本文）

Case

　あなたが所有している土地に，A名義の抵当権（債務者はYである）が設定されている。この場合に，あなたがAの抵当権を取得したときは，抵当権は消滅するか？

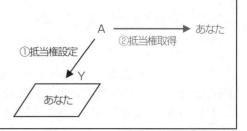

　所有権と地上権や抵当権などが同一人に帰属した場合には、地上権や抵当権などは消滅します（民法179条1項本文）。よって、上記Caseの場合、抵当権は混同で消滅します。

　所有権は、物の利用価値と交換価値を把握する最もオールマイティーな物権であるため（P6（a））、所有権以外に、利用価値しか把握していない地上権や交換価値しか把握していない抵当権を有している意味はないからです。

（b）例外（民法179条1項ただし書）
i　物権の目的物が第三者の権利の目的となっている場合

Case

（1）土地にあなたの1番抵当権、Aの2番抵当権が設定されている場合に（いずれの抵当権も被担保債権の債務者はYである）、1番抵当権者であるあなたがXからその土地の所有権を取得したとき、1番抵当権は消滅するか？

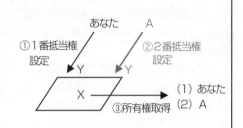

（2）上記（1）のCaseにおいて、AがXからその土地の所有権を取得したとき、2番抵当権は消滅するか？

　上記Case（1）の場合、あなたの1番抵当権は消滅しません（大判昭8.3.18）。

　民事執行法の知識となりますが、この後に不動産が競売された場合、あなたは不動産の所有権は失いますが、1番抵当権が残っていれば、1番抵当権者として2番抵当権者に優先して配当を受けることができるからです。1番抵当権ですから、2番抵当権に優先できます（P46のex.）。つまり、1番抵当権が消滅すると、1番抵当権者であるあなたの正当な利益を害することになるのです（P66の「混同により消滅するかどうかの判断基準」）。

＝P71

　これは、あなたの権利が抵当権ではなく、地上権、地役権、対抗要件を備えた賃借権などの利用権（P160）であった場合でも同じです（最判昭46.10.14）。これも、民事執行法の知識となりますが、地上権などの利用権は、抵当権などよりも先順位で登記されていれば、競売されても消滅しないからです（民執法59条2項）。

P72＝　それに対して，上記 Case（2）の場合，後順位担保権者のいないAの2番抵当権は消滅します（大決昭4.1.30）。

　後順位担保権者がいませんので，上記 Case（1）で説明した事情（後順位担保権者に優先して配当を受けられる）を考慮する必要がないからです。なお，競売代金は，債権者に分配し，余ったら所有者（上記 Case（2）ではA）が得ることができますので，その意味でも，Aの2番抵当権が消えても問題はないのです。つまり，2番抵当権が消滅しても，2番抵当権者であるAの正当な利益を害することにはならないのです（P66の「混同により消滅するかどうかの判断基準」）。

　これはやはり，Aの権利が抵当権ではなく，地上権，地役権，対抗要件を備えた賃借権などの利用権（P160）であった場合でも同じです。

ii　制限物権が第三者の権利の目的となっている場合

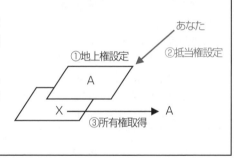

Case

　土地の所有者Xから地上権の設定を受けたAが，その土地の所有権を取得した。その地上権にあなたを抵当権者とする抵当権が設定されていた場合（＊），その地上権は消滅するか？

＊地上権を目的として抵当権を設定することができます（民法369条2項。P233①）。

　上記 Case のように，ある土地の地上権者がその土地の所有権を取得しても，その地上権に抵当権が設定されていた場合には，地上権は消滅しません（民法179条1項ただし書）。他の例を挙げると，抵当権に転抵当権（P295の1.）が設定されている場合に，抵当権者が所有権を取得しても，抵当権は消滅しません（民法179条1項ただし書）。

　これらの場合に地上権・抵当権が消滅してしまうと，地上権・抵当権を目的とする抵当権・転抵当権も消滅してしまうからです。つまり，地上権・抵当権が消滅すると，抵当権者・転抵当権者の正当な利益を害することになるのです（P66の「混同により消滅するかどうかの判断基準」）。

ⅲ　自己借地権（借地借家法15条）

混同に関係あるハナシが，借地借家法にあります。以下の条文に規定されています。

借地借家法15条（自己借地権）

1　借地権を設定する場合においては，他の者と共に有することとなるときに限り，借地権設定者が自らその借地権を有することを妨げない。

2　借地権が借地権設定者に帰した場合であっても，他の者と共にその借地権を有するときは，その借地権は，消滅しない。

　詳しくはⅢのテキスト第7編第5章第1節3で扱いますが，「借地権」とは，「建物の所有を目的とする地上権」または「建物の所有を目的とする土地の賃借権」のことです（借地借家法2条1号）。今は「土地を借りる権利」くらいに考えてください。

（ⅰ）原則

　自己借地権は，認められていません。

ex. あなたが所有している土地にあなたを地上権者とする建物の所有を目的とする地上権を設定することはできません。所有権があれば土地を使用することができ，自分の土地に自分の地上権を設定しても意味がないからです。

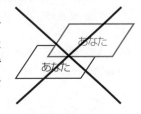

（ⅱ）例外

　自己借地権でも，借地権を他の者と共に有するのであれば設定できます（借地借家法15条1項）。

ex. あなたが所有している土地に，あなたとAを地上権者とする建物の所有を目的とする地上権を設定することはできます。地上権者はその土地を独占して使うことができ，地上権を設定すると，所有者は土地を使え

なくなります。よって，共有の地上権とすることで，「Aに独占的に土地を使わせない」という意味があるのです。

　また，借地権が，何らかの事情で借地権設定者に帰した場合であっても，他の者とともにその借地権を有するときは借地権は消滅しません（借地借家法15条2項）。

ex. あなたが所有している土地に，あ
　　なたの子であるBを地上権者と
　　する建物の所有を目的とする地
　　上権が設定されていたとします。
　　このとき，Bが死亡し，あなたと

AがBを共同で相続しても，地上権は混同で消滅しません。理由は，上記ex.と同
じです。

　借地権が設定された土地の所有権が，借地権者に帰した場合であっても，やはり他
の者とともにその借地権を有するときは借地権は消滅しません（東京高判昭30.12.24）。
ex. Bが所有している土地に，あなたとAを地
　　上権者とする建物の所有を目的とする地
　　上権が設定されていたとします。このとき，
　　Bが死亡し，あなたがBを相続しても，地
　　上権は混同で消滅しません。理由は，やは
　　り上記ex.と同じです。

（2）制限物権とこれを目的とする権利の混同

　制限物権とこれを目的とする権利との関係を定めたのが，民法179条2項です。

民法179条（混同）

2　所有権以外の物権及びこれを目的とする他の権利が同一人に帰属したときは，当該他の権
　利は，消滅する。この場合においては，前項ただし書の規定を準用する。

　所有権以外の物権を目的とする他の権利を残しておく意味がないときは，他の権利
は混同で消滅します。

混同についての説明を読む視点

　ここから，さらに複雑な権利関係が出てきます。しかし，P73のCase（債権混同）
の例外を除き，P66で説明した「誰かの正当な利益を害するか」を考えればよいだけ
ですので，複雑な事例もこの視点を軸に単純化して考えてください。

（a）原則（民法179条2項前段）

ex. Xが所有する土地に設定された
Aの地上権を目的としてあなた
の抵当権（債務者はYである）が
設定されている場合において, あ
なたがAからその地上権を取得
したときは, あなたの抵当権は消
滅します。抵当権を残しておく意
味がないからです。

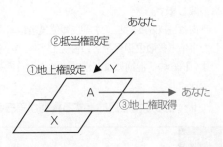

（b）例外（民法179条2項後段, 1項ただし書）
i　制限物権が第三者の権利の目的となっている場合

Case

（1）Yが所有する土地に, X
を地上権者とする地上権が
設定されている。その地上権
を目的としてあなたの1番
抵当権, Aの2番抵当権が設
定されている場合において
（いずれの抵当権も被担保

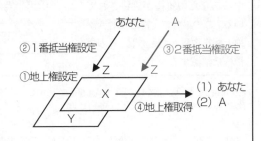

債権の債務者はZである）, 1番抵当権者であるあなたがXから地上権を取得し
たときは, 1番抵当権は消滅するか？
（2）上記（1）の Case において, AがXからその地上権を取得したときは,
2番抵当権は消滅するか？

＊前提知識ですが, 地上権を競売することもできます。実際には, あまりありませんが。

　上記Case（1）の場合, あなたの1番抵当権は消滅しません。
　理由は, P67と同じです。この後に地上権が競売された場合, あなたは地上権は失
いますが, 1番抵当権が残っていれば, 1番抵当権者として2番抵当権者に優先して　=P67
配当を受けることができるからです（P66の「混同により消滅するかどうかの判断基
準」）。

　それに対して，上記 Case（2）の場合，後順位担保権者のいないAの2番抵当権は消滅します。

P68=　　理由は，P68と同じです。後順位抵当権者がいませんので，上記 Case（1）で説明した事情（後順位担保権者に優先して配当を受けられる）を考慮する必要がないからです（P66 の「混同により消滅するかどうかの判断基準」）。

ii　制限物権を目的とする権利が第三者の権利の目的となっている場合

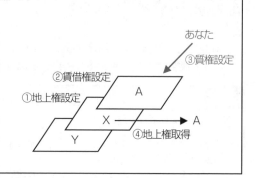

`Case`

　Yが所有する土地にXを地上権者とする地上権が設定されており，XがAのために賃借権を設定している。その賃借権を目的とするあなたの質権が設定されている。この場合に，賃借権者Aが地上権を取得したときは，その賃借権は消滅するか？

＊前提知識ですが，地上権を目的として賃借権を設定することもできます。また，賃借権を目的として質権を設定することもできます。あまりない事例ですが。

　ここまでくるとかなり複雑になりますが，P66 の基準を軸に単純化して考えてください。

　上記 Case のように，地上権者が賃借権を設定し，その賃借権を目的に質権が設定されていた場合に，賃借権者が地上権を取得しても，賃借権は消滅しません。
　賃借権が消滅してしまうと，それを目的とする質権も消滅してしまうからです。つまり，賃借権が消滅すると，質権者であるあなたの正当な利益を害することになるのです（P66 の「混同により消滅するかどうかの判断基準」）。

（3）債権混同（民法520条）

最後に，「債権混同」をみていきます。こんなハナシです。

*債権混同を理解するには担保物権の知識が必要となりますので，P181 までお読みになった後で以下の説明を
お読みください。

Case

あなたの子であるAの所有する土
地に，あなたのAに対する債権を担保
するために1番抵当権が設定され，B
の2番抵当権が設定されている場合
において，Aが死亡しあなたがAを単
独で相続したときは，1番抵当権は消
滅するか？

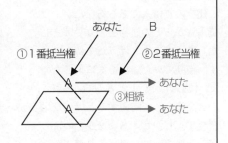

民法520条

債権及び債務が同一人に帰属したときは，その債権は，消滅する。ただし，その債権が第
三者の権利の目的であるときは，この限りでない。

上記 Case は，P67 の Case（1）と同じく混同の例外（民法179条1項ただし書）
に当たり，1番抵当権は消滅しなさそうです。しかし，結論は，1番抵当権は消滅し
ます。

たしかに，物権レベルでは混同の例外に当たり，物権混同では消滅しません。しか
し，相続により債権者と債務者が同一人であるあなたになっており，債権混同になり
ます。債権の混同については，民法520条が定めており，物権と同じく，債権と債務
が同一人に帰属したときは，債権を残しておく意味がありませんので，債権は消滅し
ます。債権が消滅すると1番抵当権の被担保債権が消滅する結果，付従性により1番
抵当権は消滅します。1番抵当権にとって，被担保債権は地球だからです（P179 1 ）。

つまり，物権レベルでは混同が生じないのですが，債権レベルで混同が生じるので，
付従性で物権である抵当権も消滅するのです。これは，P66 の「混同により消滅する
かどうかの判断基準」の例外となります。

※二重売買で対抗できなくなった場合

　債権混同について，もう1つ記憶していただきたい知識（判例）があります。賃借権のハナシです（賃借権も債権です）。

判例（最判昭40.12.21）

　建物の賃借人であるあなたが，賃貸人Aからその建物を譲り受けました。こういうことは，たまにあります。借りていた建物を気に入ったので，「購入したい」と考えて，大家さんと交渉をして購入するといった場合です。しかし，あなたがその旨の登記を経る前に，第三者BがAから

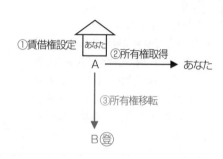

その建物を二重に譲り受けてその登記を備えました。この場合，いったん混同により消滅したあなたの賃借権は，Bの所有権取得により，消滅しなかったものとなります。

　この事案において，Bが建物の所有権の移転の登記を備えていますので，Bが所有権を取得することは問題ありません。問題となるのは，混同によって消滅したはずのあなたの賃借権がどうなるかです。判例は，賃借権は消滅しなかったものとなるとしました。

　混同によって債権が消滅するのは，債権を残しても意味がないからです。しかし，この事案では，あなたが所有権を取得できていないので，債権（賃借権）を残す意味があります。よって，消滅しなかったものとなるとされたのです。

|---|---|
| 第2章 | 占有権 |

この第2章からは，P5～7 3 にある物権を1つ1つみていきます。民法に規定されている物権からみていきます。

第1節　占有権とは？

1　意義

　占有権：現実に物を支配している場合に，その支配を正当化させる所有権や賃借権
　　　　　などの権利（本権）があってもなくても，その事実的支配の状態そのもの
　　　　　を保護する物権

といってもわかりにくいと思いますので，極端な例で説明します。

　ドロボウがダイヤモンドを盗んだ場合に，ドロボウがそのダイヤモンドを所持していれば，ドロボウには，所有権や賃借権などの本権（正当に成立した権利。P6）はありませんが，そのダイヤモンドの占有権が認められます。

2　趣旨

　「ドロボウに権利があるなんて，おかしい！」と思われると思います。しかし，あなたが，その人がドロボウだと知らなかったとします。そうしたら普通は，物を現実に支配しているドロボウが，その物について何らかの権利（本権）を有していると思いますよね。風呂敷をかぶってヒゲを生やしているドロボウなんて実際にはいませんし……。その物について何らかの権利（本権）を有していると思うのが通常であるため，そのような現実的支配（占有）を保護する必要があるのです。

　上記の趣旨については，「そこまで保護する必要があるのか？」という批判もありますが，現在の民法では占有権は物権として認められています。

第2節　占有権の成立要件

　占有権は，物を単に持っているだけで成立するわけではありません。民法180条に占有権の成立要件が規定されています。

民法180条（占有権の取得）
　占有権は，自己のためにする意思をもって物を所持することによって取得する。

　以下の2つが占有権の成立の要件です（民法180条）。

①「自己のためにする意思」
②物の「所持」

　占有権の成立の Point

　占有権は，「自己のためにする意思」をもって物を「所持」していれば，その事実的支配だけで保護されます。P75のドロボウが典型例です。

　それでは，上記の2つの要件を掘り下げてみていきましょう。

1　「自己のためにする意思」（上記①）

　自己のためにする意思：所持による事実上の利益を自己に帰属させようとする
　　　　　　　　　　　　　意思
　要は，「所持していることによる利益の意味がわかっていないとダメ」ということです。以下の自己のためにする意思が認められない者の具体例で考えるとわかりやすいです。
ex. 意思無能力者による所持は，自己のためにする意思が認められません。3歳の子供は通常は意思無能力者ですが，3歳の子供は所持による利益の意味がわかりません。よって，3歳の子供は自分だけで占有権を取得することはできません。法定代理人を通じて占有権を取得することになります（通説）。

2　「所持」（上記②）

　所持：ある物を特定の人が事実上支配していると認められる客観的関係
　この「所持」は，日常用語でいう「持っている」とは少し違います。

1．物理的な把握の要否

　物を物理的に把握していることは，必要ではありません。

　社会通念上，つまり，常識的に所持しているといえれば足ります。

ex1. 旅行で家を留守にしていても，家にある物についての所持が認められます。

ex2. みなさんが予備校で勉強しているときに，机にこのテキストを置いてトイレに行ったくらいでは，このテキストの所持を失いません。しかし，予備校にこのテキストを忘れて家に帰ってしまうと，所持は認められないでしょう。

　このように，必ずしも物を手に持っている必要はなく，物がそばにある必要もありません。常識的にその人が所持しているといえるかで判断します。

2．他人を介しての占有

　物の所持は，他人を介してすることもできます。

（1）代理人による場合

　代理人に実際に所持させている場合でも，代理人・本人ともに所持が認められます。代理人による占有とは，たとえば，以下のような場合です。

ex. 物を賃貸や寄託している場合，物の所有者（本人）にも賃借人や受寄者（代理人）にも所持が認められます。

※代理人の所持を介しての時効取得の可否

　上記のように，実際には代理人が所持している場合でも，本人にも所持が認められますので，本人は代理人の所持を介して時効取得することができます。

（2）占有補助者・占有機関による場合

　占有補助者・占有機関がいる場合は，本人にのみ所持があり，占有補助者・占有機関には所持が認められません。

　「占有補助者」「占有機関」とは，たとえば，以下のような者です。

ex1. 本人の同居の家族や本人の使用人として家屋に居住する者は，「占有補助者」です。この場合，家族や使用人には所持は認められず，本人にのみ所持が認められます。よって，不動産の明渡しを請求する場合には，占有補助者ではなく，本人に対してする必要があります（最判昭35.4.7）。

ex2. 法人の代表者は，「占有機関」です。この場合，原則として代表者には所持は認められず，法人にのみ所持が認められます（最判昭32.2.15）。

　占有補助者・占有機関に所持が認められないのは，占有補助者・占有機関は本人が物を事実上支配するための道具にすぎないからです。

第3節　占有の種類

　この第3節で，占有の種類を表す用語を説明します。占有権の規定ではもちろんですが，他の分野（ex. 取得時効）でも必要となる用語ですので，きちんと意味を記憶してください。法律学習は「理解→記憶」の流れが基本ですが，理解をするうえで最低限の記憶も必要です。

1　自己占有・代理占有

　まずは，「自己占有」「代理占有」の区別です。

1．意義

　　自己占有（直接占有）：自らが直接に占有すること
　　代理占有（間接占有）：他人の所持を介して占有すること（民法181条）

> **民法181条（代理占有）**
> 　占有権は，代理人によって取得することができる。

ex. 不動産を賃貸している場合，賃貸人（本人）
　　にも賃借人（代理人）にも占有権が認められ
　　ると P77（1）で説明しました。この場合の
　　賃借人（代理人）の占有が「自己占有（直接
　　占有）」，賃貸人（本人）の占有が「代理占有
　　（間接占有）」です。

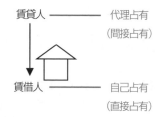

　「直接占有」「間接占有」という言い方なら，そのままの意味ですので，わかると思います。問題は，「自己占有」「代理占有」という言い方です。これらは，反対の意味をイメージしてしまいがちです。よって，「自己が直接に占有」「代理してもらっての占有」と読んでください。今後，「自己占有」「代理占有」という用語を読むときは，すべて「自己が直接に占有」「代理してもらっての占有」と読むのです。毎回そう読んでいると，本試験でも同じように読めるようになります。
　これは，「読み方を変えることによって記憶する方法」です。

2．代理占有の要件

　代理占有（代理してもらっての占有）が成立するには，以下の①～③の要件を充たす必要があります。ただし，③を除いて，成立の要件としてよりも，消滅の要件（P109②③）としてのほうが重要ですので（以下の要件を充たさなくなると代理占有が消滅します），ここでは①②はサラっと確認する程度で結構です。

①占有代理人が本人のためにする意思を有すること（民法204条1項2号参照）

②占有代理人が占有物を所持すること（民法204条1項3号参照）

③本人・占有代理人間に一定の関係（ex. 賃貸借，寄託）が存在すること
　ただし，この関係は外形上存在するだけで構いません。どういうことか，以下の具体例で説明します。
ex. 賃貸人が所有しているアパートを賃借人に賃貸していたが，賃貸借契約が終了し，その後も賃借人が使用している場合，賃貸人には代理占有による占有権が認められます。外形上，賃貸借があるように見えるからです。

3．代理占有の効果
（1）占有の善意・悪意
　代理占有が成立した場合，占有の善意・悪意などが問題となったときは，占有が善意か悪意かなどは占有代理人について判断します（大判大11.10.25）。
　ただし，占有代理人が善意でも，本人が悪意または有過失のときは，本人は「代理人は善意だ」「代理人は無過失だ」などと主張できません（民法101条3項の趣旨を類推）。

（2）占有代理人への時効の完成猶予・更新
　占有代理人への時効を完成猶予・更新させるための権利行使の効力は，本人に及びます（大判大10.11.3）。
ex. AがBに対してパソコンを賃貸している場合において，そのパソコンの真実の所有者であるあなたは，そのパソコンの取得時効を完成猶予・更新させるためには，Bに対して時効の完成猶予・更新の方法をとるだけで足り，Aに対して時効の完成猶予・更新の方法をとる必要はありません。

2　自主占有・他主占有

次は，「自主占有」「他主占有」の区別です。

1．意義

自主占有：所有の意思，つまり，物について所有者と同様の支配の意思をもっ
　　　　　てする占有

簡単にいうと，「オレの物だぞ〜」と占有しているということです。

ex1. 家を購入した買主が，その家に住んでいる場合，「オレの物だぞ〜」と占有
　　 していますので，買主の占有は自主占有となります。

ex2. 農地の賃借人が所有者から農地を買い受け，その代金を支払った場合におい
　　 て，農地法所定の許可が得られていなくても，買主の占有は自主占有となり
　　 ます（最判昭52.3.3）。農地の売買は，農業委員会（市町村に置かれる行政
　　 委員会）や都道府県知事の許可がなければ所有権の移転の効果が生じません
　　 （農地法3条本文）。食料自給率を保つため，農地が農家でない者に譲渡さ
　　 れて農地がなくなってしまわないよう，このような許可制となっているので
　　 す。しかし，この許可がまだ得られていなくても，「オレの物だぞ〜」と占
　　 有しているので，自主占有となるのです。

※解除条件が成就した場合の解除条件付売買に基づく買主の占有

解除条件付売買に基づく買主の占有は，買主であり，「オレの物だぞ〜」と占有し
ているため自主占有です。その後に解除条件が成就しても，当然に自主占有を失うこ
とにはなりません（最判昭60.3.28）。

なお，「オレの物だぞ〜」と占有していれば，所有権を有することも，自分が所
有者であると信じていることも必要ではありません。

ex. ドロボウが盗品を占有している場合，ドロボウには所有権がありませんし，
　　 ドロボウは自らが所有者であると信じていませんが，ドロボウは「オレの物
　　 だぞ〜」と占有しています。よって，この占有は自主占有となります。

他主占有：自主占有以外の占有，つまり，他人の所有権を認めて占有する者の
　　　　　占有

簡単にいうと，「オレの物じゃないぞ〜」と占有しているということです。

ex. 賃借人，受寄者（物を預かっている者），質権者などの占有が他主占有に当た
　　 ります。

※自主占有と他主占有の区別の基準

　「ドロボウは所有権がないから，他主占有なんじゃないの？」など，疑問が出てきたと思います。自主占有と他主占有を区別するポイントは，「他人の所有権を認めているか否か」です（最判昭58.3.24）。

　ドロボウはたしかに自分に所有権がないことをわかっていますが，所有者の所有権を認めていません。それに対して，賃借人などは，賃貸人の所有権を認めています（賃貸人から借りているわけですから）。

　他人の所有権を認めているか否かは，占有取得の原因である事実によって客観的に決まります。つまり，気持ちの問題で決まるわけではないということです。
ex. 賃借人が気持ちのうえで「オレの物だぞ〜」と思っていても，客観的な性質が賃貸ですから，自主占有にはなりません。

２．この区別が問題となる場面

　Ⅰのテキスト第2編第10章第2節 2 1．（1）の取得時効（民法162条以下），P104〜105 2 の占有者の責任（民法191条ただし書）などで，自主占有か他主占有かにより違いが出ます。

３．他主占有が自主占有に転換する条件

　他主占有者が，以下の①または②のいずれかの行為をすると，他主占有が自主占有に転換します（民法185条）。自主占有か他主占有かは権原の客観的性質によって決まりますので，客観的に外部からわかる形で状況が変化する必要があります。

①他主占有者が自己に占有をさせた者に対して所有の意思があることを表示すること
ex. 賃貸人が死亡した場合に，賃貸人の相続人が契約関係を把握していないことに乗じて，賃借人が賃貸人の相続人に「この建物はあなたのお父さんから贈与を受けたんだよ」などと言って賃料の支払をしなくなることがあります。これは，所有の意思があることを表示したといえます。

②新たな権原により更に所有の意思をもって占有を始めること
ex. 賃借人が所有権を取得した場合，新たな権原である所有権に基づいて占有を始めたといえますので，自主占有となります。

この民法185条については，P88（3）でも説明します。

＊この2までは，本権（P6）がある場合とない場合の双方のハナシが含まれていましたが，下記3と4は，本権がない場合のハナシです。紛らわしいハナシが続きますが，ここで区切って頭の中を整理してください。

3　善意占有・悪意占有

1．意義
善意占有：本権がないのにあると誤信してする占有
悪意占有：本権のないことを知り，または，本権の有無に疑いをもってする占有

2．この区別が問題となる場面
Ⅰのテキスト第2編第10章第2節2 2．（2）の取得時効（民法162条以下），P53〜54（d）の即時取得（民法192条），P102〜103の1の果実の取得（民法189条，190条），P104〜105の2の占有者の責任（民法191条），P107（2）の費用償還請求権（民法196条）で，善意占有か悪意占有かにより違いが出ます。

3．善意占有は推定されるか？

民法186条（占有の態様等に関する推定）
1　占有者は，所有の意思をもって，善意で，平穏に，かつ，公然と占有をするものと推定する。

Ⅰのテキスト第2編第10章第2節2 1．（2）※の時効取得でもみた条文ですが，占有しているだけで善意占有は推定されます。ドロボウのように，本権に基づかずに占有している者はほとんどいないからです。

4　過失ある占有・過失なき占有

1．意義

　「過失ある占有」と「過失なき占有」の区別は，上記3において善意占有であった場合に問題となります。悪意占有であれば，過失の有無は問題となりません。

　　過失ある占有：善意占有のうち，本権があると誤信することについて過失がある占有

　　過失なき占有：善意占有のうち，本権があると誤信することについて過失がない占有

2．この区別が問題となる場面

　Ⅰのテキスト第2編第10章第2節2 2.（2）の取得時効（民法162条以下），P53〜54（d）の即時取得（民法192条）で，過失ある占有か過失なき占有かにより違いが出ます。

3．無過失は推定されるか？

民法186条（占有の態様等に関する推定）

1　占有者は，所有の意思をもって，善意で，平穏に，かつ，公然と占有をするものと推定する。

　上記3の3.で見た民法186条1項ですが，「過失がないことを推定する」といった文言はありませんので，無過失（過失なき占有）は推定されません。

第4節　占有権の取得

　次は，占有権をどのような方法で取得するかをみていきます。P17〜18（1）で説明したその他の物権同様，占有権も「原始取得」と「承継取得」があり，承継取得には「特定承継」と「包括承継」があります。

1　原始取得

　占有権は，現実に物を支配しているだけで成立する物権ですから，自己のためにする意思をもって所持を始めれば，占有権を原始取得します（P76）。
ex. 道に落ちている他人の財布を拾った場合，その財布について占有権を取得することができます。

2　承継取得

1．占有権の譲渡 ── 特定承継

　占有権を譲渡する（特定承継）には，以下の4つの方法があります。

①現実の引渡し（民法182条1項）
　これが，一般的にみなさんがイメージする引渡しです。
ex. あなたがお店で服を買って，その服を持って帰ってきた場合，服の占有権もお店からあなたへ移転します。

②簡易の引渡し（民法182条2項）
　これは，いきなり具体例で見たほうがわかりやすいです。
ex. あなたがお店から服を借りていたとします（最近は
　　シェアリングエコノミーが徐々に普及してきまし
　　たので，こういったサービスがあります）。そして，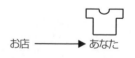
　　あなたはその服を気に入り，買いたくなりました。
　　こういったサービスは，借りている物を気に入ったら購入できる場合が多いです。
　　この場合，お店からあなたへのその服の占有権の譲渡は，実際にその服を動かす
　　必要はなく，お店とあなたとの意思表示のみによって行うことができます。その
　　服は，すでにあなたのところにあるからです。
　　このように，借りている物を買ったときなどが，簡易の引渡しの典型例です。

③指図による占有移転（民法184条）

> **民法184条（指図による占有移転）**
> 　代理人によって占有をする場合において，本人がその代理人に対して以後第三者のために
> その物を占有することを命じ，その第三者がこれを承諾したときは，その第三者は，占有
> 権を取得する。

　これも，いきなり具体例でみてみましょう。

ex. お店の店頭には在庫がなく，倉庫にあったとします。
　その倉庫にある服をあなたがお店から買い，お店が
　倉庫管理者に「その服はお客様の物になったから，
　今後はお客様のために保管しておいてくれ」と命じ
　た場合，あなたはその服の占有権を取得します。こ
　れも，服は実際には動いていませんが，占有権の譲
　渡が認められます。

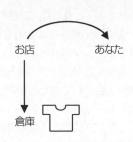

　このように，倉庫に預けている物を売ったときなどが，指図による占有移転の典型
例です。

　なお，この指図による占有移転のみ，条文を示しました。よく出題されるポイント
が条文にあるからです。そのポイントは，以下の2点です。以下の2点を入れ替える
ひっかけが出題されます。

・代理人（上記ex.の倉庫）には本人が命じるだけであり，代理人の承諾は不要です。
　代理人は倉庫などですから，その承諾は求められていません。
・第三者（上記ex.のあなた）の承諾は必要です。
　第三者は，購入したのに倉庫に預けたままとなってしまっています。よって，それ
でよいか承諾を得る必要があるのです。

④占有改定（民法183条）
　占有代理人が，自分が占有している物を，以後，本人のために占有する意思を表示
し，本人が占有権を取得するのが占有改定です。といってもわかりにくいでしょうか
ら，これも具体例でみましょう。

ex. あなたがお店で服を買いました。しかし，その後に
　　仕事に行かなければならず，お店に買った服を置い
　　てもらうようにお願いし，お店があなたのためにそ
　　の服を保管していた場合，あなたはその服の占有権
　　を取得します。

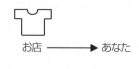

記憶のテクニック

　様々な箇所で，「上記①～④のいずれで『引渡し』の要件を充たすか？」が問題と
なります。これには，記憶のテクニックがあります。

　まず，上記①～④の占有移転の公示度は右の図のとお
りです。①の現実の引渡しは，実際に物を渡しますので，
最も公示度が高いです。それに対して，④の占有改定は，
物が依然として売主などのところにあるわけですから，
最も公示度が低いです。

　そして，試験的には，「引渡しの要件を充たすか？」
が問題となったときには，③と④の間（①～③までは要
件を充たす），または，④の下（①～④まで要件を充た
す）に境界線が引かれます。つまり，①～③まではすべ

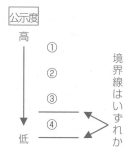

て要件を充たし，問題となるのは④だけなのです。よって，④（占有改定）が該当す
るかだけを記憶すればOKです。

2．占有権の相続 ―― 包括承継

　次に「包括承継」です。占有権の包括承継は，以下の Case の事案が最もよく問題
になります。

Case

　Aは，あなたの父であるBに建物を賃貸した。そ
の後，Bが死亡してあなたがBを単独で相続した。
Bの死亡後，あなたがその建物の占有を継続した場
合，あなたはその建物の所有権を時効取得できる
か？

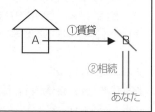

　Bは賃借人ですが，その相続人が「所有権」を時効取得できないかが問題となって
います。賃借人ですからなかなか難しそうですが，可能性はあります。

段階を意識

　ここは，以下の（1）→（2）→（3）という流れを意識することが重要です。「（1）が認められて，（2）の問題となる」，「（2）が認められて，（3）の問題となる」という段階に分かれています。

（1）占有権を相続できるか？

　時効取得するためには，占有を継続する必要があります（民法162条）。そこで，まず「相続人は被相続人の占有権を相続できるか？」が問題となります。

　判例は，被相続人の占有していた物については，相続人が現実に所持・管理しているか否か，相続の開始を知っているか否かに関わりなく，原則として占有権を相続できるとしました（最判昭44.10.30）。
　相続は包括承継（まるごと承継）なので，占有権も相続の対象となるのです。

※相続人が複数いる場合に1人の相続人に単独の占有が認められるか？

　相続人が複数いるために共同相続人の共有となっている不動産について，共同相続人のうちの1人による単独の占有が認められるためには，その相続人が，他に相続持分権を有する共同相続人がいることを知らずに単独の相続と信じてその不動産の占有を始めた場合など，単独で所有権を有すると信じることにつき合理的な理由があることが必要です（最判昭47.9.8，最判昭54.4.17）。
　つまり，単独の占有が認められるのはけっこう大変であるということです。なぜなら，上記の判例（最判昭44.10.30）で，相続人が現実に所持・管理しているか否か，相続の開始を知っているか否かに関わりなく，原則として占有権を相続できるとされているため，他の相続人の占有が容易に認められるからです。

（2）相続人は自分の占有のみを主張できるか？（占有の二面的性格）

　占有権を相続できることがわかりましたので，次は，「相続人が自分の占有のみを主張できるか？」が問題となります。
　どういうことかというと，上記Caseにおいて，死亡したBは賃借人ですので，他主占有（P80）ですから，他主占有をず～っと続けても永遠に所有権を時効取得できません（Ⅰのテキスト第2編第10章第2節2 1.（1））。そこで，相続人であるあなたは，自分の占有のみを主張したいのです。

　判例は，相続人は自分の占有のみを主張できるとしました（最判昭37.5.18）。

相続人は，民法 187 条 1 項（ I のテキスト第 2 編第 10 章第 2 節 2 1.（4）（b））の「承継人」に当たるとしたのです。

民法 187 条（占有の承継）

1　占有者の承継人は，その選択に従い，自己の占有のみを主張し，又は自己の占有に前の占有者の占有を併せて主張することができる。

（3）相続は民法 185 条の「新たな権原」に当たるか？

　占有権を相続でき，相続人は自分の占有のみを主張できることがわかりましたので，最後に，「相続は民法 185 条の『新たな権原』に当たるか？」が問題となります。

　どういうことかというと，上記 Case において，相続人であるあなたは自分の占有のみを主張できるとしても，被相続人 B は他主占有であったので，あなたの占有も他主占有になります。それでは所有権を時効取得できませんので，「他主占有を自主占有（P80）に変えたい」のです。

　他主占有が自主占有に変わる要件を定めたのが，民法 185 条です。

民法 185 条（占有の性質の変更）

　権原の性質上占有者に所有の意思がないものとされる場合には，その占有者が，自己に占有をさせた者に対して所有の意思があることを表示し，又は新たな権原により更に所有の意思をもって占有を始めるのでなければ，占有の性質は，変わらない。

　相続がこの民法 185 条の「新たな権原」に当たるかが問題となります。

　判例は，相続人が，新たに建物を事実上支配することにより占有を開始し，現実の占有開始の時点で所有の意思を有していたことが客観的に明らかであれば（賃料の支払を拒絶していた，所有者が払うべき固定資産税を相続人が払っていたなどの事情があれば），民法 185 条の「新たな権原」に当たるとしました（最判昭 46.11.30・通説）。

　判例は相続が即「新たな権原」となるとはいっていません。原則として新たな権原とはなりませんが，賃料の支払を拒絶していた，所有者が払うべき固定資産税を相続人が払っていたなどの事情があれば，「新たな権原」となるといっているのです。

　よって，そのような事情があれば，上記 Case のあなたは，所有権を時効取得できます。

第5節　占有権の効力

　占有権の効力，つまり，「占有権を取得すると何が言えるのか」というハナシをみていきます。

　占有権を取得すると言えることは，以下の2点です。

①占有そのものを保護する効力（占有の訴え。民法197条〜202条。下記 $\boxed{1}$ ）
②本権の推定（民法188条。下記 $\boxed{2}$ ）

$\boxed{1}$ 　占有そのものを保護する効力 ── 占有の訴え

　たとえば，あなたが自転車を盗まれたとします。その1週間後に，あなたが，自分の自転車が置かれているドロボウの家を発見し，自転車を勝手に持って帰った場合，ドロボウはあなたに自転車を「返せ！」と言うことができます（大判大4.9.20，大判大13.5.22）。

　「ドロボウが窃盗の被害者に盗んだ自転車を『返せ！』と言えるのは，おかしくない？」と思うかもしれません。しかし，窃盗の被害者が自分でドロボウから取り返せることになると，世の中がメチャクチャになってしまうため，それは禁止されています。これを，「自力救済の禁止」といいます。自力救済の禁止は，「北斗の拳」のような世界（力だけが支配する世界）になってはいけないということです。

　もちろん，窃盗の被害者は，警察に頼んで自転車を取り戻してもらうことなどができます。また，盗まれた直後であれば取り返しても問題ありません。

1．意義
　占有の訴え：占有者がその物の占有を妨害されたときは，その占有が正当な権
　　　　　　　利に基づくものか否かにかかわらず（ex. ドロボウでも），妨害の
　　　　　　　除去を請求できる権利
　占有の訴えには，以下の3種類があります。

①占有回収の訴え（民法200条）
②占有保持の訴え（民法198条）
③占有保全の訴え（民法199条）

共通項として記憶

下記3.でこれらを１つ１つみていきますが，この１.および下記２.の内容は，上記３つの訴えに共通します。共通項がある制度は共通項をくくりだして記憶したほうが効率がよいので，１.および２.は「３制度共通」として記憶してください。

占有の訴えによって請求できるのは，以下の２点です。①が「物」のハナシ，②が「金」のハナシです。

①占有権の侵害を排斥して完全な占有状態を回復する権利

P10=
占有の訴えは，一種の物権的請求権（P8）です。よって，相手方に故意や過失がなくても請求できます。

少し弱い

物権的請求権の一種ではありますが，占有権は本権ではないため，少し効力が弱いです。これがポイントになってきます。

②損害賠償請求権

相手方に故意または過失があれば，損害賠償請求もできます。

上記①と異なり，故意または過失が必要なのは，不法行為（民法709条）に基づく損害賠償請求だからです。

２．当事者（原告と被告）
（１）原告

占有の訴えは占有権の効力として認められるものですから，原告は占有者です。しかし，その知識だけでは不十分なので，もう少し細かくみていきましょう。

Case

（1）あなたは，Aから自転車を借りて使用していたところ，その自転車をBに盗まれた。あなたは，Bに対して，占有回収の訴えを提起できるか？

（2）上記（1）のCaseにおいて，Aは，Bに対して，占有回収の訴えを提起できるか？

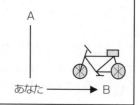

原告となれる「占有者」とは，具体的には以下の者です。

判断基準

　占有がある者　→　原告になれる（提起できる）
　占有がない者　→　原告になれない（提起できない）
　占有があるかないかは，P76〜77 の知識から考えます。

①代理占有によらずに占有している者（民法 197 条前段）
　通常の占有者のことです。権原（P11）の有無や善意・悪意を問いません（大判大 13.5.22）。P89 でドロボウでもできると説明したことから考えてください。

②自己占有者（直接占有者。民法 197 条後段）
　P77（1）でみましたとおり，自己占有者（直接占有者）にも占有権が認められましたので，原告となれます。よって，上記 Case（1）において，あなたは，自己占有者（直接占有者）なので，占有回収の訴えを提起できます。これも，権原の有無や善意・悪意を問いません（大判大 13.5.22）。

③代理占有者（間接占有者。民法 197 条前段）
　P77（1）でみましたとおり，代理占有者（間接占有者）にも占有権が認められましたので，原告となれます。よって，上記 Case（2）において，Aは，代理占有者（間接占有者）なので，占有回収の訴えを提起できます。

※占有補助者・占有機関（最判昭 32.2.22）は原告になれません。P77（2）でみましたとおり，占有補助者・占有機関には占有権が認められないからです。ただし，占有機関である法人の代表者個人のためにも所持するものと認めるべき特別の事情がある場合は，原告になれます（最判平 10.3.10）。

（2）被告（相手方）
　被告は，占有の侵害者または侵害をするおそれのある者，および，それらの者の包括承継人です。

3．占有の訴えの種類
（1）占有回収の訴え
　占有回収の訴え：占有を奪われた場合に，物の返還および損害賠償を請求する訴え　≒P8
　占有回収の訴えは，物権的請求権でいうと「物権的返還請求権」に対応するものです。

Case

　あなたが占有していた自転車を，Aがあなたから詐欺により取得した場合，あなたはAに対して，占有回収の訴えを提起できるか？

あなた - - - - - - - ▶ A
詐取

民法200条（占有回収の訴え）

1　占有者がその占有を奪われたときは，占有回収の訴えにより，その物の返還及び損害の賠償を請求することができる。

（a）要件

　要件は，占有を「奪われた」ことです（民法200条1項）。この「奪われた」とは，意思に基づかないで所持を奪われることです。ドロボウに盗まれることなどが該当します。

　意思に基づく場合は，占有の要件である「所持」（P76②）を自ら放棄したといえますので，奪われたことにはなりません。以下の場合は，この民法200条1項の「奪われた」に当たりません。

・遺失
　奪われたのではなく，自分で落としただけです。
・詐取（大判大11.11.27）
　詐欺によって取得されていますが，被害者は自分の意思に基づいて渡しています。よって，上記Caseにおいて，あなたは占有回収の訴えを提起できません。
・強制執行
　強制執行によって物の占有を解かれた者は，執行行為が著しく違法性を帯び外観上も私人の私力行使と同視できるようなときを除き，占有回収の訴えを提起することはできません（最判昭38.1.25）。
　さすがに，裁判所が執り行う手続である強制執行では，通常は「奪われた」とはいえません。
・賃借人が賃貸人の建物への立ち入りを拒んだ（最判昭34.1.8参照）
　賃貸人は，賃貸借契約時に，自分の意思に基づいて建物を引き渡しているからです。

（b）原告

占有を奪われた者です。P89〜91 の 1.と 2.は，3 制度共通です。

（c）被告（相手方）

i　総説

占有の侵奪者およびその包括承継人です。P89〜91 の 1.と 2.は，3 制度共通です。

ii　特定承継人

では，侵奪者からの特定承継人は被告となるでしょうか。以下の Case のような場合です。

Case

Aは，あなたから自転車を盗み取り，そのことを知らないBにその自転車を譲渡した。この場合，あなたは，Bに対して占有回収の訴えを提起できるか？

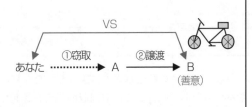

民法200条（占有回収の訴え）

2　占有回収の訴えは，占有を侵奪した者の特定承継人に対して提起することができない。ただし，その承継人が侵奪の事実を知っていたときは，この限りでない。

　占有回収の訴えは，善意の特定承継人には行使できませんが，悪意の特定承継人には行使できます（民法 200 条 2 項）。よって，上記 Case の B は善意ですので，あなたは B に対して占有回収の訴えを提起できません。この「悪意」とは，占有の侵奪があったことを認識していた場合をいい，占有の侵奪を単なる可能性のある事実として認識していただけでは足りません（最判昭 56.3.19）。

　この事例の場合，実は所有権などの本権に基づくのであれば，善意の特定承継人にも請求できます。しかし，占有権は本権に比べ少し効力が弱くなりますので（P90 の「少し弱い」），善意の特定承継人には行使できないとされているのです。

　なお，上記 Case において，AがBに対して自転車を譲渡したのではなく，Aが
Bに自転車を賃貸したり修理を依頼したりした場合，あなたは，占有回収の訴え
を，Bではなく，Aに対して提起すべきです（大判昭5.5.3）。

iii　特定承継人からの譲受人

　では，さらに譲受人が出てきた場合はどうなるでしょうか。以下の Case のよう
な場合です。

Case

　Aは，あなたから自転車を盗み取り，そのことを知らないBにその自転車を譲
渡した。その後，Bは，その自転車が盗まれた物であることを知っているCに，
その自転車を譲渡した。この場合，あなたはCに対して，占有回収の訴えを提起
できるか？

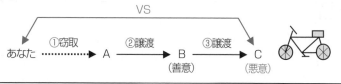

　いったん善意の特定承継人に譲渡されたならば，その後の特定承継人が悪意で
あってもその者に対して占有回収の訴えを提起できません（大判昭 13.12.26・絶
対的構成）。よって，上記 Case において，あなたはCに対して占有回収の訴えを
提起できません。

　Bが善意であり，Bに譲渡された時点で「あなたは占有回収の訴えを提起でき
ない」で確定していますので，後に悪意のCが出てきたからといってそれが覆る
ことはないからです。

（d）請求の内容

　占有回収の訴えによって請求できるのは，以下の2点です。

①物の返還
②損害賠償（占有を奪われたことによる損害）

（e）訴えの提起期間

　占有回収の訴えを提起できるのは，占有を奪われた時から1年以内に限られま
す（民法 201 条3項）。

記憶のテクニック

①占有に関する主張期間の「起算点」

占有に関するハナシの場合，主張期間の起算点が「知った時から」となることはありません。占有を侵害されたら，通常はすぐに気づくからです。

②占有に関する「主張期間」

（原則）1年

（例外）2年（民法193条。P58）

占有を侵害されたら通常はすぐに気づくため，主張期間は短くなっており，原則は1年です。

（2）占有保持の訴え

占有保持の訴え：占有を奪われる方法以外の方法で占有が妨害されている場合に，妨害行為の停止および損害賠償を請求する訴え　　≒P8

占有保持の訴えは，物権的請求権でいうと「物権的妨害排除請求権」に対応するものです。

Case
Aは，あなたが占有する土地に故意に廃棄物を投棄して，その使用を妨害した。この場合，あなたはAに対して，いかなる請求ができるか？ 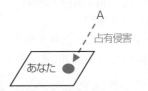

民法198条（占有保持の訴え）

占有者がその占有を妨害されたときは，占有保持の訴えにより，その妨害の停止及び損害の賠償を請求することができる。

（a）要件

要件は，「占有の妨害」です（民法198条）。物権的請求権でいうと「物権的妨害排除請求権」に対応するのが占有保持の訴えですので，「妨害」とは，占有の侵害ではあるが，いまだ占有が奪われるには至っていない状態をいいます。奪われたら占有回収の訴えになります。

（ｂ）原告

占有を妨害された者です。P89〜91 の 1.と 2.は，3 制度共通です。

（ｃ）被告（相手方）

占有を妨害している者およびその包括承継人です。P89〜91 の 1.と 2.は，3 制度共通です。

（ｄ）請求の内容

「
P97

占有保持の訴えによって請求できるのは，以下の①"および"②です。

①妨害の停止

妨害者の費用をもって妨害の停止に必要な行為をすることを請求できます（大判大 5.7.22）。

②損害の賠償

②の損害の賠償には妨害している者の故意または過失が必要ですが（P90②），上記 Case の A には故意がありますので，あなたは①および②の請求が可能です。

（ｅ）訴えの提起期間

ⅰ　原則

「
P98

占有保持の訴えを提起できるのは，妨害の存する間またはその消滅した後 1 年以内です（民法 201 条 1 項本文）。

なお，妨害が消滅すると，消滅してから 1 年以内でも，上記（ｄ）①の妨害の停止は請求できなくなります。これは当たり前です。妨害が消滅したので，妨害の停止を請求できるわけはありません。

ⅱ　例外

P98＝

工事により占有物に損害を生じた場合は，工事に着手した時から 1 年を経過しまたは工事が完成したときは提起できません（民法 201 条 1 項ただし書）。

工事による妨害の場合は，請求できる期間が短くなります。工事だと，Ⅰのテキスト第 2 編第 2 章第 1 節 4 1.（2）で説明した「社会経済上の不利益の回避」という視点が出てくるのです。工事は大規模であり，その工事によってある程度完成した場合（1 年もあればある程度完成します）または工事が完成した場合は，社会全体の財産となる物を壊したくないという要請が働くのです。

（3）占有保全の訴え

≒P9

占有保全の訴え：占有に対する妨害が生じるおそれが強い場合に，その原因を除去して妨害を未然に防ぐ措置をとるよう要求するまたは損害賠償の担保を請求する訴え

占有保全の訴えは，物権的請求権でいうと「物権的妨害予防請求権」に対応するものです。

Case

Aが所有し占有する土地の土砂が，あなたが占有する土地になだれ込みそうになっている。この場合，あなたはAに対して，いかなる請求ができるか？

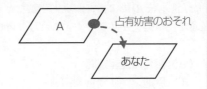

民法199条（占有保全の訴え）

占有者がその占有を妨害されるおそれがあるときは，占有保全の訴えにより，その妨害の予防又は損害賠償の担保を請求することができる。

（a）要件

要件は，「占有を妨害されるおそれがある」ことです（民法199条）。物権的請求権でいうと「物権的妨害予防請求権」に対応します。

（b）原告

占有を妨害されるおそれがある者です。P89～91の1.と2.は，3制度共通です。

（c）被告（相手方）

占有を妨害しようとしている者およびその包括承継人です。P89～91の1.と2.は，3制度共通です。

（d）請求の内容

P96

占有保全の訴えによって請求できるのは，以下の①"または"②です。占有保持の訴えと異なり，まだ妨害の"おそれ"ですから，片方しかできないのです。

①妨害の予防

　上記 Case でいえば，Aの費用をもって，土砂が流れ込まないように塀を設置することなどを請求できます。

②損害賠償の担保

　金銭を供託（P261）することを請求したりすることができます。この担保の請求は，今までのハナシと異なり，相手方の故意または過失が不要です。"担保"であり，すぐに請求者が金銭をもらえるわけでもなく，担保を出した者も損害が発生しなければ担保を返してもらえるからです。

　ただし，その後に損害が現実化したときに損害賠償を請求するには，相手方の故意または過失が必要です。これは，P90②の３制度共通の部分です。

（e）訴えの提起期間

ⅰ　原則

P96

　占有保全の訴えを提起できるのは，妨害の危険が存する間です（民法 201 条 2 項前段）。「妨害の危険が消滅してから 1 年以内」などという規定はありません。妨害の"おそれ"ですから，おそれがなくなったら請求する意味はないからです。

ⅱ　例外

P96＝

　工事により損害を生じるおそれがある場合は，工事に着手した時から 1 年を経過しまたは工事が完成したときは提起できません（民法 201 条 2 項後段，1 項ただし書）。

　占有保持の訴え（P96ⅱ）と同じ理由です。

4．占有の訴えと本権の訴えとの関係

　以上みてきた占有の訴えは，訴訟では，占有権があったのか占有権を侵害したかなど，「占有権」について争われます。では，たとえば，占有回収の訴えを提起された者が「私には所有権（本権）がある！」と訴訟で反論できるでしょうか。

民法202条（本権の訴えとの関係）

1　占有の訴えは本権の訴えを妨げず，また，本権の訴えは占有の訴えを妨げない。

2　占有の訴えについては，本権に関する理由に基づいて裁判をすることができない。

　民法 202 条 2 項では，占有の訴えにおいて，本権（所有権など）を理由とすることができないとされています。「所有権があるなら，なんで言わせてあげないの？」と思われるでしょうが，民法 202 条 1 項にありますとおり，占有の訴えと本権の訴えは，まったく別物であると民法は考えています。占有の訴えと本権の訴えはまったく別物なので，占有の訴えにおいては占有権に関する問題点のみを扱いたいのです。

　それでは，所有権など本権がある人は，占有の訴えを提起されたら，所有権などがあっても勝訴することはできないのでしょうか。それはおかしいので，実は「本権に基づく反訴」を提起できます（最判昭 40.3.4）。

用語解説 ―― 「反訴」

　「反訴」とは，訴訟中に，被告が原告に対して提起する訴えのことです（民訴法 146 条）。たとえば，「名誉毀損だ！」と損害賠償請求訴訟を提起された被告が，逆に「お前のほうこそ名誉毀損だ！」と原告に損害賠償請求訴訟を提起する場合の被告の訴えが反訴です。訴えとしては別物なのですが，関連するので 1 つの訴訟で審理がされます。

　「反訴は上記の民法 202 条 2 項に反するのではないか？」と思われるかもしれません。しかし，反訴は，本訴と同一の訴訟で審理されますが，あくまで別訴ですので，民法 202 条 2 項には反しません。

2　権利推定（本権の推定）
　占有権があるだけで認められる効力は，上記 1 の「占有の訴え」以外にもう 1 つあります。それを規定したのが，以下の民法 188 条です。

民法 188 条（占有物について行使する権利の適法の推定）
　占有者が占有物について行使する権利は，適法に有するものと推定する。

1．意義
　占有しているからといって本権（所有権など占有を正当にする権利）があるとは限りませんが，占有者は占有物について本権を有すると推定されるとされています（民法 188 条）。
　これは，現在の占有者についてだけでなく，過去の占有者についても同様です。過去に占有していた者は，その占有の間は適法に権利を有していたものと推定されます。

２．趣旨

　占有していれば，フツーは本権があります。たとえば，みなさんの友人が新しいバッグを持ってきたとして，友人が盗んできた（本権なし）とは思わないですよね。フツーは，そのバッグを購入した（所有権あり）か誰かから借りている（使用借権や賃借権あり）などと思うでしょう。

３．推定される権利

　民法 188 条には「占有物について行使する権利」とあり，特に限定されていませんので，占有する権利であれば，物権だけでなく債権（ex. 賃借権）の推定も認められます。

４．本条の適用を受ける者

　ここまでみてきて「民法 188 条ってすごいな〜。占有しているだけで，ほとんど所有者じゃん！」と思われたかもしれません。ですが，実はそこまで多くの場面に適用される条文ではないのです。以下の Case で考えてみましょう。

Case

　あなたが土地を占有している場合に，その土地の所有者Aがあなたに，所有権に基づいてその土地の明渡しを請求した。Aが自分の所有権を立証した場合，あなたは，民法 188 条を理由に自分の占有が適法であると主張して，本権があることを立証しなくてよくなるか？

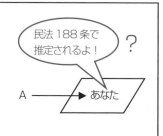

民法 188 条で
推定されるよ！　？

A ──→ あなた

民法 188 条はかなり制限

　民法 188 条は，占有しているだけでどんなときでも本権が推定されるように読めます。しかし，民法 188 条の推定はかなり制限されます。

　占有しているだけでどんなときでも本権を有すると推定すると，推定の範囲が広くなりすぎるからです。

　また，占有していることの立証は簡単ですが，本権がないことの立証は簡単ではありません。たとえば，上記 Case において，あなたは占有を簡単に立証できます。この場合に，あなたが本権（占有を適法にする所有権や賃借権など）があることを立証しなくてよくなると，Aが，あなたに本権が"ないこと"を立証しな

ければならなくなります。これはないことの証明ですので，困難です。
　よって，占有者は，民法188条に基づいて以下のような主張をすることはできません。

①所有権に基づく返還請求に対して，民法188条を理由に占有が適法であると主張すること（最判昭35.3.1）
　よって，上記Caseにおいて，あなたは，本権があることを立証しなければ，Aに土地を明け渡さなければならなくなります。

②権利変動（最判昭35.3.1）
　占有しているからといって，所有権を取得したことや地上権・賃借権の設定を受けたことなどが推定されるわけではありません。

③登記請求（大判明39.12.24）
　不動産を占有していることを理由に，登記を請求することはできません。

※では民法188条は何の役に立つの？

　「民法188条は全然すごくないな……。全然使えないじゃん！」と思われたでしょう。そこで，「じゃあ民法188条って何の意味があるの？」と思わないでしょうか。
　試験的に民法188条が役に立つのは，P54iの即時取得のときくらいです。これは，「あなたが，Aが所有している物を，Bが所有者だと勘違いしてBから譲り受けた場合，民法188条によりあなたからみてBの占有が適法なものであると推定され，あなたの無過失が推定される（最判昭41.6.9）」というハナシでした。つまり，試験的には，占有者と取引をした者について「占有していた者と取引をしたんだから，権利者だと信じちゃうのは仕方ないよ」という意味くらいでしか，民法188条は役に立たないのです。

第6節　占有物を返還するときの清算

　占有権のハナシも終わりに近づいてきました。この第6節でみていくのは，占有者が所有者などに占有物を返還するときの清算のハナシです。

1　果実の問題

　果実を収取する権利は所有者にあります。ここでみる問題は，所有者ではない占有者が果実を収取してしまった場合に，それを所有者に返す必要があるのかということです。

　なお，ここでいう「果実」には，天然果実（ex. みかんの木になるみかん）と法定果実（ex. 不動産から生じる賃料）の双方を含みます。

条文の読み方

　下記1.（1）の民法189条1項や下記2.の民法190条1項のように，単に「果実」としか規定されていなければ，基本的に天然果実と法定果実の双方を含みます。

　占有者が本権のないことを知らないか（下記1.）知っているか（下記2.）で分かれます。

1．善意占有者

Case

　あなたは，Aの所有する土地を自分が所有する土地と信じて占有していた。あなたは，その土地を賃貸することによって生じた賃料を取得することができるか？

（1）意義

　善意占有者（用語の意味はP82を確認してください）は，本権がなくても果実を取得できます（民法189条1項）。よって，上記Caseにおいて，あなたは賃料を取得でき，それをAに返還する必要はありません。

　なお，占有者は無過失である必要はありません（通説）。

（2）趣旨

　果実収取権は所有者にありますので，善意占有者も本来は所有者に果実を返還するべきです。しかし，善意占有者は果実を収取し使ってしまうのが普通なので，返還させるのは酷なのです。

（3）善意占有者が訴えられたとき

　善意占有者が所有者から訴えられ，本権の訴えにおいて敗訴したときは，その訴え提起の時から悪意の占有者とみなされ（民法189条2項），訴え提起の時以降に取得した果実を所有者に返還しなければならなくなります。

　「訴え提起の時」が基準であり，「判決が確定した時」ではない点にご注意ください。訴状が届いたら，「私には本権がないのかな？」と疑いを持つでしょうから，自分の物だと思って果実を収取し使ってしまうことはなくなるだろうということです。

2．悪意占有者

Case

　あなたは，Aの所有する土地を自分に本権がないことを知りながら占有していた。あなたは，その土地から生じた賃料を取得することができるか？

　悪意占有者（用語の意味はP82を確認してください）は，自分に本権がないこと，つまり，果実を取得できないことをわかっているわけですから，上記1．（2）の趣旨を考慮する必要はありません。よって，悪意占有者の果実取得権は否定されています（民法190条1項）。よって，上記Caseにおいて，あなたは賃料を取得できず，それをAに返還する必要があります。また，それだけでなく，すでに消費し，過失によって損傷しまたは収取を怠った果実があれば，その代価を支払う義務も負います（民法190条1項）。果実を取得できないことを知っているからです。

　なお，善意占有者であっても，暴行，強迫または隠匿によって占有をしていれば，悪意占有者と同じく果実取得権は否定されます（民法190条2項）。ただし，善意であるにもかかわらず，暴行，強迫または隠匿によって占有をしていることは，ほとんど考えられません。

2 占有物が滅失・損傷した場合の責任の問題

Case

A所有の自転車を自分の所有物であると信じて占有しているあなたが，その自転車を過失により破損させた。この場合，あなたはAに対していかなる範囲で損害賠償責任を負うか？

所有者A

占有者あなた
（善意占有）　　破損

占有者が，占有物を滅失または損傷したときの所有者に対する責任の問題です。以下，善意占有者と悪意占有者に分けてみていきますが，いずれも「占有者の責めに帰すべき事由」が必要，つまり，過失責任である点にはご注意ください。民法の原則は過失責任だからです。

判断基準

責任の範囲が，「全部の賠償」か「現に利益を受けている限度」かが問題となります。判断基準は以下のとおりです。
・他人の所有物だと思っている　→　全部の賠償
・自分の所有物だと思っている　→　現に利益を受けている限度

1．善意占有者
（1）原則

善意占有者は，現に利益を受けている限度で賠償すれば足ります（民法191条本文）。よって，上記 Case において，あなたの損害賠償責任の範囲は，現に利益を受けている限度となります。「現に利益を受けている限度」とは，たとえば，自転車が壊れたことによって保険金を受け取っているのであれば，その保険金を返しなさいということです。保険金を受け取っているなどの事情がなければ，壊れた自転車をAに返せばOK です。

自分の物だと思っているので，損害賠償責任の範囲を広くするのは，占有者がかわいそうだからです（上記の「判断基準」）。

（2）例外

善意占有者でも，所有の意思のない占有者の責任は，全部の賠償となります（民法191 条ただし書）。「善意なのに所有の意思がない？」と思われたかもしれませんが，

善意占有とは,「本権がないのにあると誤信してする占有」であり (P82 の1.),「本権」には所有権以外の権利も含みます。よって,たとえば,賃借権がないのにあると誤信している場合は,所有の意思はありませんが,本権 (賃借権) があると誤信していますので善意占有者となるのです。

　善意占有者でも,所有の意思がなければ他人の物だと思っているので,損害賠償責任の範囲が広くなります (上記の「判断基準」)。

２．悪意占有者

　悪意占有者の責任は,全部の賠償です (民法191条本文)。
　他人の物だと思っているからです (上記の「判断基準」)。

3　占有者の費用償還請求権
　占有物を返還するときの清算の最後は,占有者が占有物に支出した費用です。

Case

　Aが所有している建物をあなたが占有していた。
（1）あなたは,その建物について屋根の雨漏りの修繕費を支出した。あなたが自分に本権がないことを知りながら占有していた場合,あなたはAに雨漏りの修繕費の全額を請求できるか？
（2）あなたは,その建物にアルミ雨戸を取り付ける費用を支出した。あなたが自分に本権がないことを知りながら占有していた場合,あなたはAに常にアルミ雨戸の費用の全額を請求できるか？

所有者A

占有者あなた
（悪意）
(1) 修繕費を支出
(2) アルミ雨戸費用を支出

１．意義
　費用には以下の2種類があります。

①必要費：物の保存に必要な費用 (ex. 修繕費) と物の管理に必要な費用 (ex. 固定資産税)。簡単にいうと,その物にマストな費用です。
②有益費：物の利用・改良のために支出し,物の価値を増加させる費用 (ex. 雨戸の新調費,建物の前の道路のコンクリート工事費)。簡単にいうと,プラスアルファの費用です。

　これらの費用を占有者が支出した場合,所有者に支払うよう請求できます。この請求は,善意占有者だけでなく悪意占有者もできます。

2．趣旨

　悪意占有者でも所有者に支払うよう請求ができるのは，費用償還請求権の根拠が公平の理念にあるからです。つまり，「**占有者の支出（⊖）で所有者が得（⊕）をするのが好ましくない**」ということです。悪意占有者が費用を支出しようが，占有物が所有者に返ってきたら得をするのは所有者です。よって，所有者に負担を求めるべきなのです。

3．償還請求
（1）必要費
（a）原則

　善意占有者でも悪意占有者でも，また所有の意思があってもなくても，支出した必要費を全額支払うよう請求できます（民法 196 条 1 項本文）。よって，上記 Case（1）において，あなたは悪意占有者ですが，Aに雨漏りの修繕費の全額を請求できます。

　占有者が悪意であっても，所有の意思がなくても，占有者の支出（⊖）で所有者が得（⊕）をしていることに変わりはないからです。

（b）例外

　占有者が果実（ex. 家賃）を取得した場合，占有者は，通常の必要費（ex. 固定資産税）は負担する必要があり，それ以外の臨時または特別の必要費（ex. 台風により修繕が必要となった場合の修繕費）の償還を請求できるだけです（民法 196 条 1 項ただし書）。

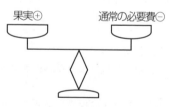

　占有者に果実という⊕があるので，それに対応する通常の必要費（⊖）を占有者が負担することが公平にかなうからです。

（2）有益費

　善意占有者でも悪意占有者でも，また所有の意思があってもなくても，有益費を支払うよう請求できます。理由は，上記（1）（a）の必要費と同じです。ただし，以下の 2 点が必要費と異なります（民法 196 条 2 項本文）。有益費はマストな費用ではなく，プラスアルファの費用ですので，請求できる場合とその額が限定されるのです。

①請求できるのは，目的物の価格の増加が現存する場合に限られます。

　有益費はプラスアルファの費用なので，占有物が所有者に戻った時にその「プラスアルファ」がないと請求できないのです。それに対して，修繕費（必要費）なら，定期的にかかるので，戻った時に修繕した箇所が壊れていても請求できます。

②請求できる額は，支出額または増価額のうち，所有者が選択した額です。所有者はフツーは，支出額と増価額のうち低いほうを選ぶでしょう。

　額に争いが起きることが多いので，所有者に選択権が与えられました。

　よって，上記 Case（2）において，アルミ雨戸の費用は有益費ですので，あなたはAに，常にアルミ雨戸の費用の全額を請求できるわけではありません。

4. 留置権による保護

　留置権は P182～195 で説明しますが，簡単にいうと，「支払うまで物を返さないよ」と言える権利です。ここでは，占有者が所有者に「オレが支出した費用を支払うまで，占有している物を返さないよ」（留置権の主張）と言えるかが問題となります。

（1）必要費

　占有者が必要費の支払を請求できる場合，留置権に基づき「必要費を支払うまでは物を返さないよ」と主張できます（民法 295 条）。

（2）有益費

　有益費の支払を請求できる場合も，留置権を主張できます（民法 295 条）。

　ただし，悪意占有者に対しては，裁判所は期限の許与ができます（民法 196 条2 項ただし書）。「期限の許与」とは，先に占有物を返還しろということです。よって，この場合には留置権は成立しません。

　これは，わざと高額な有益費を支出して留置することを防止するための規定です。有益費はプラスアルファの費用ですから，額の上限がなくなってしまうのです（占有者はシャンデリアを付けたりするかもしれません……）。

　「わざと高額な有益費を支出して留置することを防止するため」が趣旨ですから，裁判所が期限の許与ができるという規定は必要費にはありません。"必要費"なので，わざと高額にすることはできないからです。

記憶のテクニック

　占有者の費用償還請求権（民法 196 条）で，善意占有者か悪意占有者かで違いが出るのは，この民法 196 条 2 項ただし書の裁判所による期限の許与のハナシのみです。

第7節　占有権の消滅

占有権の最後のハナシです。最後は「消滅」です。

1　自己占有（直接占有）の消滅
＊自己占有（直接占有）の意味はP78を確認してください。

　自己占有（直接占有）による場合の占有権は，以下の①または②のいずれかの事由で消滅します（民法 203 条本文）。これは，占有権の成立要件に対応します。占有権が消滅するとは，占有権の成立要件を充たさなくなるということだからです。

①占有者が占有の意思を放棄した（←P76①に対応）
②占有物の所持を失った（←P76②に対応）

　なお，所持を失っても，占有者が占有回収の訴えを提起して勝訴し，現実にその物の占有を回復したときは，占有権は消滅しなかったことになります（民法203条ただし書）。しかも，この場合は，現実に占有しなかった間も占有が継続していたものとみなされます（最判昭 44.12.2）。占有回収の訴えによって取り戻したということは，占有者の意思に基づかないで所持を奪われていたということなので（P92（a）），占有が継続していたと扱うべきだからです。

2　代理占有（間接占有）の消滅
＊代理占有（間接占有）の意味はP78を確認してください。

> **Case**
>
> 　あなたが，所有している自転車の保管をAに依頼し，Aに預けておいたところ，Aはあなたに対して，その自転車は自分の物であるとの意思を表示し，その使用を開始した。この場合でも，あなたはその自転車に対する占有を失わないか？

　代理占有（間接占有）による場合の占有権は，以下の①～③のいずれかの事由で消滅します。上記 1 と同じ論理であり，以下の②③は成立要件に対応します。以下の消滅事由は，代理占有（間接占有）の成立要件に対応しています。

①本人が代理人に占有をさせる意思を放棄した（民法204条1項1号）

　代理人を通じて占有するのが代理占有（間接占有）ですから，本人が代理人に占有をさせる意思を放棄すれば，代理占有（間接占有）は消滅します。

②代理人が本人に対して以後自己または第三者のために占有物を所持する意思を表示した（民法204条1項2号。←P79①に対応）

ex1.「自己……のために占有物を所持する意思を表示した」とは，たとえば，代理人が，本人に無断で自分の借金の担保のために，本人から預かっている物を質入れすることが当たります。

ex2.「第三者のために占有物を所持する意思を表示した」とは，たとえば，賃借人（代理人）が，賃貸人（本人）とは別の者に賃料を払い始めることが当たります。

　よって，上記Caseのあなたは，占有を失います。

③代理人が占有物の所持を失った（民法204条1項3号。←P79②に対応）

　なお，代理占有（間接占有）は，代理権の消滅のみによっては消滅しません（民法204条2項）。これは，P79③に対応しています。

ex. 賃貸人が所有しているアパートを賃借人に賃貸し，賃借人が使用している場合，賃貸借契約が終了しても（代理権が消滅しても），賃借人がアパートの占有を続けていれば，賃借人には代理占有による占有権が認められます。外形上，賃貸借があるように見えるからです。

第3章　所有権

ややこしい占有権が終わりましたので，次は所有権です。占有権よりは理解しやすいと思います。

第1節　所有権とは？

1　意義

所有権：物の「利用価値」と「交換価値」を把握する，最もオールマイティーな物権。物権の王様。

利用価値を把握していますので，物を使うこと（使用）も，物を貸して賃料収入を得ることなど（収益）もできます。

また，交換価値も把握していますので，物を売却することも，物に担保物権を設定することもできます（処分）。

2　制限

上記のようにオールマイティーな物権ですので「所有権絶対の原則」があるといわれています。こう聞くと，所有権は何でもありの物権のように聞こえますが，所有権絶対の"原則"とありますとおり，絶対でないことも実は多々あります。所有権は，主に以下の2点の制限があります。

①権利濫用の禁止（民法1条3項）

　Ⅰのテキスト第2編第1章3の宇奈月温泉事件（大判昭 10.10.5）の例をご覧ください。

②法令による制限（民法206条）

　土地を所有している場合，基本的にその土地の地下および上空も土地の所有権の対象となります。しかし，たとえば，住宅街に超高層ビルを建てることは，普通は認められていません。建築基準法などで制限がされています。

第2節　相隣関係

1 相隣関係とは？

1. 意義

相隣関係：相近接する不動産所有権の相互の利用を調整することを目的とする
関係

簡単にいうと，ご近所との関係を規定したのがこの相隣関係です。隣接する不動産所有権をうまく共存させるため，法によって当然に，所有権の内容が拡張されたり制限されたりすることを規定しているのです。

2. 隣地の使用

（1）意義

土地の所有者は，以下の①〜③の目的のため必要な範囲内で，隣地の権利者の明示的な承諾なく，隣地を使用することができます。

①境界またはその付近における障壁，建物その他の工作物の築造，収去または修繕（民法 209 条 1 項 1 号）
②境界標の調査または境界に関する測量（民法 209 条 1 項 2 号）
　「境界」とは，土地と土地の間の境界のことです。
③P114〜115 の 1.の枝の切取り（民法 209 条 1 項 3 号）

これは，隣地の枝が境界線を越えて自分の土地に伸びている場合に枝を切り取るというハナシですが，隣地が少し高いところにあり，隣地に立ち入らなければ枝の切取りができないこともあるため，隣地の使用が認められています。

ただ，居住者の承諾がなければ，その住家に立ち入ることはできません（民法 209 条 1 項柱書ただし書）。さすがに住家に立ち入るには承諾が要ります。

（2）趣旨

かつてから，隣地の使用を請求できるという規定はあったのですが（旧民法 209 条 1 項本文），隣人の承諾が必要であり，承諾しない場合には，承諾に代わる判決を得る必要があると解されていました。隣地の権利者が見つからない場合もありますし，見つかっても承諾をしてくれない場合は判決を得る必要があったのです。そこで，令和 3 年の改正で，下記（3）の規定を設けて他の土地への配慮をしたうえで，他の土地の権利者の明示的な承諾が不要であるとされました。

（3）他の土地への配慮

　土地の所有者には隣地の使用権があるのですが，隣地の権利者の権利も保護する必要があります。そこで，以下の①～③のような配慮がされています。

①使用の日時，場所および方法は，隣地の所有者および隣地を現に使用している者のために損害が最も少ないものを選ばなければなりません（民法209条2項）。

②あらかじめ，その目的，日時，場所および方法を隣地の所有者および隣地を現に使用している者に通知しなければなりません（民法209条3項本文）。隣地の所有者や隣地を現に使用している者が見つからないなど，あらかじめ通知することが困難なときは，使用を開始した後，見つかったときに通知すればOKです（民法209条3項ただし書）。

③隣地の所有者および隣地を現に使用している者に損害が生じた場合には，それらの者に償金を支払う必要があります（民法209条4項）。

```
── 用語解説 ── 「償金」

　「償金」とは，迷惑料のようなものですが，違法行為ではない場合に支払うものです。違法
行為ではないので，「損害賠償」とはいわず，「償金」というのです。
```

3．ライフライン設置権
（1）意義

　土地によっては，目の前の公道に電線がきておらず，電線を通すためには，隣地上に電線を通す必要があるといった場合があります。このように，他の土地に設備を設置し，または，他人が所有する設備を使用しなければ，電気・ガス・水道水の供給を受けたり，下水道を利用したりできない場合に

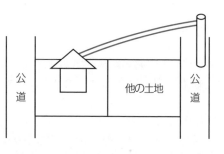

は，必要な範囲内で，他の土地の権利者の承諾なく（法定の権利），他の土地に設備を設置し，または，他人が所有する設備を使用することができます（民法213条の2第1項）。これを「ライフライン設置権」といいます。このために，その他の土地，または，その他人が所有する設備がある土地を使用することができます（民法213条の2第4項前段）。

　ただ，共有物の分割（P138～142 4 で扱います）または一部譲渡によって他の土地に設備を設置しなければ継続的給付を受けることができない土地が生じたときは，他の分割者の所有地または譲渡人の所有地のみに設備を設置することができます（民法213条の3第1項前段，2項）。共有物の分割や一部譲渡を行っていない土地の権利者には迷惑をかけるべきではないからです。

（2）趣旨
　電気，ガス，水道水，下水道などがないと生活ができないですよね。しかし，かつては，上記（1）のような権利を定めた規定がありませんでした。そこで，令和3年の改正で，ライフライン設置権が新設されました。

（3）他の土地への配慮
　ライフライン設置権が必要なことはわかりました。しかし，一方的に設備を設置されたり設備を使用されたりする他の土地の権利者からすると迷惑ですよね。そこで，以下の①～③のような配慮がされています。

①設備の設置または使用の場所および方法は，他の土地または他人が所有する設備のために損害が最も少ないものを選ばなければなりません（民法213条の2第2項）。
②設備の設置または使用の前に，あらかじめ，目的，場所および方法を他の土地または他人が所有する設備の所有者および他の土地を現に使用している者に通知しなければなりません（民法213条の2第3項）。
③損害が生じた場合には，償金を支払う必要があります（民法213条の2第4項後段，5項本文，6項，209条4項）。

4．雨水を隣地に注ぐ工作物
　土地の所有者は，直接に雨水を隣地に注ぐ構造の屋根その他の工作物を設けてはなりません（民法218条）。
　いくら自分の土地でも，隣地にこのような迷惑をかけてはいけません。

※地上権への準用
　相隣関係の規定は，地上権者と地上権者との関係，地上権者と土地の所有者との関係に準用されています（民法267条）。

2　境界

　土地の所有者は，隣地の所有者と共同の費用で，境界標を設けることができます（民法 223 条）。

　境界線上に設けた境界標，囲障（塀や柵のことです），障壁，溝および堀は，どちらかの土地の所有者が単独で有しているわけではなく，相隣者の共有に属するものと推定されます（民法 229 条）。

　ただし，通常の共有（P127～145）とは，異なります。境界には以下の考え方があるからです。

＊以下の考え方は，民事訴訟法や刑法などで学習することに関わってきますので，今は漠然としたイメージを持つだけで結構です。

境界に対する考え方

　「境界は公のものである」という考え方が，法全体にわたってあります。

3　枝と根

　オモシロ法律番組に出てきそうな知識ですが，お隣さんの竹木の枝または根が自分の土地まで入ってきた場合に，枝または根を自ら切り取ることができるかという問題があります。

1．枝

　枝が境界線を越えてきた場合，基本的には，自ら切り取ることができず，まず，お隣さんにその枝を切除するよう請求する必要があります（民法 233 条 1 項）。請求を受けたお隣さんが枝を切り取ることになりますが，お隣さんの土地が共有であり，竹木が共有の場合には，共有者の 1 人が枝を切り取ることができます（民法 233 条 2 項）。他人の土地に枝が入ってしまっている状態なので，枝の切除がされやすい規定となっているんです。共有の場合の規定は，令和 3 年の改正で，新設されました。

　枝を自ら切り取れないのは，様々な理由がいわれますが，「枝はお隣さんの土地の養分で育ったので，勝手に切り取れない」という理由が印象に残ると思います。

　ただし，以下の①～③のいずれかに当たるときは，土地の所有者は自ら枝を切り取ることができます。

①竹木の所有者に枝を切除するよう催告したにもかかわらず，竹木の所有者が相当の期間内に切除しないとき（民法 233 条 3 項 1 号）

「相当の期間」は，2週間程度であると解されています。

②竹木の所有者を知ることができず，または，その所在を知ることができないとき（民法233条3項2号）

　竹木の所有者が知らないうちに枝を切り取ることになってしまいますが，枝はまた伸びてくるので問題がないと考えられました。

③急迫の事情があるとき（民法233条3項3号）

　伸びた枝が邪魔で地震で破損した建物を修繕できない場合などが当たります。

　かつては，この①〜③の場合に自ら枝を切り取ることができるという規定がなく，お隣さんが枝を切除しない場合には，訴えを提起し，判決を得て強制執行をする必要があり，枝を切り取るのが非常に大変でした。そこで，令和3年の改正で，①〜③の場合に自ら枝を切り取ることができるという規定ができました。

2. 根

　根が境界線を越えてきた場合，自ら根を切り取ることができます（民法233条4項）。

　根は自分の土地の養分で育ったので，勝手に切り取れるのです。

　また，根は枝と異なり，地盤に影響する重大な問題となるという理由もあります。

4　囲繞地通行権

　難しい漢字ですが，「いにょうちつうこうけん」と読みます。以下のCaseのような場合に，この権利が出てきます。

> **Case**
>
> 　乙土地は，甲土地を通らなければ公道に出ることができない土地である。この場合，乙土地の所有者であるあなたは，甲土地の所有者や占有者の許可を得なければ，公道に出るために甲土地を通行することができないか？

> **民法210条（公道に至るための他の土地の通行権）**
> 1 他の土地に囲まれて公道に通じない土地の所有者は，公道に至るため，その土地を囲んでいる他の土地を通行することができる。

1．袋地の所有者の囲繞地通行権

　上記 Case の乙土地のように，他の土地に囲まれて公道に通じない土地を「袋地」，上記 Case の甲土地のように，袋地を囲んでいる土地を「囲繞地」といいます。袋地の所有者は，囲繞地を通行できます（民法210条1項）。

囲繞地通行権に共通する視点

①袋地の所有者をとにかく出してあげなきゃ

　袋地から出られないと生きていけないからです。

②周りへの迷惑は最小限に

　囲繞地の人が悪いわけではないからです。

　袋地の所有者は，囲繞地の所有者や占有者の許可を得ることなく当然に囲繞地を通行できます（上記①の視点）。よって，上記 Case において，あなたは，甲土地の所有者や占有者の許可を得る必要はありません。

　囲繞地通行権を主張するために，袋地の所有権の登記をしている必要もありません（最判昭47.4.14。上記①の視点）。これは，囲繞地が譲渡された場合の囲繞地の譲受人に対する関係でも同様です。また，囲繞地通行権の登記をして，囲繞地通行権を公示しておく必要もありません。そもそも「囲繞地通行権の登記」というものがありません（不登法3条参照）。

※袋地の賃借人

　囲繞地通行権者から袋地を賃借した賃借人も，賃借権の対抗要件を備えれば囲繞地通行権を有します（最判昭36.3.24）。

（1）通行の場所および方法

　囲繞地通行権は，上記①の視点から，囲繞地の所有者・占有者の許可や登記もなく認められますが，囲繞地通行権を行使する場合の通行の場所および方法は，通行権を有する者のために必要であり，かつ，他の土地のために最も損害が少ないものを選ばなければなりません（民法211条1項。上記②の視点）。

ただし，必要があるときは，通行権を有する者は通路を開設できます（民法211条2項）。とにかく出してあげなくてはなりませんので，公道に出るのに通路が必要なら開設できるのです（上記①の視点）。また，必要があるのであれば，自動車による通行を前提とする囲繞地通行権が成立することもあります（最判平18.3.16参照）。

（2）償金
（a）償金の要否
囲繞地通行権を有する者は，通行する囲繞地の損害につき償金を支払わなければなりません（民法212条本文）。

この償金の支払を怠っても囲繞地通行権自体は消滅せず，償金の不払による債務不履行責任が生じるにとどまります。出られないと生きていけませんので，囲繞地通行権は消滅しないのです（上記①の視点）。

（b）償金の支払時期
通路開設のために生じた損害については，一時に支払う必要があります。通路開設による損害は，すぐに生じる損害だからです。
それに対して，その他の損害については1年ごとに支払うことができます（民法212条ただし書）。

2．共有物の分割または一部譲渡によって生じた袋地

これは，以下の Case のようなハナシです。

Case

　　Aとあなたは，共有している土地を分筆して，甲土地をAが，乙土地をあなたが所有することにした。甲土地・乙土地には，Bが所有している丙土地が隣接している。乙土地は，甲土地または丙土地を通行しなければ公道に出ることができない土地である。この場合，あなたは公道に出るためにどの土地を通行できるか？

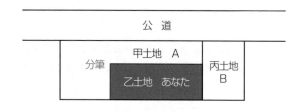

―― **用語解説** ――「**分筆**」―――――――――――――――――――――――――――

　　「分筆」とは，一筆の土地の一部を切り離すことです（「筆」は土地の数え方です）。もちろん，ノコギリで土地を切断するわけではなく，法律上一部を切り離すということです。

（1）共有物の分割または一部譲渡

　　共有物の分割（P138〜142 **4** で扱います）または一部譲渡によって袋地が生じた場合には，袋地の所有者は他の分割者の土地または譲渡人の土地のみを通行できます（民法 213 条。最判昭 44.11.13）。よって，上記 Case のあなたが囲繞地通行権を行使できるのは，甲土地のみとなります。なお，当事者が公道に通じない土地になることを認識していたかどうかは関係ありません。とにかく出してあげなくてはならないからです（上記①の視点）。

　　甲土地についてしか囲繞地通行権を行使できないのは，Aとあなたが行った共有物の分割で袋地が生じたのであり，Bにはできる限り迷惑をかけるべきではないからです（上記②の視点）。また，Aも，共有物の分割は自ら行った行為ですから，あなたに囲繞地通行権を行使されることは覚悟するべきです。

この場合には，あなたはAに償金を支払う必要はありません（民法213条1項後段）。Aの甲土地が囲繞地通行権の対象となることは，民法213条に法定されており，Aもあなたもわかっているので，分割や譲渡の価格決定にあたり迷惑料も考慮されていると考えられるからです。

（2）分筆後の囲繞地の特定承継人

たとえば，上記 Case の後，Aが甲土地をCに譲渡した場合，あなたの囲繞地通行権はどうなるでしょうか。

この場合でも（通行の対象となる土地に特定承継が生じた場合でも），袋地の所有者であるあなたは，特定承継人Cに対して民法213条に基づき，囲繞地通行権を主張できます（最判平2.11.20）。この場合も，囲繞地通行権の負担を負うのは甲土地であり，丙土地ではありません。

囲繞地通行権は囲繞地に付着した物権的負担なので，囲繞地が譲渡されても付いてまわるんです。また，やはり，Bにはできる限り迷惑をかけるべきではないという理由もあります（上記②の視点）。

※同一人が所有する数筆の土地の一部が競売された場合

たとえば，Aが所有する数筆の土地の一部が競売され，あなたが買い受けた土地が袋地になった場合にも，民法213条が適用され，無償の囲繞地通行権が生じます（最判平5.12.17）。競売であっても，袋地が生じてしまうなどの事情は異ならないからです。

3．囲繞地通行権の消滅

たとえば，袋地の所有者が後日，公道に通じる他の土地を取得した場合には，囲繞地通行権は当然に消滅します。

袋地であることが囲繞地通行権成立の要件であるからです。また，必要がないにもかかわらず周りへ迷惑をかけるべきではないという理由もあります（上記②の視点）。囲繞地通行権は，契約などによって発生するものではなく，袋地となれば当然に発生するものですので，消滅するときも当然に消滅します。

第3節　添付

1　意義・効果
　添付：付合，混和（こんわ），加工の総称
　添付は，「付合」「混和」「加工」に分かれるのですが，その3つに共通するハナシをこの 1 と下記 2 で扱います。
　「添付」は，所有者の異なる数個の物がくっついて1つの物となるハナシです。くっついて1つの物となった場合，それを分離して数個の物に分けるのではなく，1つの物のまま1人の物とします（2人の物とすることもあります）。

　これは，法律上当然の効果として生じます。そうすると，「所有権がなくなってしまう者がかわいそうでは？」と思われるかもしれませんが，その者の保護は，以下の民法248条に規定されています。

> **民法248条（付合，混和又は加工に伴う償金の請求）**
> 　第242条から前条までの規定〔付合，混和，加工の規定〕の適用によって損失を受けた者は，第703条及び第704条の規定〔不当利得の規定〕に従い，その償金を請求することができる。

　所有権がなくなってしまう者は，不当利得請求権の性質を有する償金（P112）の請求ができます（民法248条）。これで解決するのです。

※他の権利
　所有権が消滅したほうの物に他の権利があった(ex. 質権が設定されていた)場合，その他の権利も消滅します（民法247条1項）。他の権利は，その権利を設定した際の所有権を前提としているため，所有権がなくなると消滅するのです。

2　趣旨
　本来であれば，くっついて1個の物となっても分離するべきですが，分離する際に壊れてしまう危険性があることや分離に費用がかかることから，Ⅰのテキスト第2編第2章第1節 4 1.（2）で説明した社会経済上の不利益の回避のため，1つの物のままにするルールにしたのです。

3　添付の種類

ここからは,「付合」「混和」「加工」を1つ1つみていきます。

1．付合
（1）意義
付合:「不動産の付合」と「動産の付合」からなる

「不動産の付合」とは,不動産同士がくっつくことではなく,不動産に動産がくっつくことです。

「動産の付合」とは,動産に動産がくっつくことです。

（2）不動産の付合

Case

（1）あなたが所有する土地に,不法占拠者Aが立木を植栽した。この場合に,あなたはAに,「立木を撤去しろ」と請求できるか?

（2）あなたが所有する土地に,植栽を目的とする土地の賃借人Bが立木を植栽した。この場合に,立木の所有権はあなたとBのどちらが取得するか?

（3）あなたが所有する建物に,賃借人Bがあなたの承諾を得てベランダを増築した。この場合に,ベランダ部分の所有権はあなたとBのどちらが取得するか?

民法242条（不動産の付合）

不動産の所有者は,その不動産に従として付合した物の所有権を取得する。ただし,権原によってその物を附属させた他人の権利を妨げない。

（a）要件
要件は,不動産に動産がくっついたことです（通説）。

（b）効果
ⅰ　原則
不動産の所有者がくっついた物の所有権を取得します（民法242条本文）。よって,上記Case（1）の場合,あなたが立木の所有権を取得します。このとき,不法占拠者Aに「立木を撤去しろ」とは請求できないので,ご注意ください。不法占拠者が植えたものですが,あなたが立木の所有権を取得しますので,あなたの物となっているからです。

ⅱ　例外 ── 権原のある者がした弱い付合

権原（P11）のある者が動産をくっつけた場合は，所有者ではなく，くっつけた者がくっついた物の所有権を取得します（民法 242 条ただし書）。よって，上記 Case（2）の場合，権原のある賃借人Bが立木の所有権を取得します。物理的には土地に立木がくっついていますが，法律的にはくっついていない（浮いている）とされるのです。

なお，権原による所有権の留保が認められるのは，弱い付合の場合だけです。「弱い付合」とは，分離することが容易である付合です。上記 Case（2）の立木がその例です。

ⅲ　再例外 ── 権原のある者がした強い付合（独立性がない場合）

強い付合の場合，権原のある者がくっつけても所有者がくっついた物の所有権を取得します（最判昭 44.7.25）。「強い付合」とは，分離することが容易ではない付合です。よって，上記 Case（3）の場合，権原のある賃借人Bがくっつけており賃貸人であるあなたの承諾も得ていますが，増築という強い付合ですので，あなたが増築部分の所有権を取得します。

賃借人が増築部分の所有権を取得することになれば，増築部分を分離する必要が生じますが，分離が容易ではないので，それは社会経済上の不利益となるからです。

（3）動産の付合

Case

あなたが所有している自動車に，Aが所有しているエンジンが溶接された。
（1）自動車が主たる動産である場合，エンジンが溶接された自動車の所有権は，あなたとAのどちらが取得するか？
（2）自動車とエンジンのどちらも主たる動産であるとはいえない場合，エンジンが溶接された自動車の所有権は，あなたとAのどちらが取得するか？

（a）要件

要件は，所有者を異にする動産がくっついて，損傷しなければ分離復旧できなくなったこと，または，分離するのに過分の費用を要することです（民法 243 条）。

（b）効果

i　くっついた動産の主従の区別ができるとき

　主たる動産の所有者が合成物の所有権を取得します（民法243条前段）。よって，上記Case（1）の場合，あなたが，エンジンが溶接された自動車の所有権を取得します。

ii　くっついた動産の主従の区別ができないとき

　各動産の所有者が，その付合の当時における動産の価格の割合に応じた持分で合成物を共有することになります（民法244条）。よって，上記Case（2）の場合，あなたとAが，自動車とエンジンの価格の割合に応じて，エンジンが溶接された自動車の所有権を共有することになります。

（4）建物の合体と抵当権

　民法には不動産に不動産がくっついた場合の規定はありませんが，隣り合う建物の間の壁が除去されて1つの建物になった場合など，不動産同士がくっつく場合もあります。

Case

　互いに主従関係にない甲建物（あなたが所有）と乙建物（Aが所有）が合体して丙建物となった。甲建物にはBの抵当権が，乙建物にはCの抵当権が設定されていた。建物の合体後，これらの抵当権はどうなるか？

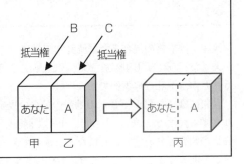

　上記 Case の場合，まず所有権がどうなるかですが，丙建物は合体時の建物価格の割合に応じてあなたとAが共有することになります（民法244条類推適用）。
　次に設定されていた抵当権がどうなるかですが，抵当権は，丙建物につき甲または乙の価格割合に応じた持分を目的とするものとして存続します（最判平6.1.25）。

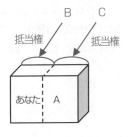

　ただし，付合は，上記 Case のように，「異なる所有者」の物の分離が困難となった場合に適用されるものであり，「同一所有者」の建物が1棟になった場合には適用されません。

ex. あなたが所有している甲建物と乙建物が，その間の隔壁を除去する工事によって，一棟の丙建物となった場合，その後，その持分を観念して持分上に抵当権を設定することはできません。1つの物に対しては1つの所有権しか存在することができないことから（一物一権主義。P3～5[2]），甲建物または乙建物の所有権が持分権となるとは考えられないからです。

2. 混和

Case

　あなたが所有する1リットル1500円のワイン500ccとAが所有する1リットル500円のワイン1500ccが混和して2リットルのワインとなった。ワインの主従の区別ができない場合，あなたとAはどのような割合でワインの所有権を取得するか？

　混和：固形物の混合または流動物の融和
　大豆などの穀物（固形物）や上記 Case のように液体（流動物）が混ざってしまうことが，混和の典型例です。
　混和には，上記1.（3）の動産の付合の規定（民法243条，244条）が準用されます（民法245条）。よって，上記 Case のように主従の区別ができない場合，価格の割合で共有することになりますので，あなたとAは「1：1」の割合でワインを共有することになります。1リットル1500円のワインは500ccで「750円」（＝1500円×500／1000cc），1リットル500円のワインは1500ccで「750円」（＝500円×1500／1000cc）です。"価格の割合"で決めるのであって，量（cc）で決めるのではない点にご注意ください。

3. 加工

> **Case**
>
> 　あなたが所有する安価な布地を用いて，有名デザイナーであるAが洋服を裁縫した。この場合に，出来上がった洋服の所有権は，あなたとAのどちらが取得するか？

（1）意義

　加工：他人の動産に工作を加え別種の物とすること

　上記Caseのように，材料（布地）を元に技術で洋服を作ることが，加工の典型例です。

（2）効果

（a）原則

　材料の所有者が加工物の所有権を取得します（民法246条1項本文）。材料の所有者の物なので，これが原則です。

（b）例外

　以下の①または②の場合には，加工者が加工物の所有権を取得します。

①工作によって生じた価格が材料の価格を著しく超える場合（民法
　246条1項ただし書）

　たしかに材料は材料の所有者の物ですが，出来上がった物の価値を考えると，加工者の寄与度のほうが高いからです。

　上記Caseは，この①に該当するでしょうから，有名デザイナーA
が出来上がった洋服の所有権を取得するでしょう。

②加工者が材料の一部を提供したときであって，その
　材料の価格に工作によって生じた価格を加えたもの
　が他人の材料の価格を超える場合（民法246条2項）
　これも，加工者の寄与度のほうが高いからです。

（3）建築中の建物への第三者の工事と所有権の帰属

> **Case**
>
> 工事会社A社が，B社から建物の建築の依頼を受け，建築を行っていたが，B社の財政状況が悪化し報酬を得られる見込みがなくなったことから，A社は独立の不動産となる前の建前の段階で建築を中断した（この時点までの材料はA社が出している）。その後，あなたが経営する工事会社が引き継ぎ，残りの材料を出し，建物を完成させた。あなたが経営する工事会社が出した材料と建築の価値がA社が出した材料の価格を超える場合，出来上がった建物の所有権はあなたが経営する工事会社とA社のどちらが取得するか？

この事案で問題となったのは，「建築」が加工といえるかどうかです。加工といえなければ，動産の付合に関する規定（民法243条，244条）が適用され，上記1.（3）にありますとおり，主たる材料を提供した工事会社が所有権を取得することになります。工事会社A社が提供した材料が主たる材料であれば，所有権がA社に帰属してしまうのです。

しかし，判例は，あなたが経営する工事会社がした工作は「加工」にあたり，民法246条2項の加工の規定に基づいて決すべきとしました（最判昭54.1.25）。よって，上記Caseはあなたが経営する工事会社が出した材料と建築の価値がA社が出した材料の価格を超える

【工事会社A社】【あなたが経営する工事会社】

ので，出来上がった建物の所有権はあなたが経営する工事会社に帰属します。

建築は，上記1.（3）のように動産に動産を単純に付合させるだけではなく，価値があるからです。

第4節　共有

　これまでも何度も「不動産を共有している場合に」などのハナシが出てきましたが，ここで共有についてきちんと説明します。

1　共有とは？

　共有：1つの物を数人で共同で所有すること

ex1. よくある事例ですが，夫と妻が共同で建物を購入した場合，夫と妻がその建物の所有権を「共」に「有」することになります。

ex2. 父が亡くなり，父が所有していたパソコンを兄と弟が相続したとします。そうすると，兄と弟がそのパソコンの所有権を「共」に「有」することになります。

　1つの物に複数の所有権が成立しますが（複数説），「1個の物の上に同一内容の『物権』は1つしか成立しない」という一物一権主義（P4〜5②）の例外として認められています。
*所有権は1個であり，その1個の所有権を複数の者が分割して有しているという見解もあります（単一説）。

2　共有が成立する場合

　たとえば，以下の事由によって共有が成立します。

①契約
ex. 上記1のex1.では，売買契約によって夫と妻の共有が成立しています。
②相続
ex. 上記1のex2.では，相続によって兄と弟の共有が成立しています。

> ### 好ましくない共有は単有への過渡的な形態

　共有は，好ましい状態ではないと考えられています。
　上記1のex2.で考えてみましょう。このパソコンの所有権を一度にすべて移転するには，兄と弟が一緒にしなければなりません。たとえば，兄は「3万円で構わない」と言っているが，弟は「5万円以上じゃないと売らない！」と言っているときには，売買契約は成立しません。その場合に，兄だけが自分の持分のみを売ることも可能で

すが，それを買いたいと思う人はほとんどいません。その理由ですが，たとえば，兄からパソコンの持分のみを買ったとしたら，その弟と一緒に使わなければならないことになります。データを見られる危険がありますし，何より面倒ですよね。つまり，共有物の取引は活発に行われず，社会経済上好ましくないのです。また，共有物は明確な権利の客体ではない点も好ましくありません。

そこで，共有は単有への過渡的な形態と考えられています。好ましくない状態ですので，その後に単有になることが想定されている暫定的な状態ということです。

3　効果

共有が成立した後の効果のハナシをみていきましょう。

1．持分権

共有者はそれぞれ，共有物に対して権利を有します。それを「持分権」といいます。では，この持分権に基づいて何を主張できるでしょうか。

共有者はそれぞれ，持分割合に関係なく（たとえば，1/10しか持分を有していない共有者でも），以下の表にある請求を単独ですることができます。ただし，以下の表にあるとおり，「共有物全部について請求できるもの」と，「自己の持分についてのみ請求できるもの」に分かれます。

思い出し方

共有物の保存行為といえる
　→共有物全部について
　　請求できる

私的自治の原則が働く
　→自己の持分についてのみしか
　　請求できない

共有物全部について請求できる	自己の持分についてのみ請求できる
①**持分権に基づく返還請求**（大判昭10.6.13） 　みんなのためになる保存行為といえるからです。	①**持分権の確認請求**（最判昭40.5.20） ex. ＡＢが共有している土地について，Ｘが所有権を主張している場合，ＡはＸに自分の持分権の確認を請求できます。 　自分に持分権があることを主張するかは，私的自治の原則が働く領域であり，共有者それぞれの判断によってするべきことだからです。

共有物全部について請求できる	自己の持分についてのみ請求できる
②**持分権に基づく妨害排除請求**（大判大7.4.19, 大判大10.7.18） ex. ＡＢが共有している土地をＸが不法占拠している場合，Ａは持分権に基づいてＸに土地の明渡しを請求できます。 　みんなのためになる保存行為といえるからです。	②**持分権に基づく時効の更新請求**（大判大8.5.31） ex. ＡＢが共有している土地について，Ｘの取得時効が完成しそうな場合，ＡはＸに自分の持分について時効の更新を請求できます。 　時効の更新措置をとるかは，私的自治の原則が働く領域であり，共有者それぞれの判断によってするべきことだからです。また, 時効の更新の効果は相対的でした（民法153条）。
③**共有不動産について実体上の権利を有しないのに持分移転の登記を経由している者に対する持分移転の登記の抹消の登記の請求**（最判平15.7.11） ex. ＡＢが共有している土地について，Ｂの持分のＸへの移転の登記がされたが，この登記が無効である場合，Ａは持分権に基づいてＸにその登記の抹消登記手続を請求できます。 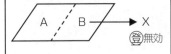	③**共有者の1人が勝手に単有名義の登記をした場合の他の共有者による更正登記請求**（最判昭59.4.24） ex. ＡＢＣが共有している土地について，Ｃが単有名義の登記をした場合，Ａが更正の登記（実体に合った登記に訂正する登記）を請求できるのは，自分の持分についてのみであり，Ｂの持分については請求できません。 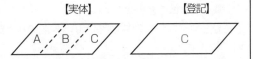
	④**持分権に基づく損害賠償請求**（最判昭41.3.3） 　損害賠償を請求するかは，私的自治の原則が働く領域であり，共有者それぞれが自分で決めるべきことだからです。

2．共有物の利用

　共有者が共有物をどのように利用できるかが問題となります。その利用の程度により，「保存」（下記（1）），「使用」（下記（2）），「管理」（下記（3）），「変更」（下記（4））と分けてみていきます。

　ただ，その前に共有について誤解していただきたくないことがあります。

「30／90㎡」ではない

　共有においては，右のような図がよく出てきますが，右の図はあくまで観念的なものです。「Aが西側 30㎡，Bが真ん中の 30㎡，Cが東側 30㎡を所有している」ということではありません。A・B・Cそれぞれが，90㎡すべてを使うことができるのであって（ただし，その所有者が3名います），西側30㎡などを所有しているわけではありません。

　土地だと30㎡ずつ使おうと思えば使えるためイメージがしづらいかもしれないので，自動車で考えてください。自動車をA・B・Cで共有している場合，1/3ずつ使うことはできませんよね。

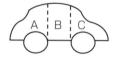

　持分とは，あくまで共同所有という概念のハナシであり，物理的なハナシではないのです。

（1）保存

> **民法 252 条（共有物の管理）**
> 5　各共有者は，前各項の規定にかかわらず，保存行為をすることができる。

　「保存行為」とは，共有物の修補や妨害排除（上記1．の表の左の②）など，共有物の現状を維持するための行為のことです。

　保存行為は，持分割合に関係なく各共有者が単独でできます（民法 252 条5項）。たとえば，持分が 1/10 しかない共有者でも単独でできます。保存行為は，共有者みんなのためになることだからです。

（2）使用

> ### Case
>
> あなたとAおよびBは，土地を各持分3分の1
> の割合で共有しているが，Bが，あなたとAとの
> 協議に基づかず，ずっとその土地を使用してい
> る。あなたとAは，Bに，その土地の明渡しを請
> 求できるか？

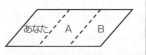

民法249条（共有物の使用）

1　各共有者は，共有物の全部について，その持分に応じた使用をすることができる。

（a）使用方法の協議がある場合

共有物の使用方法は，協議で決めます。

ex. 自動車であれば「月曜日はAが使い，火曜日はBが使い……」などと決める
ことが考えられます。

（b）使用方法の協議がない場合

では，協議がなかった場合はどうなるでしょうか。

協議がなかった場合，民法249条1項に共有者それぞれが共有物の「全部につ
いて」使用できるとありますので，持分割合に関係なく，すべての共有者が共有
物のすべてを使用できることになります。P130で「それぞれが，90㎡すべてを
使うことができる」と説明しましたが，それが現れている条文です。

そのため，共有物を単独で占有する共有者に対して，他の共有者から当然には
共有物の明渡しを請求できません（最判昭41.5.19）。よって，上記Caseにおい
て，あなたとAは，Bに，明渡しを請求できません。

また，共有者の1人が協議に基づかないで共有地の占有使用を第三者に承認してい
る場合にも，第三者は占有使用を承認したその共有者の1人と同様に共有物を使用す
る権原を有するので，他の共有者は当然には明渡しを請求できません（最判昭63.
5.20）。

ex. 上記Caseにおいて，Bが勝手に土地の占有使用をCに承認している場合でも，あ
なたとAはCに明渡しを請求できません。

（c）共有物の使用者の義務

　共有物を使用する共有者は，別段の合意（ex. 無償で使用できる旨の合意）がある場合を除き，他の共有者に対し，自分の持分を超える使用の対価を支払う義務を負います（民法 249 条 2 項）。上記 Case であれば，Bは，あなたとAに，持分 3 分の 1 ずつに相当する対価を支払う必要があります。また，上記 Case のように協議に基づかずに使用しているBは，あなたとAに対して，不当利得による返還義務または不法行為による損害賠償義務を負うとした判例もあります（最判平 12.4. 7）。共有物を使用していない他の共有者にも，権利（持分）があるからです。

　また，共有者は，共有物の使用について善管注意義務を負います（民法 249 条 3 項）。共有物は，他の共有者との関係では，他人の物だからです。

```
─── 用語解説 ──「善管注意義務」「自己の財産に対するのと同一の注意義務」───

　注意義務として，民法では「善管注意義務」「自己の財産に対するのと同一の注意義務」というものが出てきます。
　「善管注意義務」は他人の物として気をつけて扱え，「自己の財産に対するのと同一の注意義務」は自分の物レベルの扱いで OK ということです。
　自分のスマホならベッドに投げても（自己の財産の扱い），友人のスマホなら投げませんよね（他人の物の扱い）。投げるなら，その人はきっと友人ではないです……。その違いです。
```

　この（c）の規定は，令和 3 年の改正で新設されました。使用対価や注意義務を明確にしたほうが，「この場合に，どうなるのかな？」と考えることが少なくなり，共有物の利用が促進されると考えられたからです。

（3）管理

```
Case

　あなたとAおよびBは，土地を「あなた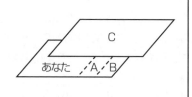
4/6，A1/6，B1/6」の割合で共有してお
り，3者で合意のうえ，Cにその土地を賃
貸している。この場合に，あなたは，Aと
Bの同意なしに，Cとの賃貸借契約を解除
できるか？
```

民法252条（共有物の管理）

1　共有物の管理に関する事項（次条第1項に規定する共有物の管理者の選任及び解任を含み，共有物に前条第1項に規定する変更を加えるものを除く。次項において同じ。）は，各共有者の持分の価格に従い，その過半数で決する。共有物を使用する共有者があるときも，同様とする。

（a）意義

共有物の管理は，持分の価格の過半数で決めます（民法252条1項前段）。持分の"価格の"過半数であって，人数の過半数ではない点にご注意ください。上記Caseですと，あなたが持分の価格の過半数を有していますので，管理に関する事項はあなたが独断で決められます。

共有物の管理を持分の価格の過半数で決められるのは，共有物を使用する共有者がいるときも同じです（民法252条1項後段）。これは，令和3年の改正で明文化されました。使用する共有者がいるときに持分の価格の過半数で決められないとなると，将来的に管理の方法を変更するのが難しくなり使用方法を決めたがらなくなるおそれがあるため，明記されたのです。ただ，共有者間の決定に基づいて共有物を使用している共有者に特別の影響を及ぼすべきときは，共有物を使用している共有者の承諾を得る必要があります（民法252条3項）。「特別の影響」とは，たとえば，共有物を使用する者が替わるといった場合が当たります。

「管理」とは，下記（4）で説明する共有物の「変更」まではいかない利用・改良行為のことをいいます。たとえば，以下の行為が該当します。

ex1. 賃借権など使用・収益を目的とする権利であって下記①〜④の期間を超えない使用・収益を目的とする権利の共有物への設定（民法252条4項）。利用方法の決定に当たります。

①樹木の栽植または伐採を目的とする山林の賃借権等　→　10年
②上記①以外の土地の賃借権等　→　5年
③建物の賃借権等　→　3年
④動産の賃借権等　→　6か月

これらの期間は，短期賃貸借（民法602条。Ⅲのテキスト第7編第5章第5節[1]1.（1）※で説明します）に合わせられています。かつては，利用権（P160）の設定について明確な規定がなかったので，令和3年の改正で，上記①〜④の期間までであれば持分の価格の過半数で設定できることが明文化されました。

ex2 共有物の賃貸借契約の解除（最判昭 39.2.25），使用貸借契約の解除（最判昭 29.
　　3.12）。利用方法の変更に当たります。
　　よって，上記 Case の場合，持分の価格の過半数を有しているあなたのみで，C と
の賃貸借契約を解除できます。
ex3. 土地の地目転換（ex. 農地を宅地にする）を伴わない共有地の整地
　　　土地の地目転換を伴うと，下記（4）で説明する共有物の「変更」になります。

※共有物の管理者

　　共有物の管理者を持分の価格の過半数で選任・解任することができます（民法 252
条 1 項前段かっこ書）。共有物の管理者は，上記の管理行為を行う権限を有する者で
す（下記（4）で説明する共有物の「変更」をするには共有者の全員の同意が必要で
す。民法 252 条の 2 第 1 項）。たとえば，共有者が「頻繁に集まって管理について決
めるのは面倒だな……」と考えた場合に，不動産の管理会社を共有物の管理者に選任
し，管理行為を任せることがあります。
　　かつてから，管理者を定め，管理行為を任せることは行われていました。しかし，
共有物の管理者についての規定がなかったので，令和 3 年の改正で明文化されました。

（b）裁判所による管理許可決定

　　裁判所は，以下の①または②のときに，以下の①②の他の共有者以外の共有者の請
求により，以下の①②の他の共有者以外の共有者の持分の価格に従い，その過半数で
共有物の管理に関する事項を決することができる旨の裁判をすることができます。

①共有者が他の共有者を知ることができず，または，その所在を知ることができない
　とき（民法 252 条 2 項 1 号）
　存在や所在を知られていない共有者は，共有物について利害や関心がないものと思
われます。
②共有者が他の共有者に対し相当の期間を定めて共有物の管理に関する事項を決す
　ることについて賛否を明らかにすべき旨を催告した場合において，その他の共有者
　がその期間内に賛否を明らかにしないとき（民法 252 条 2 項 2 号）
　賛否を明らかにしない共有者は，共有物について関心がないものと思われます。

　　かつては，このような規定がなく，①や②の他の共有者のせいで，共有物の管理の
決定ができませんでした。そこで，令和 3 年の改正で，この（b）の規定が新設され
ました。

※管理費用

各共有者は，その持分に応じて管理費用（ex. 共有物が建物である場合の壁の塗り替え費用）を支払う義務を負います（民法253条1項）。

ある共有者が1年以内にこの義務を履行しないときは，他の共有者は，相当の償金を支払い，義務を履行しない共有者の持分を取得することができます（民法253条2項）。

そして，共有者の1人が他の共有者に対して管理費用の立替債権を有する場合には，その特定承継人（ex. その持分の譲受人）に対しても管理費用を支払うよう請求できます（民法254条）。

ex. AとBが土地を共有しており，BがAの費用を立て替えて支払いました。その後，Aが，管理費用を支払わないでいる間に，持分をあなたに売却しました。この場合，Bはあなたにも管理費用を支払うよう請求できます。あなたからすると「支払っていないのはAだろ！」と言い

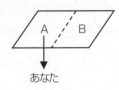

たくなるでしょうが，Aが管理費用を支払っていなければ，そのことが，Aとあなたとの売買において考慮されている（売買代金が安くなっている）はずなので，問題ないと考えられています。

（4）変更

> **Case**
>
> あなたとAおよびBは，農地を各持分3分の1の割合で共有していたが，Bが，あなたとAの同意なしに，宅地造成工事のために土砂を搬入して農地を宅地（建物を建てるための土地）にした。この場合
>
>
>
> に，あなたは，Bに，土地上に搬入された土砂を撤去し，農地に戻すよう請求できるか？

民法251条（共有物の変更）

1 各共有者は，他の共有者の同意を得なければ，共有物に変更（その形状又は効用の著しい変更を伴わないものを除く。次項において同じ。）を加えることができない。

（a）意義

　共有物の変更は，原則として，共有者全員で決める必要があります（民法251条1項）。

　「変更」とは，上記（3）の「管理」よりも共有物に与える影響の大きいものです。たとえば，以下の行為が該当します。

ex1. 共有物の売却（持分の売却〔P145〕は含みません）

ex2. 共有物への抵当権の設定（持分を目的とする設定〔P145〕は含みません）

ex3. 土地の地目転換（ex. 農地を宅地にする）

　ex3. の農地を宅地にした事例（上記 Case の事例）について，判例があります。判例は，共有者の1人が他の共有者の同意を得ずに農地を宅地にしようとしている場合，他の共有者は単独で以下の①または②の請求ができるとしました。

①宅地にする行為が終わっていない場合　→　行為の全部の禁止を求めること
　　　　　　　　　　　　　　　　　　　　　　（大判大8.9.27，最判平10.3.24）

②宅地にする行為が終わっている場合　　→　共有物を原状に復させること
　　　　　　　　　　　　　　　　　　　　　　（最判平10.3.24）

　よって，上記 Case のあなたはBに，農地に戻すよう請求できます。

　農地を宅地にすることは，民法251条1項の「変更」に当たり，共有者全員でしなければならないからです。

　ただし，共有物の形状または効用の著しい変更を伴わない軽微変更は，持分の価格の過半数で決めることができます（民法251条1項かっこ書）。

ex. 住宅街の道は，私道であることも多いです。私道が周りの土地の所有者の共有である場合，私道の地下に下水管を設置することは，軽微変更に当たり，持分の価格の過半数で決めることができると解されます。

　かつては，何が共有者全員で決める必要がある「変更」か明確でなかったので，念のため共有者全員で決めるということが行われていました。そこで，令和3年の改正で，軽微変更は持分の価格の過半数で決めることができるとされました。この改正によって，上記 ex.の共有の私道の管理などがしやすくなると考えられています。

（b）裁判所による変更許可決定

　裁判所は，共有者が他の共有者を知ることができず，または，その所在を知ることができないとき，共有者の請求により，存在や所在を知られていない共有者以外の共有者全員の決定で，共有物に変更を加えることができる旨の裁判をすることができます（民法251条2項）。

　かつては，このような規定がなく，存在や所在を知られていない共有者のせいで，共有物の変更の決定ができませんでした。しかし，存在や所在を知られていない共有者は，共有物について利害や関心がないものと思われます。そこで，令和3年の改正で，この（b）の規定が新設されました。

3．持分の放棄

　P65〜66の3.で説明しましたとおり，物権は放棄することで消滅させることができます（単独行為）。では，持分を放棄すると，放棄された持分はどうなるでしょうか。

Case

　あなたとAおよびBは，土地を「あなた2/4，A1/4，B1/4」の割合で共有している。この場合に，Bが自己の持分を放棄したとき，Bの持分はあなたとAにどのように帰属することになるか？

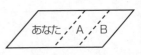

民法255条（持分の放棄及び共有者の死亡）

　共有者の一人が，その持分を放棄したとき，又は死亡して相続人がないときは，その持分は，他の共有者に帰属する。

　共有者の1人がその持分を放棄したときは，その持分は他の共有者に帰属します（民法255条）。放棄は単独行為であるため1人でできますので，上記Caseのように Bが持分を放棄すると，その瞬間に，当然にあなたとAにBの持分が帰属することになります。

　他の共有者は共有物に対して権利を有しているので，国庫に帰属するよりも（P65〜66の3.），他の共有者に帰属させたほうがいいだろうと考えられたんです。また，国（国庫）も，持分を取得しても正直なところ処理がメンドーです……。

　他の共有者に帰属する持分割合は，他の共有者が有していた持分の割合で決まります。具体的な数字でみたほうがわかりやすいので，上記Caseの場合で説明します。

　上記Caseの場合，あなたとAの持分割合は「あなた2：A1」ですから，Bが有していた持分は，「あなた2：A1」の割合であなたとAに帰属することになります。

あなたに帰属する持分：1/4（Bの持分）× 2/3 ＝ 2/12
Aに帰属する持分　　：1/4（Bの持分）× 1/3 ＝ 1/12

　これが，あなたとAに帰属する持分です。「あなた2：A1」の割合で帰属するので，「2/3」と「1/3」を乗じているのです。
　そして，この「2/12」と「1/12」をあなたとAが有していた持分に加えます。

6/12（あなたが有していた持分）＋ 2/12 ＝ 8/12
3/12（Aが有していた持分）＋ 1/12 ＝ 4/12

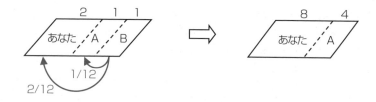

※対抗要件の要否

　持分を放棄すると，放棄した者の持分は当然に他の共有者に帰属することになりますが，その帰属した持分について，登記をしないと第三者に対抗できません（民法177条）。P28（a）にありますとおり，原則として不動産についてのすべての物権変動について，第三者に対抗するためには登記が必要だからです。持分が当然に帰属するからといって，登記が不要となる規定はありません。

4　共有関係の解消 ── 共有物の分割
　次は，共有状態を解消するハナシです。

1．共有物分割請求

Case

　あなたとAおよびBは，土地を「あなた1/10，A4/10，B5/10」の割合で共有している。この場合に，あなたは単独で，AおよびBにその土地を分割するよう請求できるか？

> **民法256条（共有物の分割請求）**
> 1　各共有者は，いつでも共有物の分割を請求することができる。ただし，5年を超えない期間内は分割をしない旨の契約をすることを妨げない。

（1）意義・趣旨

　共有は好ましい状態ではなく，単有への過渡的な形態です（P127～128）。つまり，共有状態をできる限り解消したほうがよいのです。そこで，各共有者は，いつでも共有物の分割請求（「分けろ！」という請求）をすることができるとされています（民法256条1項本文）。「各共有者」とだけあり，持分割合の要件もありませんので，持分の少ない共有者でも可能です。よって，上記 Case のあなたでも分割請求はできます。

※区分所有建物の共用部分の分割請求の可否

　上記の分割請求には，例外があります。区分所有建物の共用部分は，共有者が分割請求をすることができません。

　「区分所有建物」の典型例はマンションです。マンションは，実際には1個の建物ですが，1個の建物が区分された1室（501号室など）ごとに取引の対象となります。このように，区分された部分からなる建物を「区分所有建物」といいます。

　「共用部分」とは，エレベーターや廊下などのことです。エレベーターや廊下はみんなが使いますので，マンションの住人みんなで共有しているのです（区分所有法11条1項本文）。たとえば，エレベーターを分けてしまうと，右の図の青い部分をもらった人はボタンに手が届かなくなってしまいます……。冗談みたいな理由ですが，エレベーターや廊下を分けることは現実的ではないので，共有状態は解消できないことになっています。

※区分所有建物の共用部分を専有部分と分離して処分することの可否

　共用部分の持分は，専有部分の処分に従いますので（区分所有法15条1項），専有部分と分離して共用部分の持分のみを処分（売却，抵当権の設定など）することはできません（区分所有法15条2項）。

　「専有部分」とは，501号室などマンションの1室のことです（＊）。共用部分（エレベーターなど）の持分は，この専有部分にくっついてくるのです。たとえば，マンションの1室（501号室など）だけもらっても，エレベーターがついてこなかったら困るので，専有部分と共用部分の持分はセットなのです。

＊専有部分と同じ意味の用語として「区分建物」があります。意味は同じなのですが，実体法（区分所有法）では「専有部分」といい，手続法（不動産登記法）では「区分建物」といいます。不動産登記法の学習をしていると「『専有部分』といったり『区分建物』といったりするな？」という疑問が生じてきますが，実体法に依拠した言い方をしているのか，手続法に依拠した言い方をしているのかの違いなのです。

（2）利害関係人の分割協議への参加

　区分所有建物の例外をみましたが，ハナシを戻します。原則としては，分割請求ができます。1 人の共有者から分割請求があると，共有者同士の話し合い（協議）になります。

　この協議に，共有者以外の利害関係人，たとえば，共有物の地上権者・賃借権者・質権者・抵当権者や共有者の債権者が参加できるかが問題となります。
　利害関係人は自分で費用を出して参加することはできるのですが（民法 260 条 1 項），共有者には利害関係人に共有物分割協議を行うことを通知する義務はありません。つまり，利害関係人は気づいたら参加できるということです……。しかも，参加して意見が言えるだけで，共有者はその意見を無視しても OK です……。
　ただし，利害関係人が分割協議が行われることに気づき，利害関係人から参加の請求があったにもかかわらず，共有者が参加させないで分割をしたときは，その分割は利害関係人に対抗できなくなります（民法 260 条 2 項）。

　とはいっても，利害関係人が気づかなかったら利害関係人のことを放っておいていいわけですし，利害関係人の意見も無視されるかもしれないので，あまり意味がない制度になっています……。

2．分割の方法

　次は，具体的にどう分けるかの問題です。
　上記 1．（2）で説明したとおり，まずは共有者同士の話し合い（協議）によりますが（下記（1）），共有者間の協議が調わないときまたは協議をすることができないときは，各共有者はその持分の割合に関係なく裁判所に分割を請求できます（民法 258 条 1 項。下記（2））。話し合い（協議）で解決するかもしれませんので，いきなり裁判所に行くことはできません。なお，「協議をすることができないとき」は，令和 3 年の改正で追加されました。これは，協議に応じる意思のない共有者がいる場合が当たります（最判昭 46.6.18 参照）。

分割方法の柔軟化

以下，「協議分割」と「裁判による分割」に分けて共有物の分け方をみていきますが，分け方のバリエーションは広く認められています。

共有者には様々な事情があります。全員が早くお金を欲しいと思っている，1人がそこでお店をやっているなど。よって，分割方法にバリエーションがないと，共有者間で不公平が生じてしまうことがあります。そのため，分割方法は柔軟化されているのです。以下の方法以外の分割も可能です。

（1）協議分割（原則）

協議は共有者全員でしなければなりません（大判大 13.11.20）。共有状態を解消するハナシですから，共有者の1人でも欠けてはなりません。

具体的な分け方は，以下の方法があります。

①現物分割：共有物自体を分割する方法
②代金分割：共有物を第三者に売却し，その売却代金を各共有者の持分に応じて分ける方法
③価格賠償：共有者の1人が共有物全部を取得し，他の共有者には共有持分に応じた価格を支払う方法

（2）裁判による分割（例外）

裁判所が行う具体的な分け方は，以下の方法があります。

①現物分割：共有物自体を分割する方法（民法 258 条 2 項 1 号）
②競売　　：競売し，その売却代金を共有者に分配する方法。現物分割および価格賠償に支障がある場合などに競売を命じることができます（民法 258 条 3 項）。
③価格賠償：共有者の1人が共有物全部を取得し，他の共有者には共有持分に応じた価格を支払う方法（民法 258 条 2 項 2 号）
③の方法は，令和3年の改正で判例（最判平 8.10.31）が明文化されました。

【上記（1）（2）①】　　【上記（1）（2）②】　　【上記（1）（2）③】

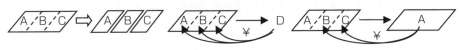

3．不分割特約

　いつでも共有物の分割をできるのが原則ですが（民法 256 条 1 項本文），共有者全員で合意することで，分割をしない旨の契約（不分割特約）をすることができます。この特約があると，上記 2．（2）の裁判所への分割請求もできなくなります。

　ただし，不分割特約の期間は 5 年を超えることができません（民法 256 条 1 項ただし書）。不分割特約は更新もできますが，更新する際もその期間は 5 年を超えることができません（民法 256 条 2 項）。共有状態は好ましくないので（P127〜128 の「好ましくない共有は単有への過渡的な形態」），共有状態を長引かせることになる不分割特約には期間制限が設けられているのです。

　なお，不分割特約はあくまでも「分けること」を禁止するものであり，不分割特約があっても，持分を譲渡したり持分に抵当権を設定したりすることはできます。
ex. あなたとAおよびBが共有している土地について，3 者で不分割特約をした場合
　　であっても，あなたは自分の持分をCに売却できます。
　この場合，持分の譲渡を受けたCにも不分割特約の効力は及ぶので（民法 254 条），
Cも分割請求ができなくなります。
　ただし，Cに不分割特約を対抗するには，その登記が必要です。不動産登記法で学習しますが，「不分割特約の登記」というものがあります（不登法 59 条 6 号）。

4．分割の効果

　以下の時点で共有状態が解消し，単独所有となります。

・協議分割
　→　協議の成立時点
・裁判による分割
　→　裁判の確定時点

　では，共有者であった者は分割によってまったく関係なくなるかというと，そんなことはありません。各共有者は，他の共有者が分割によって取得した持分について，売主と同じく持分に応じて担保責任を負います（民法 261 条）。「売主の担保責任」はⅢのテキスト第 7 編第 2 章第 2 節 4 で扱いますが，たとえば，ある共有者が取得した物に欠陥があった場合，他の共有者は損害賠償責任などを負います。
　共有物の分割は，持分の売買のようなものだからです。

5　所在等不明共有者の持分の取得・譲渡

1．意義

　不動産が数人の共有に属する場合に，共有者が他の共有者を知ることができず，または，その所在を知ることができないときは（これらの共有者を「所在等不明共有者」といいます。民法262条の2第1項前段かっこ書，262条の3第1項かっこ書），裁判所は，共有者の請求を受けて，以下の①または②の裁判をすることができます。

①所在等不明共有者の持分を共有者に取得させる旨の裁判（民法262条の2第1項前段）

②所在等不明共有者以外の共有者の全員が，特定の者に対してその有する持分の全部を譲渡することを停止条件として，所在等不明共有者の持分をその特定の者に譲渡する権限を付与する旨の裁判（民法262条の3第1項）

ex. あなたとAおよびBが「あなた2/4，A1/4，B1/4」の割合で土地を共有している場合に，Bの所在を知ることができませんでした。このとき，裁判所は，あなたとAの請求を受けて，以下の①または②の裁判をすることができます。

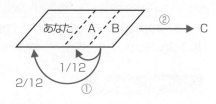

①Bの持分をあなたとAに取得させる旨の裁判

②あなたとAが，Cに対してその有する持分の全部を譲渡することを停止条件として，Bの持分をCに譲渡する権限を付与する旨の裁判

　所在等不明共有者は，持分を失ってしまいます。そこで，所在等不明共有者は，持分を取得（①）・譲渡（②）した共有者に対して，持分の時価相当額の支払を請求することができます（民法262条の2第4項，262条の3第3項）。ただ，所在等不明共有者は存在や所在がわからない者ですので，持分を取得・譲渡した共有者は支払ができません。そこで，所在等不明共有者の持分の時価相当額を供託することになります。

2．趣旨

　かつては，存在や所在がわからない共有者がいた場合，その持分を取得したり譲渡したりするには，共有物分割訴訟を提起するか不在者の財産管理人を選任する必要がありました。しかし，これらの手続は，時間やコストがかかり，使いづらいものでした。そこで，令和3年の改正で，この5の制度ができました。

3．制限

　以下の表のときには，所在等不明共有者の持分の取得・譲渡の裁判をすることができません。

所在等不明共有者の持分の取得 ができない場合	所在等不明共有者の持分の譲渡 ができない場合
・P141（2）の共有物分割訴訟などが提起され，所在等不明共有者以外の共有者が裁判所に異議がある旨の届出をしたとき（民法262条の2第2項） 　共有物分割訴訟などによる分割を希望した共有者がいるのであれば，共有物分割訴訟などで適切に分割をすべきなので，共有物分割訴訟などが優先されるのです。	
・所在等不明共有者の持分が相続によって他の相続人とともに有しているものである場合に，相続開始の時から10年を経過していないとき（民法262条の2第3項，262条の3第2項） 　　10年間は遺産分割で 相続によって共有状態が生じている場合（遺産共有といいます），10年間は遺産分割によって遺産共有を解消すべきであるというのが，令和3年の改正の考え方です。	

6　準共有

　たとえば，一部譲渡により抵当権や根抵当権が共有されることがあります。これを，所有権の「共有」と区別して「準共有」ということがあります。

　準共有には，原則として，この第4節でみてきた所有権の共有の規定が準用されます（民法264条本文，262条の2第5項，262条の3第4項）。よって，所有権以外の物権について共有の知識を問われたら，原則として，この第4節の知識で答えてください。

7　広義の共有

　この第4節でみてきた「共有」は，「広義の共有」のうち「狭義の共有」というものです。「広義の」とか「狭義の」とかわかりにくいですが，「『共有』という言葉をより広く捉えると，これも『共有』っていえるよね」というものが他に2つあるのです。それが，「合有」「総有」といわれるものです。最後に，その違いをみましょう。

個人の独立度

「狭義の共有→合有→総有」の順で，共有者個人の独立度が弱くなります。

独立度　強 ➡ 弱

	狭義の共有	合 有	総 有
意 義	数人が1つの物を共同所有するが，共有者は何らの人的結合関係も持たない関係	数人が共通の目的達成のため，共同で目的物を所有する関係	各人が収益権をもつが，目的物の管理・処分権は団体に総体として帰属する共同所有形態
具体例	この第4節で扱った共有のことです。	組合財産（民法668条。Ⅲのテキスト第7編第9章で扱います）ex. マンションの管理組合	権利能力なき社団の財産（Ⅰのテキスト第2編第2章第1節⑤3.（2）（a））ex. 町内会の財産に対する町内会員の権利義務
持分	各人は持分を有します。	各人は持分を有します。	各人は原則として個人的な持分を有しません。
持分の処分	持分を自由に処分できます。ex1. 持分を売却する。ex2. 持分に抵当権を設定する。他の共有者の同意は不要です。	目的のために拘束され，持分処分の自由は制限されます。詳しくは，Ⅲのテキスト第7編第9章④で扱います。	原則として持分を有しないので，持分の処分はできません。
分割請求	原則としていつでも分割請求できます。	分割請求はできません。	原則として持分を有しないので，分割請求はできません。
脱退時の払戻し	個人が独立していますので，脱退というものはありません。	脱退時に払戻しを受けることができます。	脱退時にも払戻しを受けることはできません。町内会でイメージしてください。他の町に引っ越す時に町内会から払戻しを受けられませんよね。

第5節　所有者不明土地管理命令・所有者不明建物管理命令

民法264条の2（所有者不明土地管理命令）

1　裁判所は，所有者を知ることができず，又はその所在を知ることができない土地（土地が数人の共有に属する場合にあっては，共有者を知ることができず，又はその所在を知ることができない土地の共有持分）について，必要があると認めるときは，利害関係人の請求により，その請求に係る土地又は共有持分を対象として，所有者不明土地管理人（第4項に規定する所有者不明土地管理人をいう。以下同じ。）による管理を命ずる処分（以下「所有者不明土地管理命令」という。）をすることができる。

民法264条の8（所有者不明建物管理命令）

1　裁判所は，所有者を知ることができず，又はその所在を知ることができない建物（建物が数人の共有に属する場合にあっては，共有者を知ることができず，又はその所在を知ることができない建物の共有持分）について，必要があると認めるときは，利害関係人の請求により，その請求に係る建物又は共有持分を対象として，所有者不明建物管理人（第4項に規定する所有者不明建物管理人をいう。以下この条において同じ。）による管理を命ずる処分（以下この条において「所有者不明建物管理命令」という。）をすることができる。

1　意義

所有者不明土地管理命令・所有者不明建物管理命令

：所有者を知ることができず，または，その所在を知ることができない土地・建物について，裁判所が，利害関係人の請求を受けて，その土地・建物を対象として，所有者不明土地管理人・所有者不明建物管理人による管理を命じる処分をする制度（民法264条の2第1項，264条の8第1項）

ex. 所有者が不明の土地の木が隣地に倒れそうになっている，所有者が不明の建物が倒壊しかけているといった場合に，隣地の所有者が利害関係人として，裁判所に対して，所有者不明土地管理命令・所有者不明建物管理命令の請求をすることができます。

所有者不明土地管理人・所有者不明建物管理人が選任されますが（民法264条の2第4項，264条の8第4項），弁護士，司法書士などが選任されることが想定されています。

2 趣旨

　かつては，このような制度がありませんでした。そのため，上記 1 の ex.のような場合，Ⅰのテキスト第2編第2章第1節 4 1.の不在者の財産管理の制度を使っていましたが，これには以下のような問題点がありました。

・不在者のすべての財産が対象となってしまい，不在者の財産管理人の負担が大きく，かかる費用も高くなってしまう
・誰が所有者かわからない場合には使えない

　放置しておくと，ホームレスの寝処（ねどころ）になったり隣地に木や建物が倒れたりしてしまいます。そこで，令和3年の改正で，特定の土地・建物が対象であり（民法264条の2第2項，264条の8第2項），管理人の負担が小さく，かかる費用もあまり高くなく，誰が所有者かわからない場合にも使える所有者不明土地管理命令・所有者不明建物管理命令の制度が新設されました。

第6節　管理不全土地管理命令・管理不全建物管理命令

> **民法264条の9（管理不全土地管理命令）**
> 1　裁判所は，所有者による土地の管理が不適当であることによって他人の権利又は法律上保護される利益が侵害され，又は侵害されるおそれがある場合において，必要があると認めるときは，利害関係人の請求により，当該土地を対象として，管理不全土地管理人（第3項に規定する管理不全土地管理人をいう。以下同じ。）による管理を命ずる処分（以下「管理不全土地管理命令」という。）をすることができる。
>
> **民法264条の14（管理不全建物管理命令）**
> 1　裁判所は，所有者による建物の管理が不適当であることによって他人の権利又は法律上保護される利益が侵害され，又は侵害されるおそれがある場合において，必要があると認めるときは，利害関係人の請求により，当該建物を対象として，管理不全建物管理人（第3項に規定する管理不全建物管理人をいう。第4項において同じ。）による管理を命ずる処分（以下この条において「管理不全建物管理命令」という。）をすることができる。

1　意義

管理不全土地管理命令・管理不全建物管理命令

：所有者による管理が不適当であることによって他人の権利または法律上保護される利益が侵害され，または，侵害されるおそれがある土地・建物について，裁判所が，利害関係人の請求を受けて，その土地・建物を対象として，管理不全土地管理人・管理不全建物管理人による管理を命じる処分をする制度（民法264条の9第1項，264条の14第1項）

ex. 所有者は判明しているが，土地の木が隣地に倒れそうになっている，建物が倒壊しかけているといった場合に，隣地の所有者が利害関係人として，裁判所に対して，管理不全土地管理命令・管理不全建物管理命令の請求をすることができます。

　管理不全土地管理人・管理不全建物管理人が選任されますが（民法264条の9第3項，264条の14第3項），弁護士，司法書士などが選任されることが想定されています。

2　趣旨

　かつては，このような制度がありませんでした。そのため，上記 1 の ex.のような場合，物権的請求権（P8〜9の1.）などを行使して対処していましたが，これには以下のような問題点がありました。

・物権的請求権では，継続的な管理はできない

・物権的請求権を行使するには請求内容を確定する必要があるが，まともに管理されていない土地・建物は雑草が生い茂っていて外部からはどうなっているのか見えないなど，請求内容を確定できない場合もある

　そこで，令和3年の改正で，管理不全土地管理人・管理不全建物管理人に継続的に管理をさせる管理不全土地管理命令・管理不全建物管理命令の制度が新設されました。

【「不在者の財産管理」「所有者不明土地管理命令・所有者不明建物管理命令」「管理不全土地管理命令・管理不全建物管理命令」の比較】

　「所有者不明土地管理命令・所有者不明建物管理命令」と「管理不全土地管理命令・管理不全建物管理命令」は，共通事項も多いので，比較できる点は比較してみてみましょう。また，併せて「不在者の財産管理」とも比較しておきます。

		不在者の財産管理	所有者不明土地管理命令 所有者不明建物管理命令	管理不全土地管理命令 管理不全建物管理命令
管轄裁判所		家庭裁判所	地方裁判所	
請求権者		①利害関係人 ②検察官 (民法25条1項前段)	①利害関係人 (民法264条の2第1項，264条の8第1項，264条の9第1項，264条の14第1項)	
対象		不在者のすべての財産	特定の土地・建物	
管理人	権限の帰属	非専属	専属 (民法264条の3第1項，264条の8第5項) 所有者不明土地管理人・所有者不明建物管理人が土地・建物を処分することもあり得るので，所有者の権限を制限しているのです。	非専属 管理不全土地管理人・管理不全建物管理人の権限の行使と所有者の所有権の行使は，両立するからです。
	当然にできること	①保存行為 (民法28条，103条1号，264条の3第2項1号，264条の8第5項，264条の10第2項1号，264条の14第4項) ②利用行為 (目的物・権利の性質を変えない範囲で許されます。民法28条，103条2号，264条の3第2項2号，264条の8第5項，264条の10		

		不在者の 財産管理	所有者不明土地管理命令 所有者不明建物管理命令	管理不全土地管理命令 管理不全建物管理命令
		第2項2号，264条の14第4項)		
		③**改良行為**（目的物・権利の性質を変えない範囲で許されます。民法28条，103条2号，264条の3第2項2号，264条の8第5項，264条の10第2項2号，264条の14第4項)		
	裁判所 の許可 が必要 なこと	**上記①～③の行為の範囲を超える行為** （民法28条前段，264条の3第2項柱書本文，264条の8第5項，264条の10第2項柱書本文，264条の14第4項)		
		・売却 ・遺産分割 　　　　　など	・売却 ・訴えの提起 　　　　　など	・売却 　　　　　　　　など 管理不全土地・建物の処分の許可をする場合，管理不全土地・建物の所有者の同意も必要となります（民法264条の10第3項，264条の14第4項)。
			※遺産分割は不可 　所有者不明土地管理人・所有者不明建物管理人と管理不全土地管理人・管理不全建物管理人は，相続人の地位に由来する権限は有していないからです。	
			裁判所の許可なく上記①～③の行為の範囲を超える行為を行った場合でも，許可がないことをもって以下の第三者に対抗することはできません。	
			善意の第三者 （民法264条の3第2項柱書ただし書，264条の8第5項)。 取引の安全のため，善意の第三者を保護する必要があるからです。	**善意無過失の第三者** （民法264条の10第2項柱書ただし書，264条の14第4項) 第三者に無過失まで要求されるのは，管理不全土地管理命令・管理不全建物管理命令は所有者が判明している場合にされることもあるので，所有者の静的安全（P20（1)）に配慮する必要があるからです。

		不在者の 財産管理	所有者不明土地管理命令 所有者不明建物管理命令	管理不全土地管理命令 管理不全建物管理命令
	義務		①**善管注意義務**（P132。民法264条の5第1項，264条の8第5項，264条の11第1項，264条の14第4項） 土地・建物などは，他人（所有者）の物だからです。 ②**公平・誠実義務**（共有の場合。民法264条の5第2項，264条の8第5項，264条の11第2項，264条の14第4項） 管理人は特定の共有者に肩入れすべきではないからです。		
	退任		①**任務に違反して所有者不明土地・建物などに著しい損害を与えたことその他重要な事由があるときに，裁判所が利害関係人の請求を受けて解任**（民法264条の6第1項，264条の8第5項，264条の12第1項，264条の14第4項） ②**正当な事由があるときは，裁判所の許可を得て辞任**（民法264条の6第2項，264条の8第5項，264条の12第2項，264条の14第4項） なんの理由もなく解任や辞任をすることはできないのです。		
	報酬	家庭裁判所の判断で報酬付与 （民法29条2項）	**裁判所の判断で必要な費用の前払や報酬付与** （民法264条の7第1項，264条の8第5項，264条の13第1項，264条の14第4項） この費用や報酬は，所有者不明土地・建物などの所有者の負担となります（民法264条の7第2項，264条の8第5項，264条の13第2項，264条の14第4項）。本来は所有者がすべき管理を代わりにしているからです。		

第4章　用益物権

この第4章からは，「制限物権」に入ります。第3章でみた所有権は，物権の王様ともいわれるように，「利用価値」と「交換価値」の双方を備えていました。それに対して，制限物権は，その片方しか備えていません。そして，この第4章で扱う用益物権は，「利用価値」しか備えていません（P7（b））。

利用価値しかないと，土地を売り払ったりすることはできませんが，使うことはできます。その使い方によって，「地上権」「永小作権」「地役権」「入会権」に分かれます（このテキストでは，「入会権」は扱いません）。

なお，用益物権の対象となる物は，すべて土地です。民法は，他人の物を使える物権（用益物権）は，最も重要な土地に対する権利のみを規定したのです。

第1節　地上権

> **民法265条（地上権の内容）**
> 地上権者は，他人の土地において工作物又は竹木を所有するため，その土地を使用する権利を有する。

1　意義

用益物権は，すべて他人の土地を使える物権ですが，使い方が異なります。

地上権：他人の土地を「工作物」または「竹木」を所有するために使える物権（民法265条）

「工作物」とは，建物，トンネル，池，地下鉄道などの建造物のことです。土地の地上・地下に設置されるすべての建造物を指します。

「竹木」とは，主に植林の目的となる植物（ex. 杉）をいい，耕作のための植物（ex. 稲）は含みません。耕作のための植物を所有することを目的とする場合は，第2節の永小作権を設定するべきです。

地上権の対象は，土地の一部であっても構いません。土地の一部に地上権を設定した場合，土地の残りの部分には地上権者の排他的利用権がありませんので，たとえば，土地の所有者が残りの部分に通行地役権を設定することもできます。

民法（実体）の基本的な考え方

　土地の一部を目的として権利を設定することはできます。土地は元々は分かれてなく（本州は1つの土地です），あくまで人為的に分けただけですので，その一部に権利を設定してもあまり問題はないからです。

　ただし，地役権を除き，不動産の一部に権利を設定した旨の登記はできません（不登令20条4号）。

2 成立

1．設定

　地上権は，以下の①または②のいずれかにより成立します。

①設定者（地主）と地上権者との設定契約
②法定地上権（民法388条。P268～286 ③ で説明します）

2．地代

　地代は，地上権にマストなものではありません（あっても構いません）。地代が発生しない無償の地上権も有効です。

要素となるかの基本的な判断基準

　その権利の要素（マスト）となるかどうかの基本的な判断基準は，その権利を定義した条文（通常はその権利についての最初の条文）に記載されているかどうかです（冒頭規定説）。その権利を定義した条文に「地代を定めることによって地上権が成立する」などとあれば，法がそれをマストなもの（定めなければならないもの）だと考えているということです。

　地上権の定義を定めた民法265条（P152）には，「地代」の文言はありません。

3．存続期間

　存続期間も，民法265条に記載されていませんので，地上権の要素（マスト）ではありません。

　ただし，定めたければ，設定者（地主）と地上権者との設定契約で定めることもできます。

（1）設定契約で存続期間を定める場合

（a）長期

　長期につき特別の制限は設けられていません。よって，存続期間を永久とすることもできます（大判明36.11.16）。

（b）短期

　短期についても民法は制限を設けていないので，どんな短期でも構いません。

（2）設定契約で存続期間を定めない場合

　まず，慣習があればそれに従います（民法268条1項本文）。

　慣習がなければ，当事者の請求により裁判所が定めます。裁判所は，工作物または竹木の種類・状況その他地上権設定当時の事情を考慮して，20年から50年までの範囲で存続期間を定めることができます（民法268条2項）。

　なお，慣習のないときは，地上権者はいつでも権利を放棄できますが，地代の定めがあるときは，1年前に予告するか，1年分の地代を払わなければなりません（民法268条1項）。設定者（地主）は，地代が入ってくることを前提に生活設計をしているので，いきなり地代が入ってこなくなると困ってしまうからです。

※借地借家法による修正

　上記（1）（2）のハナシは，民法のみが適用される地上権のハナシです。詳しくはIIIのテキスト第7編第5章で扱いますが，「建物の所有を目的とする地上権」には借地借家法（民法の特別法）が適用され（借地借家法1条），存続期間についても特則があります（借地借家法3条）。

　よって，上記（1）（2）は，借地借家法の適用のない「建物の所有を目的としない地上権」，たとえば，木を所有するための地上権のハナシです。

3 効力

　地上権の効力，つまり，「地上権の設定を受け地上権を取得すると何が言えるのか」
というハナシをみていきます。

地上権と賃借権の違いを考える視点

　地上権は物権，賃借権は債権ですが，その内容が似ているため，地上権の効力は賃
借権と比較した出題も多いです。この2つの権利の違いを考えるポイントは，以下の
視点です。そもそもどういう権利なのかというハナシです。
・地上権…物権（よって，「直接支配性」「排他性」があります。P3①②）
・賃借権…債権
　簡単にいうと，地上権のほうが権利として「強い」のです（物権ですから）。よっ
て，実社会では，地主が嫌がるので，地上権はあまり使われず，「弱い」賃借権のほ
うが使われます。

1．地上権者の土地使用権

Case

　あなたは，Aが所有している土地に地上権を有している。豪雨によりその土地
に土砂が流入し利用の妨げとなっているときは，あなたはAに土砂を撤去するよ
う請求できるか？

　地上権者は，設定行為によって定められた目的の範囲内で，設定者（地主）の
土地を使用することができます。
　このとき，設定者（地主）は，地上権者の土地の使用を妨げてはならないとい
う消極的義務は負いますが，特約がない限り，土地を使用するに適する状態にす
べき積極的義務（ex. 修繕義務）は負いません。よって，上記 Case において，あ
なたはAに土砂を撤去するよう請求できません。
　地上権は物権ですので，土地を排他的に直接に支配できる，つまり，他人の助
けなく行使できるのです（上記の「地上権と賃借権の違いを考える視点」）。その
ため逆に，設定者（地主）の積極的な協力を得ることができないのです。

2．物権的請求権

　地上権者は，地上権に基づいて返還請求権，妨害排除請求権，妨害予防請求権
を行使できます。ただし，これは意識的に記憶する必要はありません。

　占有権以外の物権には物権的請求権があるのが原則ですので（P8），物権であるにもかかわらず物権的請求権のうち認められないものがある物権を記憶してください。

3．地上権の処分

　地上権者は，設定者（地主）の承諾なくして，地上権を譲渡したり，担保に供したり，土地を賃貸したり（大判明36.12.23）することができます。

　地上権は物権であるため，他人の関与なく権利を行使できるのです（上記の「地上権と賃借権の違いを考える視点」）。

　なお，地上権者と設定者（地主）で，地上権の譲渡を禁止する譲渡禁止特約をすることができます。ただし，これは登記する手段がありません。地上権は他人の関与なく行使できる権利ですので（上記の「地上権と賃借権の違いを考える視点」），譲渡禁止特約を登記することは想定されていないのです。よって，登記で公示する（第三者に知らせる）ことができませんので，譲渡禁止特約をしても，地上権者と設定者（地主）の間でしか効力がなく，第三者に対抗することはできません。

4．対抗力

　地上権の対抗要件は，登記です（民法177条）。物権変動を第三者に対抗するには登記が必要とされるのが原則であり，これは地上権も同じです（無制限説。P28（a））。

　なお，設定者（地主）には，地上権の登記をする義務があります。物権であるため，地上権者は登記を要求できるのです。

登記を要求できるか？

　基本的に登記できる物権を取得した者は，登記を要求できます。簡単にいうと，物権は強いからです（上記の「地上権と賃借権の違いを考える視点」）。

　これも，地主が地上権を嫌がる理由の1つです。

4 消滅

1. 消滅原因

まず，物権の一般的な消滅原因（目的物の滅失，消滅時効，混同など。P65〜66）で消滅します。

それに加え，地上権に特有の消滅原因があります。以下の3つです。

①存続期間の満了

存続期間を定めた場合には，その期間が満了することで消滅します。

②地上権の放棄（民法268条1項）

これは，P154（2）で説明した民法268条1項のことです。

③土地所有者の消滅請求（民法266条1項，276条）

地上権者が地代を支払わなければならない場合において，地上権者が引き続き2年以上地代の支払を怠ったときは，設定者（地主）は地上権の消滅を請求することができます。

2. 消滅の効果

地上権が消滅したときは，地上権者は，土地を原状に復して，土地の上にある工作物・竹木を収去することができるのが原則です（民法269条1項本文）。工作物・竹木の所有権は，地上権者にあるからです。「できる」と規定されていますが，これは義務でもあります。工作物・竹木を残されても迷惑ですしね。

ただし，設定者（地主）が，工作物・竹木の時価相当額を提供して工作物・竹木を買い取る旨を通知したときは，別段の慣習がある場合を除き，地上権者は正当な理由がなければ，この請求を拒めません（民法269条1項ただし書，2項）。工作物・竹木の所有権は地上権者にあるのですが，土地から分離することがⅠのテキスト第2編第2章第1節 4 1.（2）で説明した社会経済上の不利益となることも多いため，このような請求が認められているのです。たとえば，工作物だと，土地から分離して持っていくのは非現実的ですので，設定者（地主）に買い取らせたほうが社会経済上の不利益を回避できます。

※借地借家法による修正

なお，借地借家法の適用がある「建物の所有を目的とする地上権」だと，地上権者に建物買取請求権が認められています（借地借家法13条）。借地借家法は借り手を保護する法律なので，借地借家法の適用があると地上権者にイニシアティ

ブが認められ，存続期間の満了により契約が終了するとき，地上権者のほうから
「私が建てたこの建物を買い取れ！」と言えるのです。

借地借家法とは？

【原則】

　借地借家法とは，強行規定により借り手を保護する民法の特別法です。貸し手のほ
うの立場が強いことがほとんどだからです。貸し手は地主ですから。世の中，毎月地
代が入ってくる地主がサイキョーなんです。ホントに。

【例外】

　しかし，借地借家法の前身である借地法・借家法が過度に借り手を保護していたた
め，借地借家法の中には一部貸し手を保護する規定もあります。これは，不動産登記
法で学習します。

用語解説 ──「一般法」「特別法」

　同じ事項について規定がある場合に優先して適用される法令を「特別法」，特別法がない事
項について適用される法令を「一般法」といいます。民法と借地借家法の関係でいうと，借地
借家法が特別法で，民法が一般法です。

　同じ事項について規定がある場合に特別法が適用
されるだけですから，特別法に規定がなければ一般法
が適用されます。一般法と特別法の関係は，右の図の
とおりです

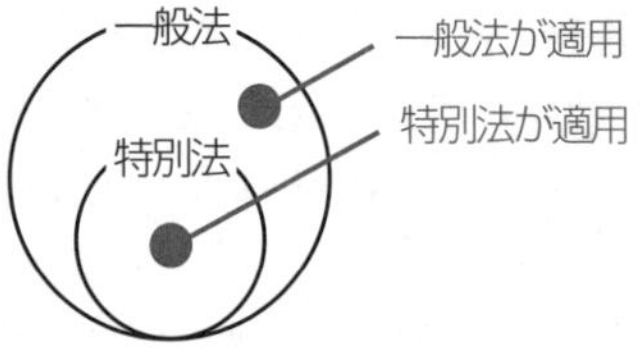

一般法　　　　　　一般法が適用
特別法　　　　　　特別法が適用

---

5 区分地上権

「区分地上権」という，ちょっと変わった地上権があります。

Case

（1）鉄道会社Aは，あなたが所有している土地の地下に地下鉄を通したいと考えている。これを地上権で実現できないか？

（2）電力会社Bは，あなたが所有している土地の上に電線を通したいと考えている。これを地上権で実現できないか？

民法269条の2（地下又は空間を目的とする地上権）

1　地下又は空間は，工作物を所有するため，上下の範囲を定めて地上権の目的とすることができる。この場合においては，設定行為で，地上権の行使のためにその土地の使用に制限を加えることができる。

1．意義

区分地上権：地下または地上の範囲を区切って，工作物を所有するための地上権

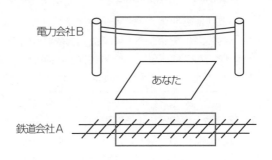

たとえば，地下鉄や地下トンネルを通すために地下の一定の上下の範囲のみを地上権の目的とすることや（上記Case（1）），電線や高速道路を通すために地上の一定の上下の範囲のみを地上権の目的とすること（上記Case（2））ができます。

2．趣旨

まず，土地の所有権は，原則としてその上下に及びます（民法207条）。地下も上空も所有権の対象なのです。よって，鉄道会社や電力会社が，他人の土地に地下鉄や電線を勝手に通すことは原則としてできません。

ただし，通常の地上権を設定すると，地上権者が土地の地下と上空の使用権を有することになり，所有者である設定者（地主）が土地を使えなくなります。それでは設定者（地主）が困ってしまいます。また，鉄道会社や電力会社も，地下や上空の一部を使えればよいのです。

　そこで創られた制度が「区分地上権」です。上記1.の図のように，土地の上下の一定範囲のみを地上権の目的とすることができるのです。

　P155 で説明したとおり，普通の地上権はあまり使われていませんので，今日使われている地上権の大部分はこの区分地上権です。

3．他の利用権などがある場合に区分地上権を設定できるか

　すでに土地に地上権，永小作権，地役権，賃借権などの利用権を有する者や使用収益しない旨の特約のない不動産質権者（P222 の1.）がいる場合であっても，その利用権を有する者（地上権者など）や不動産質権者の承諾があれば，区分地上権を設定できます（民法269 条の2第2項前段）。

　区分地上権は，上記1.の図にありますとおり，土地の上下の一定範囲しか使用しませんので，排他性が緩和されており，他の利用権などと両立するのです。ただ，上下の一定範囲といえども使用する者が現れますので，他の利用権を有する者（地上権者など）や不動産質権者の承諾が要求されます。

用語解説 ――「利用権」

　他人の土地を使用する"物権"を「用益物権」といい，これをこの第4章で扱っています。しかし，物権以外にも，所有者でない者が他人の物を使用できる権利があります。債権である「使用借権」（タダで借りること）や「賃借権」（有料で借りること）などです。「用益物権」以外に「使用借権」や「賃借権」も含む場合，総称して「利用権」ということがあります。

4．区分地上権設定による制限

　区分地上権の設定契約において，区分地上権を行使するために，設定者（地主）の土地の使用を制限することができます（民法269 条の2第1項後段）。

ex. 地下鉄を通すための区分地上権であれば，地下鉄に影響しないよう，「設定者は，地上に一定の重量を超える建物を建設してはならない」などと約束することが考えられます。

第2節　永小作権

> **民法270条（永小作権の内容）**
> 永小作人は，小作料を支払って他人の土地において耕作又は牧畜をする権利を有する。

1　意義

永小作権も他人の土地を使える物権ですが，使い方が地上権とは異なります。

永小作権：「耕作」または「牧畜」をするために，小作料を支払いながら，他人
　　　　　の土地を使える物権

戦前の小作制度の名残り

永小作権は，戦前の小作制度の名残りです。戦前の農業は，地主が小作人を低賃金で雇い，耕作をさせていました。今のブラック企業みたいなものです。小作制度は問題が多かったので，ＧＨＱの農地解放令をきっかけに潰れていきました。よって，今ではほとんど使われていませんが（＊），まだ永小作権という物権は残っています。ただし，戦前の小作制度のようにしてはいけないので，「永小作権の設定には原則として農業委員会の許可が必要である（農地法3条1項)」など，規制はされています。

＊2020年までのデータでは，日本全国で，2020年に1件，2013年に5件の登記がされました。

2　成立

1．設定

設定者（地主）と永小作人との設定契約で成立します。

2．小作料

小作料は，永小作権にマストなものです。永小作権を定義した条文（民法270条）に記載されていますので（P153の「要素となるかの基本的な判断基準」)，マストなものとなります。また，永小作権は戦前の小作制度の名残りですから，無償ということはないのです。地主がタダで農地を貸したりしません。

3．存続期間

存続期間は，民法270条に記載されていませんので（P153の「要素となるかの基本的な判断基準」)，定めることが永小作権にマストなものではありません。

（1）設定契約で存続期間を定める場合

　存続期間を定める場合，20年以上50年以下でなければなりません。50年を超える期間を定めても，50年に短縮されます（民法278条1項）。短期が20年なのは，かつては，賃借権の民法上の存続期間の長期が20年とされており，20年より短い場合は賃借権，20年より長い場合は永小作権を設定することが想定されていたことに由来します。

　更新は可能ですが，更新の際もやはり更新の時から50年を超えることはできません（民法278条2項）。

　このように存続期間に制限があるのは，長期にわたり他人に委ねると土地が荒廃するからです。自分が所有していない土地の使い方は，自分が所有している土地の使い方とは違ったものになります。

ニゴった昭和（ニコニコ昭和）

　永小作権は昭和初期の名残りとして残っている物権ですから，「20年」「50年」は「ニ（2）ゴ（5）った昭和」で記憶してください。昭和に良いイメージのある方は，「ニ（2）コ（5）ニコ昭和」でもOKです。

（2）設定契約で存続期間を定めない場合

　存続期間の定めがない場合には，慣習で期間が定まるときを除き，30年となります（民法278条3項）。

③ 効力

1．永小作権の処分

　永小作人は，設定者（地主）の承諾を得ることなく，永小作権を譲渡すること，または，永小作権の存続期間・目的の範囲内で土地を賃貸することができます（民法272条本文）。

　永小作権は物権であるため，他人の関与なく権利を行使できるのです。

　なお，永小作人と設定者（地主）で，譲渡・賃貸を禁止する特約をすることができます（民法272条ただし書）。この禁止特約を登記すれば，第三者に対抗できます（不登法79条3号）。

2．小作料支払義務

　永小作人は，台風など不可抗力によって収益に損失を受けたときでも，小作料の免除や減額を請求することはできません（民法274条）。

　これは，「豊作の年は儲かるのだから，豊作の年の蓄えでしのげ」ということです。かなり酷な考え方だといわれていますが……。

　ただし，台風など不可抗力によって，引き続き3年以上収益がないか，5年以上小作料より少ない収益を得たときは，永小作人は永小作権をやっと放棄できます（民法275条）。

　この場合にも小作料を支払い続ける必要があるのは，さすがに永小作人に酷だからです（上記の民法274条の規定も十分酷だと思いますが……）。

※地上権への準用

　この2.の規定は，地上権者が土地の所有者に定期の地代を支払わなければならない地上権に準用されています（民法266条1項）。

3．対抗力

　永小作権の対抗要件は，登記です（民法177条）。物権変動は，第三者に対抗するには登記が必要とされるのが原則であり，これは永小作権も同じです（無制限説。P28（a））。

第3節　地役権

　用益物権の最後は，用益物権の中で最もよく出題される地役権です。最もよく出題されるのは，かなり変わった物権なので試験的に面白いからだと思われます。

> **民法280条（地役権の内容）**
> 　地役権者は，設定行為で定めた目的に従い，他人の土地を自己の土地の便益に供する権利を有する。ただし，第3章第1節〔所有権の限界〕の規定（公の秩序に関するものに限る。）に違反しないものでなければならない。

1　意義

　地役権も他人の土地を使える物権ですが，使い方が地上権・永小作権とはかなり異なります。

　　地役権：土地（要役地）の利用価値を高めるために，他の土地（承役地）を利用する物権

　地役権には土地が2つ出てきます。他の土地を使える（プラスがある）ほうの土地を「要役地」といい（民法281条1項本文かっこ書），使われる（マイナスがある）ほうの土地を「承役地」といいます（民法285条1項本文かっこ書）。

ex. 甲土地の権利者が乙土地を通行できる
　　という地役権（通行地役権）が設定された場合，甲土地を要役地，乙土地を承役地といいます。

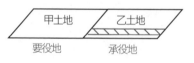

　*このテキストの図は，上記の図のように，「要役地」を左に「承役地」を右に表示します。

地役権に共通する視点

①地役権は，土地（要役地）のための物権であり，土地（要役地）にくっついている物権です。

　通常の物権は，人にくっついています（P2の上の図参照）。地役権は，非常に変わっており，土地（要役地）にくっついている物権なのです。民法280条にも「他人の土地を自己の土地の便益に供する権利」とあります。右の図のようなイメージです。

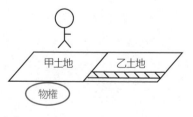

②原則として要役地に有利なルールになっています。

2 成立

1. 設定

　要役地の権利者と承役地の権利者との設定契約で成立します。

※設定の対象となる要役地と承役地

　設定の対象となる土地ですが，要役地は一筆の土地でなければなりません。要役地にくっつく物権だからです（上記①の視点）。しかし，承役地は一筆の土地でなくてもよく，承役地の一部を目的として地役権を設定できます（P153 の「民法（実体）の基本的な考え方」）。

　また，要役地と承役地とは隣接している必要はありません。

　要役地のためであれば，便益の種類に制限はありません。

　この２つの知識は，以下の ex. で記憶してしまいましょう。

ex. たとえば，オーシャンビューが売りのホテルがあったとします。そのホテルと海の間に高層建物を建てられたらオーシャンビューの売りがなくなってしまうので，ホテルの土地（要役地）の権利者

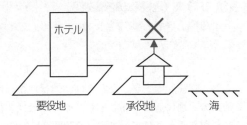

と，海沿いの土地（承役地）の権利者の間で，「承役地に何メートル以上の建物は建てない」という眺望のための地役権（眺望地役権）を設定できます。

　ただし，個人的便益のため（ex. 狩猟のため，植物の植栽のため）に地役権を設定することはできません。地役権は，土地（要役地）のための物権だからです（上記①の視点）。

　地役権の設定されている土地に，重ねて地役権を設定することもできます。内容は，同じでも異なっていても構いません。地役権は排他性のない物権であるため，複数の地役権が両立するので，重ねて設定することが認められているのです。

2. 対価

　対価は，民法 280 条に記載されていませんので（P153 の「要素となるかの基本的な判断基準」），地役権にマストなものではありません。

３．存続期間

存続期間は，民法280条に記載されていませんので（P153の「要素となるかの基本的な判断基準」），地役権にマストなものではありません。

存続期間を定める場合は，永久とすることもできます（通説）。
地役権は承役地を排他的に使う物権ではなく，承役地に与える影響が少ないので，期間を永久とすることも認められているのです。

※地役権の時効取得

上記のように設定契約によって成立するのが原則ですが，地役権を時効取得することにより地役権が成立することもあります。地役権も時効取得の対象となります。地役権の時効取得の要件は，以下の条文に規定されています。

> **民法283条（地役権の時効取得）**
> 地役権は，継続的に行使され，かつ，外形上認識することができるものに限り，時効によって取得することができる。

この「継続」ですが，たとえば，通行地役権の時効取得であれば，承役地となる他人の土地に通路の開設をし，その開設は要役地となる土地の所有者自身がする必要があるとされています（最判昭30.12.26）。
かなり大変ですよね。地役権は他人の土地を占有する物権ではないので，「占有」が要件である時効取得のハードルはかなり高くなるのです。

３　効力

１．土地（要役地）にくっついている（付従性・随伴性）

P164①の視点にありますとおり，地役権は土地（要役地）にくっついている物権です。そこから，以下の性質が導き出されます。

（１）地役権を使える者

要役地の所有者に限らず，要役地の地上権者，永小作人，賃借人も地役権を使うことができます（民法281条1項参照）。
地役権は土地（要役地）にくっついている物権であるため，土地（要役地）を使える者は地役権を使えるのです（P164①の視点）。

　要役地に抵当権が設定された場合，抵当権の効力は地役権に及びます（民法281条1項本文）。よって，地役権が設定されている土地を競売によって取得した買受人は，要役地の所有権だけでなく地役権をも取得します。

　地役権は土地（要役地）にくっついている物権であるため，要役地に設定された抵当権の目的にもなるのです（P164①の視点）。

（2）要役地が譲渡された場合

（a）原則

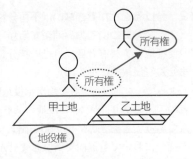

　要役地を譲渡すれば，特に「地役権も譲渡する」と約定しなくても，要役地の譲渡を受けた者は地役権を行使できます（民法281条1項本文）。また，要役地の所有権の移転の登記をすれば，地役権の取得を第三者に対抗できます（大判大13.3.17）。

　右の図のように，地役権は土地（要役地）にくっついている物権であるため，要役地が譲渡されれば地役権もついてきますし，所有権について対抗要件を備えればOKなのです（P164①の視点）。

（b）例外

　設定行為で「要役地を譲渡したら地役権は消滅する」という特約をすることはできます（民法281条1項ただし書）。

　ただし，この特約は，登記しなければ要役地の譲受人などの第三者に対抗できません（不登法80条1項3号）。この特約は，民法177条（P22）の「変更」に当たるからです。

（3）地役権のみの譲渡などの可否

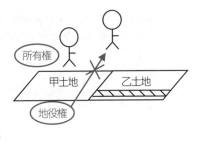

　地役権を要役地から分離して地役権のみを譲り渡したり，他の権利の目的としたりすることはできません（民法281条2項）。

　右の図のように，地役権は土地（要役地）にくっついている物権であるため，土地から切り離すことはできないのです（P164①の視点）。

これは，特約によっても認められません。上記（2）（b）と異なり，特約さえも認められないのは，上記（2）（b）は地役権が消滅するため，土地から離れて地役権が存在するわけではありませんが，この（3）の特約が認められれば，土地から離れて地役権が存在することになってしまうからです。

よって，地役権の移転の登記というものは，この国に存在しません。
地役権だけを移転することは，とにかくできないのです。

2．分けることができない（不可分性）
（1）持分についてのみ消滅するか
要役地の各共有者は，自己の持分についてだけ地役権を消滅させることはできません（民法282条1項）。

よって，たとえば，あなたが承役地の共有者の1人であり，かつ，要役地の共有者の1人であっても，要役地上の地役権は，あなた

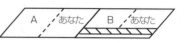

の持分においても混同で消滅しません（民法282条1項）。

地役権は，人ではなく土地（要役地）にくっついている物権であるため，持分についてのみ消滅することはないのです（P164①の視点）。

（2）共有物の分割または一部譲渡があった場合
要役地または承役地が共有物の分割または一部譲渡により数人に帰属したときも，地役権が性質上土地の一部のみに関するものであるときを除き，地役権は各部分のため，または，各部分の上に存続します（民法282条2項）。

ex. Aが所有している土地を要役地，Bが所
　　有している土地を承役地として通行地
　　役権が設定されている場合に，Aがあな
　　たに要役地の2分の1を譲渡すると，あ
　　なたも通行地役権を行使することがで
　　きます。

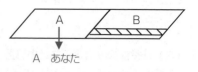

地役権は，土地（要役地）にくっついている物権であるため，共有物の分割または一部譲渡により持分を譲り受けた者も使えるのです（P164①の視点）。

（3）要役地の共有者の１人が時効によって地役権を取得した場合

　要役地の共有者の１人が時効によって地役権を取得すると（地役権を時効取得する方法はP166※で説明しました），他の共有者も地役権を取得します（民法284条１項）。

　地役権は，土地（要役地）にくっついている物権であるため，１人が時効取得すれば，要役地のために地役権が発生し，他の共有者も地役権を使えるのです（P164①の視点）。また，これは，地役権の制度が要役地に有利になっている点でもあります（P164②の視点）。

　地役権を時効取得されそうになっている場合，承役地（になりそうな土地）の権利者は，時効取得を防ぎたいと考えます。Ⅰのテキスト第２編第 10 章第１節 $\boxed{7}$ 3.で説明した方法で時効を更新させることができるのですが，要役地が共有の場合，時効を更新させる措置は，要役地の共有者全員に対してしなければ効力を生じません（民法284条２項）。

　これは，地役権の制度が要役地に有利になっている点です（P164②の視点）。

（4）要役地が共有の場合の登記手続を求める訴えの原告

　要役地が数人の共有に属する場合に，各共有者は単独で，共有者全員のために，地役権の設定の登記の手続を請求することができ，登記手続を求める訴えを提起することができます（最判平7.7.18）。

　共有物の保存行為（民法252条5項。P130（１））に当たるからです。また，地役権の制度が要役地に有利になっている点でもあります（P164②の視点）。

3．対抗力
（1）原則

　地役権の対抗要件は，登記です（民法177条）。物権変動は，第三者に対抗するには登記が必要とされるのが原則であり，これは地役権も同じです（無制限説。P28（a））。

（2）例外

　しかし，地役権の登記がされていなくても，地役権を対抗できる場合があるとした判例があります。

判例（最判平 10.2.13）

　あなたが所有している土地を要役地，Aが所有している土地を承役地として通行地役権が設定されていました。しかし，地役権の登記はされていませんでした。この場合において，AがBに承役地を譲渡したとき，その

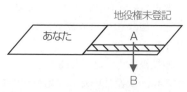

譲渡時に以下の①および②の要件を充たすときは，Bが通行地役権が設定されていることを知らなかったとしても，特段の事情のない限り，あなたはBに地役権を対抗できます。

①承役地が要役地の所有者であるあなたによって継続的に通路として使用されていることが，その位置，形状，構造などの物理的状況から客観的に明らかであった（客観面）
②譲受人であるBが上記①のことを認識していた，または，認識可能であった（主観面）

　この場合には，Bは，あなたが何らかの通行権を有していることを容易に推認することができるからです。

　上記①②の要件を充たせば，あなたは，Bに地役権を対抗できますので，Bに対し地役権の設定の登記手続を請求でき，Bはこれに応じる義務を負います（最判平10.12.18）。

　上記の判例は承役地が譲渡された事案ですが，譲渡ではなく，地役権設定後（未登記）に抵当権が設定され，担保不動産競売により売却された場合でも，上記①②（②の認識は抵当権者について要求されます）の要件を充たすときは，同じく，要役地の所有者は，競売の買受人に対して，地役権を主張することができます（最判平25.2.26）。「譲渡」が「競売」に変わっても同じであるということです。

4．物権的請求権

　地役権者は，地役権に基づいて，承役地について妨害排除請求権と妨害予防請求権を行使することはできます（最判平17.3.29）。しかし，返還請求権を行使することはできません。

　物権であれば物権的請求権はすべてあるのが原則ですが（P8），地役権は占有する権利ではないので，占有を奪われた場合に占有を回復する返還請求権だけは行使できないのです。このように，物権であるにもかかわらず，物権的請求権のうち認められないものがある物権を記憶してください（P156の「記憶のテクニック」）。

4　消滅

　最後は，地役権の消滅です。地役権の消滅は，「時効取得による消滅」（下記1.）と「消滅時効」（下記2.）に注意してください。

1．承役地の時効取得

　P166※の地役権の時効取得ではありません。P166※は地役権を取得するハナシですが，これは「承役地の所有権が時効取得されることによって，承役地の上に存在する地役権が消滅するハナシ」です（民法289条）。
　時効取得は原始取得（アダムとイブ取得。P17～18①）です。よって，承役地が時効取得されれば，時効取得者が地役権の負担を伴うとして占有していた場合を除き（大判大9.7.16），承役地の負担（地役権）はふっ飛びます。

2．地役権の消滅時効

　Iのテキスト第2編第10章第3節 2 の表にありますとおり，地役権も20年の消滅時効にかかります（民法166条2項）。地役権の消滅時効には，以下の問題点があります。

（1）起算点

　消滅時効の起算点（民法166条2項）は，「不継続地役権」と「継続地役権」で異なります（民法291条）。

①不継続地役権：最後の行使の時
　不継続地役権とは，たとえば，通路を開設しない通行地役権のことです。通路を開設しない通行地役権では，起算点である「最後の行使の時」とは最後に通行した時です。

②継続地役権：その行使を妨げる事実が生じた時
　継続地役権とは，たとえば，通路を開設する通行地役権のことです。通路を開設する通行地役権では，「その行使を妨げる事実が生じた時」とは通路が破壊された時などです。

（2）地役権が消滅する範囲

　地役権は，常にその全部が時効消滅するわけではありません。不行使の部分だけが時効消滅することもあります（民法293条）。

ex. 道幅4mの通行地役権の場合，そのうちの道幅2mを使っていなければ，その使っていない道幅2mだけが時効消滅することもあります。

（3）要役地が共有の場合

　地役権が時効で消滅しそうになっている場合，要役地が共有のときは，共有者の1人に時効の完成猶予事由または更新事由が生じた場合は，完成猶予または更新の効力は他の共有者にも及びます（民法292条）。

ex. Aとあなたが通路を開設していない通行地
　　役権の要役地を共有しており，その消滅時
　　効が進行している場合において，Aのみが
　　通行地役権を行使してその消滅時効の完成
　　を猶予させたときは，あなたとの関係でも
　　消滅時効の完成が猶予されます。

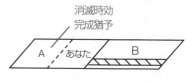

　つまり，地役権の消滅時効を完成猶予・更新させたい場合には，共有者のうちの1人につき完成猶予事由・更新事由が生じればよいということです。

　これは，地役権の制度が要役地に有利になっている点です（P164②の視点）。

第4節　用益物権（地上権，永小作権，地役権）の比較

　用益物権の最後に，地上権，永小作権，地役権の比較できる事項を比較します。以下の表にある知識は，以下の表を頭の中での検索先としてください。

	地上権	永小作権	地役権
目　的	工作物または竹木を所有すること （民法265条。P152）	耕作または牧畜をすること （民法270条。P161）	設定行為で定めた目的 （民法280条。P164）
利用料	地代―マストではない （民法265条，266条。P153の2.）	小作料―マストである （民法270条。P161の2.）	対価―マストではない （民法280条。P165の2.）
存続期間	制限なし （永久地上権も可。P154（1））	20年以上50年以下 更新可 （民法278条。P162（1））	制限なし （永久地役権も可。P166の3.）
譲渡・転貸禁止特約の登記	不可 （不登法59条，78条参照。P156の3.）	可 （民法272条ただし書，不登法79条3号。P162の1.）	不可 （不登法59条，80条参照）
対抗要件	登記 （民法177条。P156の4.） ※借地借家法10条1項の建物の登記でも可（Ⅲのテキスト第7編第5章第3節[1]1.(2)(b)で扱います）	登記 （民法177条。P163の3.）	登記 （民法177条。P169（1）） ※登記がなくても対抗できる場合あり（最判平10.2.13，最判平25.2.26）
物権的請求権（※）	物権的返還請求権 物権的妨害排除請求権 物権的妨害予防請求権 （P155～156の2.）	物権的返還請求権 物権的妨害排除請求権 物権的妨害予防請求権	物権的妨害排除請求権 物権的妨害予防請求権 （P170～171の4.）

※P156の「記憶のテクニック」を参照してください。

─ 第 **4** 編 ─

担保物権

担保物権全体のハナシ

第1節　担保物権とは？

　担保物権：目的物を債権の担保に供することを目的とする物権

　担保物権も「制限物権」であり，所有権に備わっている「利用価値」「交換価値」のうち，「交換価値」しか備えていません（P7（c））。

　交換価値しかないと，物を使うことはできませんが，債務が弁済期に弁済されない場合，担保になっている物を売り払ったりすることができます。

　では，「担保」とはなんなのでしょうか。ドラマとかで「担保あんのか？」みたいなシーンをご覧になったことがあると思います。たとえば，銀行からある程度の高額なお金を借りるときには，通常は担保がないと貸してくれません。借りたお金を返せなくなった場合に，銀行は担保から回収するのです。担保というのは，たとえるなら，（言い方は悪いですが）「人質」のようなものです。

　なお，債権を担保する方法には，「物的担保（物を質にとる）」と「人的担保（人を人質にする）」がありますが（Ⅰのテキスト第1編第6章**1**），この担保物権は物的担保（物を質にとる）のほうです。人的担保には連帯債務や保証債務などがありますが，人的担保についてはⅢのテキスト第5編第4章で扱います。

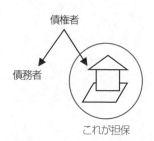

債権者

債務者

これが担保

第2節　担保物権の種類

　担保物権は,「根拠法令」という視点（下記[1]）と「発生原因」という視点（下記[2]）で分類することができます。

[1]　根拠法令による分類

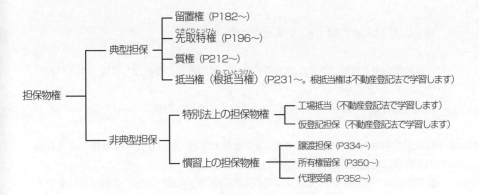

　まず,担保物権は,「典型担保」と「非典型担保」に分かれます。

・典型担保　　：民法に規定されている担保物権
・非典型担保：民法に規定されていない担保物権

　「典」とは,「民法典（民法）」の「典」のことです。よって,民法典（民法）に型がある担保物権を「典型担保」,民法典（民法）に型がない担保物権を「非典型担保」というわけです。

　次に,非典型担保が,「特別法上の担保物権」と「慣習上の担保物権」に分かれます。

・特別法上の担保物権：民法以外の特別法に規定されている担保物権（条文あり）
・慣習上の担保物権　　：特別法にも規定されていない担保物権（条文なし）

　条文があるかないかの区別でいうと,「典型担保」「非典型担保のうち特別法上の担保物権」は条文があり,「非典型担保のうち慣習上の担保物権」は条文がありません。

2　発生原因による分類

発生原因によって分類することもできます。

・**法定担保物権**：法律上当然に認められる（＝当事者間の契約なしに成立する）担保
　　　　　　　　物権
・**約定担保物権**：当事者間の契約によって成立する担保物権

　法定担保物権のほうが少ないので，「留置権と先取特権は法定担保物権。それ以外の担保物権は約定担保物権。」と記憶してください。
　担保物権は，契約があって成立する約定担保物権が原則ですが，契約なしに成立する法定担保物権もあるんです。契約なしに成立するからには，成立させる必要がある理由があります（P182 2 ，196 2 ）。

第3節　担保物権に共通する性質

担保物権には，基本的に以下の性質があります。

1 付従性

付従性とは，担保物権は被担保債権が存在して初めて存在する（債権に「付」き「従」う）ということです。被担保債権の存在が大前提なのです。物権として学習するので忘れてしまいがちなのですが，大前提として債権（借金など）があるのです。I のテキスト第1編第5章で説明しましたが，物権と債権は別の領域で存在するわけではなく，関係しています。担保物権は，まさに関係しているところです。

付従性は，担保物権の「成立」の場面と「消滅」の場面で出てきます。

・成立：原則として，被担保債権が存在しなければ，担保物権は成立しません。
・消滅：被担保債権が消滅すれば（ex. 弁済されれば），担保物権は消滅します。

付従性をたとえると，被担保債権が地球であり，担保物権が人間です。地球がないと人間は存在できませんし（成立における付従性），地球が消滅すると人間も消滅します（消滅における付従性）。

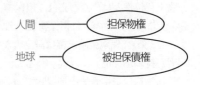

2 随伴性

随伴性とは，被担保債権が移転したときには担保物権も被担保債権に伴って移転する（「随伴」する）ということです。

ex. A銀行が担保物権付きの被担保債権をB証券会社に売却すれば（債権譲渡），それに伴って当然に担保物権はB証券会社に移転します。

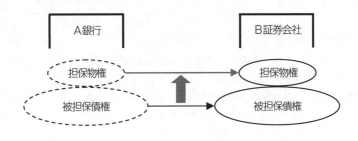

　「付従性と似ていて紛らわしいな。随伴性だって，担保物権が被担保債権に付き従っているじゃん！」と思われた方もいるかもしれません。実は，似ていて当たり前です。随伴性は「移転における付従性」なのです。移転における付従性のことを，特に随伴性というのです。

③ 不可分性

　不可分性とは，被担保債権の全部の弁済があるまで，目的物の全部の上に担保物権の効力が及ぶということです（民法296条，305条，350条，372条）。

ex. 3000万円の住宅ローン（被担保債権）の残債務が100万円であっても，返済が滞れば，抵当権者は抵当権の目的となっている3000万円相当の不動産を競売することができます。被担保債権の全部の弁済があるまで，抵当権は不動産すべてに及んでいるからです。ただし，残債務は100万円しかありませんので，競売によってこの抵当権者が受けられる配当は100万円が限度です。

④ 物上代位性

　物上代位性とは，たとえば，担保物権の目的物が滅失・損傷して保険金に変じた場合，変じた保険金の上に担保物権の効力が及ぶといったハナシです（民法304条，350条，372条）。保険金請求権は設定者が取得しますが，担保権者は「物」の「上」に設定者が持つ地「位」に「代」わること（＝物上代位）ができるのです。

　担保物権は交換価値を把握している物権，つまり，目的物の"価値"を把握している物権ですので（P7（c）），目的物が変じたものにも効力が及ぶのです。

ex. 抵当権の目的となっている不動産が火事で燃えてしまった場合，設定者が取得する保険会社への火災保険金請求権の上に抵当権の効力が及びます。具体的には，返済が滞っている場合には，抵当権者は火災保険金請求権から回収することができます。

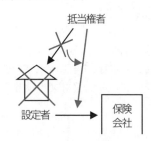

⑤ 優先弁済的効力

　優先弁済的効力とは，競売などの際に，他の債権者に先立って自己の債権の弁済を受けることができる効力のことです。

　担保物権は，他の債権者を押しのけるための物権ですので，当然，この効力があります。

※競売権

　競売を申し立てる権利は，留置権，先取特権，質権および抵当権について明文で認められています（民執法 180 条，190 条，195 条）。注意していただきたいのは，「留置権」です。下の表にありますとおり，留置権だけは優先弁済的効力がないのですが，留置権者も競売を申し立てることはできます。留置権者は，競売しても優先的に弁済を受けられるわけではありませんが，換金のために留置権にも認められているのです。

6　留置的効力

　債権の弁済があるまで，目的物を手元に留め置き，その引渡しを拒むことができる効力のことです。質屋が有する担保物権である質権でイメージしてください。

　債務者にとって価値のある物を取り上げ，心理的圧力を加えることで，弁済を促すための効力です。自分の大事な物を取り上げられていたら，「早く弁済しよう」と思いますよね。

【典型担保の担保物権の性質の有無】
*根抵当権は不動産登記法で学習しますので，現時点では「根抵当権」の記載は無視してください。

	留置権	先取特権	質権	抵当権 確定後根抵当権	確定前 根抵当権
1 付従性	○	○	○	○	×
2 随伴性	○	○	○	○	×
3 不可分性	○	○	○	○	○
4 物上代位性	×	○ ※一般の先取特権を除く	○	○	○
5 優先弁済的効力	×	○	○	○	○
6 留置的効力	○	×	○	×	×

思い出し方

　「×」のほうが少ないので，×（その性質がないもの）を記憶してください。なお，確定前根抵当権に付従性と随伴性がないこと，先取特権，抵当権，確定後根抵当権，確定前根抵当権に留置的効力がないことは，学習を進めると必ず当たり前になります。よって，留置権に物上代位性と優先弁済的効力がないことのみ意識的に記憶すれば大丈夫です。

第2章　留置権

*抵当権が担保物権の基本ですので，「第5章 抵当権→第2章 留置権→第3章 先取特権→第4章 質権 →第6章 根抵当権→第7章 非典型担保」の順でお読みください。

第1節　留置権とは？

> **民法295条（留置権の内容）**
> 1　他人の物の占有者は，その物に関して生じた債権を有するときは，その債権の弁済を受けるまで，その物を留置することができる。ただし，その債権が弁済期にないときは，この限りでない。
> 2　前項の規定は，占有が不法行為によって始まった場合には，適用しない。

1　意義

　　留置権：他人の物の占有者（留置権者）が，その物に関して生じた債権を有するときに，その債権の弁済を受けるまで，その物の返還を拒絶することができる法定担保物権

　文字どおり，「留」め「置」く「権」利です。

　たとえば，あなたが，友人から「パソコンを修理してくれ」と頼まれて，パソコンを修理したとします。ところが，友人が修理代を払いませんでした。そうしたら，「修理代を払うまでは，このパソコンは返さないよ！」と言いたいですよね。修理代も払わずにパソコンを返せなんて，虫がよすぎますから。留置権は，このような盗人猛々しい主張を許さない

ためにあります。あなたは，友人が修理代を払うまでパソコンを留め置くことができます。これが，留置権です。

2　趣旨

　留置権の趣旨は，**公平の理念**です。

　上記1の例でいえば，あなたが修理代を払ってもらっていないにもかかわらずパソコンを返さないといけないのは，不公平です。そこで，公平の理念から認められる担保物権がこの留置権なのです。

第2節　成立要件

留置権が成立する要件は，民法295条に書かれている以下の4点です。

①他人の物を占有していること（民法295条1項本文）
②その物に関して生じた債権があること（民法295条1項本文）
③債権が弁済期にあること（民法295条1項ただし書）
④占有が不法行為によって始まったものではないこと（民法295条2項）

これらの要件を1つ1つみていきます。

1　他人の物の占有（民法295条1項本文。要件①）

「他人の物」には，P182の例のように債務者の物はもちろん含まれます。しかし，それだけでなく，債務者以外の第三者の物も含まれます（最判昭47.11.16参照・通説）。
　民法295条1項本文には「他人の物」としか規定されていませんので，債務者の物に限定されるわけではないのです。

ex. Aは，Bにパソコンを賃貸していました。Bは，そのパソコンが壊れたので，あなたに修理を依頼しました。Bが修理代金を支払わない場合，このパソコンについてあなたの留置権が成立し，あなたはAやBから引渡しを請求されても，引渡しを拒むことができます。なお，債務者でないAに対

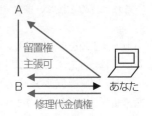

しても留置権を主張できるのは，留置権が物権だからです。物権は，誰に対しても主張できます（P2）。

2　その物に関して生じた債権（民法295条1項本文。要件②）

2つ目の「その物に関して生じた債権」という成立要件が，最も抽象的です。よって，事案ごとに「その物に関して生じた債権」といえるのかを考えないといけません。

判断基準

「その物に関して生じた債権」とは，目的物と債権との牽連関係であると通常は説明されます。「牽連関係」とは，つながりや関連といった意味です。ですが，つながりや関連といわれても，何と何がつながりがあるのか関連しているのか，わからないですよね。そこで，もっとわかりやすい基準がありますので，以下の基準で「その物に関して生じた債権」といえるかを考えてください。

　判断基準は，目的物を留置することが被担保債権の弁済を促すことにつながるかどうか，つまり，以下の関係が成り立つかどうかです。

　「債権者が『物を返さない！』と言えば　→　債務者が『弁済しよう』となるか」

　事例ごとに，この関係が成り立つかをみていきましょう。

①建物買取請求権

　P157～158※で説明しましたが，建物買取請求権とは，借地借家法の適用がある場合に，存続期間の満了により契約が終了するとき，借地権者のほうから「私が建てたこの建物を買い取れ」と言える権利です（借地借家法13条）。では，地主が建物の代価を支払うまで，この建物買取請求権に基づいて建物に留置権が成立し，借地権者は建物が建っている土地を留置できるでしょうか。

　これは認められています（大判昭14.8.24）。

　地主は土地を返して欲しいので，借地権者が「建物の代価を支払うまで土地を返さない！」と言えば，地主は「代価を支払おう」となります（上記の「判断基準」）。
　また，留置権が認められないと，借地権者は建物を土地から分離して建物の買取を請求せざるを得なくなります。建物を土地から分離するのは非現実的です。

※敷地の賃料相当額の支払義務

　借地権者は土地を留置できますが，その間の使用利益（賃料相当額）は地主に不当利得として返還する必要があります。他人の物をタダで使えることはないからです（P265の「他人の物をタダで使えることはない」）。

②二重譲渡

　たとえば，Aが建物をあなたに売却し引き渡したが，所有権の移転の登記をする前に，AがBにもその建物を売却し，Bが登記を備えたとします。このとき，あなたは，Aに対して損害賠償請求権を取得します。売主であるAにはあなたに登記を移転する義務があるため，Bに登記を移転した時点で，あな

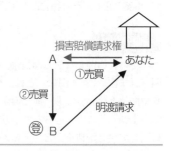

たに対する義務は債務不履行となるからです。ではこの場合に，あなたは，Aに対する損害賠償請求権に基づき，Bに対して留置権を主張し，Bにその建物を明け渡すことを拒めるでしょうか。

これは認められていません（最判昭43.11.21）。

あなたの損害賠償請求権は，Bに対するものではなく，Aに対するものです。あなたが債権者で，Aが債務者です。あなたがBに対して「Aが損害賠償を支払うまで建物を渡さない！」と言っても，Aは「損害賠償を支払おう」とはなりません（上記の「判断基準」）。建物を明け渡して欲しいのは，AではなくBですから，「建物を明け渡さないよ！」と言われても，Aは「損害賠償を支払おう」とは思わないのです。

③土地賃貸借と新所有者

たとえば，Aがあなたに土地を賃貸していた場合に，AがBにその土地を売却したとします。詳しくはⅢのテキスト第7編第5章第3節[1]1.で扱いますが，このとき，あなたの賃借権が対抗力（登記など）を有しない場合，Bがあなたに土地の明渡請求をしたら，あなたは明け渡さなければなりません。では，こ

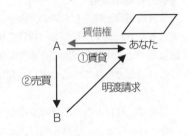

の場合にあなたは，Aに対する賃借権に基づき，Bに対して留置権を主張し，Bにその土地を明け渡すことを拒めるでしょうか。

これは認められていません（大判大11.8.21）。

上記②と同じ理由です。あなたの賃借権は，Bに対するものではなくAに対するものですので，あなたがBに対して「Aが賃貸人としての使用収益させる義務を履行するまで土地を渡さない！」と言っても，Aは「賃貸人としての使用収益させる義務を履行しよう」とはなりません（上記の「判断基準」）。土地を明け渡して欲しいのはBです。

また，賃借権は，物に関して生じた債権ではなく，物自体を目的とする債権です。

④他人物売買

たとえば，Bの建物を，Aが勝手にあなたに売却し引き渡したとします。他人の権利を売買の目的とすることを「他人物売買」といいます（民法561条）。Bは，勝手に自分の物を売られましたので，当然，あなたに建物

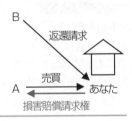

を返すように請求します。すると，あなたはAに対して損害賠償請求権を取得します。他人物売買の売主であるAは，きちんとBを説得して適法にあなたにその建物の所有権を移す義務があるのですが（民法561条），それができなかったからです。ではこの場合に，あなたは，Aに対する損害賠償請求権に基づき，Bに対して留置権を主張し，Bにその建物を返還することを拒めるでしょうか。

これは認められていません（最判昭51.6.17）。

上記②③と同じ理由です。あなたの損害賠償請求権は，Bに対するものではなくAに対するものですので，あなたが「Aが損害賠償を支払うまで建物を渡さない！」と言っても，Aは「損害賠償を支払おう」とはなりません（上記の「判断基準」）。

⑤敷金返還請求権

賃貸借契約が終了した場合，敷金（P259）は未払賃料や修繕費などがなければ賃借人に返還されます。しかし，賃貸人が敷金を返還しない場合，賃借人は敷金返還請求権に基づいて建物を留置できるでしょうか。

これは認められていません（最判昭49.9.2）。

敷金は，賃貸人の修繕費の債権などを担保するためのものです。修繕費がどれくらいかかるかなどは，建物を明け渡してもらわないとわかりませんよね。よって，賃借人が先に建物を明け渡さなければならないとされています（民法622条の2第1項1号）。その後，修繕費などに敷金を充てる必要がなければ，賃借人に敷金が返還されます。

つまり，賃借人が「敷金を支払うまで建物を返さない」と言える事案ではないのです。

ここまでは上記の「判断基準」で判断が可能ですが，以下の⑥⑦は，その結論の違いを上記の「判断基準」では判断できません。

⑥費用償還請求権

賃借人が建物について，賃貸人が負担すべき必要費または有益費（P105①②）を支出したときは，賃貸人にその償還を請求できます（民法608条）。では，賃貸借契約中に必要費または有益費を支出し，その後，賃貸借契約が終了した場合，この費用償還請求権に基づいて建物を留置できるでしょうか。

これは認められています（大判昭10.5.13，大判昭14.4.28）。

　厳密にいえば，賃借人の費用支出によって価値が保全・増加された部分は，建物の一部です。しかし，価値が保全・増加された部分と他の部分とを区別することは難しいので，建物全体を留置することが認められています。

⑦造作買取請求権

　「造作」とは，畳，建具など建物に付加された物のことです。賃借人が建物の賃貸人の同意を得て建物に付加した造作は，賃貸借契約の終了時に，賃借人が賃貸人に対して買い取るよう請求できます（借地借家法 33 条）。では，賃貸借契約が終了した場合，この造作買取請求権に基づいて建物を留置できるでしょうか。

　これは認められていません（最判昭 29.1.14）。

　造作買取請求権はあくまでも造作（畳など）についての債権であり，建物に関して生じた債権ではありません。また，造作と建物では価額が違いすぎます。

ゴロ合わせで

　以上が，⑥の費用償還請求権は留置権が認められて，⑦の造作買取請求権は留置権が認められない理由なのですが，あまり納得できなかった方もいると思います。たとえば，⑦の「造作と建物では価額が違いすぎる」という理由は，⑥の費用についても当てはまることがあります。⑥と⑦の結論が異なる納得のいく理由はないともいわれています。そこで，①〜⑤は上記の「判断基準」から思い出すのに対して，⑥と⑦は右のゴロ合わせで思い出してください。このように思い出し方を考えるのも勉強の1つです。

ひかるゾウ

ひ　費用償還請求権　可能
かる
ゾウ　造作買取請求権　不可能

3　債権が弁済期にあること（民法 295 条 1 項ただし書。要件③）

　これは，当たり前の要件です。たとえば，あなたが友人のパソコンを修理したとしても，「修理代金はパソコンを返還した後1か月以内に支払う」という約定がある場合（弁済期が到来していない場合）には，留置権は成立しません。

4　占有が不法行為によって始まったものではないこと(民法295条2項。要件④)

1．趣旨

この要件があることも当たり前です。不法行為によって占有を取得した者まで留置権で保護する必要はありません。

ex. ドロボウが盗んできた物に必要費を支出しても，留置権は成立しません。

2．最初は占有権原があったが後に占有権原がなくなった場合

占有が不法行為によって始まった場合に留置権が認められないのは問題ありませんが，不法行為によって始まったわけではない以下の Case でも留置権の主張ができないのかが問題となります。

> #### Case
>
> Aから建物を賃借しているあなたが，賃貸借契約終了後に必要費を支出した場合，この費用償還請求権に基づいてその建物を留置できるか？　なお，あなたは賃貸借契約終了後であることをわかって必要費を支出した。

上記 Case の場合，必要費を支出したのは賃貸借契約終了後，つまり，占有する権原がない時です。しかし，賃借していたわけですから，占有が不法行為によって始まったわけではありません。そこで，民法295条2項が類推適用されるかが問題となります。

判例は，上記 Case に民法295条2項が類推適用され，賃借人は留置権を主張できないとしました（最判昭46.7.16）。債権を取得した時に，占有する権原がないことについて悪意または有過失である場合には，占有者は留置権を主張できません（最判昭51.6.17）。

占有する権原がないことについて悪意または有過失であれば，その占有が不法であることと変わりはないというのが理由です。

しかし，この判例の結論には批判もあります。占有開始時に適法であった場合を不法行為によって始まった場合と同視するのはどうかなと私も思います。しかし，判例の結論は上記のとおりです。

P190

第3節　効力

　留置権の効力，つまり，「留置権が成立すると何が言えるのか」というハナシをみていきます。

1　留置的効力

　留置権者は，債務者から債権の弁済を受けるまで，その物を留置できます（民法295条1項本文）。

※留置物の一部を債務者に引き渡してしまった場合

　留置権者が債権の弁済を受けないまま留置物の一部を債務者に引き渡した場合であっても，留置権者は債権全額の弁済を受けるまでは，留置物の残部について留置権を主張できます（最判平3.7.16）。

ex. 土地の宅地造成工事を請け負った工事業者が，造成工事の完了した一部の土地を債務者に引き渡した場合であっても，宅地造成工事の残代金の全額の支払を受けるまでは，残りの土地について留置権を主張できます（最判平3.7.16）。

　留置権にも不可分性があるからです（民法296条。P180 3 ）。

＊この民法296条は質権に準用されていますので（民法350条），質権でも同様の結論となります。

2　果実収取権

＊この 2 の果実収取権の規定（民法297条）は質権に準用されていますので（民法350条），質権でも同様の結論となります。

　留置権者は，果実を収取し，収取した果実を他の債権者に先立って自分の債権の弁済に充てることができます（民法297条1項）。留置権は，競売されたときに優先弁済的効力は認められていませんが（P181），果実については優先権が認められているのです。

　果実は普通は少額であるため，留置権者に優先権を認めても他の債権者をあまり害しません。また，普通は少額である果実は，このように処理したほうが簡便な処理となります。よって，留置権者に優先権が認められているのです。

　果実は，天然果実と法定果実の双方を含みます（P102の「条文の読み方」）。

※果実の充当の順序

　収取された果実は，まず債権の利息に充当し，それでも残額があるときは元本に充当しなければならないと，

充当の順序が決められています（民法297条2項）。これは，留置権者のための規定です。利息は元本から生じますので，元本が早く消えないほうがいいんです。

3 費用償還請求権

*この3の費用償還請求権の規定（民法299条）は質権に準用されていますので（民法350条），質権でも同様の結論となります。

1．意義

「占有者の費用償還請求権」（P105～107 3）のように，留置権者が留置している物の修繕などのために費用を支出したときは，物の所有者に費用の償還を請求できます。

2．趣旨

趣旨は，P106の2．と同じく，公平の理念です。「留置権者の支出（⊖）で所有者が得（⊕）をするのが好ましくない」ということです。物が返還されたとき，得をするのは所有者です。

3．償還請求
（1）必要費

留置権者は，留置している物について必要費を支出したときは，所有者にその償還を請求できます（民法299条1項）。

なお，賃貸借契約中に賃借人が必要費を支出したことに基づいて建物を留置している（P186～187⑥）間に，賃貸借契約が終了したとします。賃貸借契約終了後に，留置している建物についてさらに必要費を支出した場合，すでに生じている費用償還請求権とともに，さらに支出した費用についても留置権を行使できます（最判昭33.1.17）。

P188
└

これは，P188のCaseとは事案が異なりますので，ご注意ください。「賃貸借契約終了後」という点は同じですが，こちらは賃貸借契約中に支出した必要費に基づいて留置していますので，賃貸借契約終了後の占有は留置権に基づく適法なものです。適法な占有中に必要費を支出しているのです。この点が，P188のCaseと異なります。

※賃料相当額の支払義務

この場合も，留置している間の賃料相当額は不当利得として返還する必要があります（大判昭13.12.17）。他人の物をタダで使えることはないからです（P265の「他人の物をタダで使えることはない」）。

（2）有益費

　留置権者は，留置している物について有益費を支出したときは，その価格の増加が現存する場合に限り，所有者の選択に従い，支出額または増価額の償還を請求できます（民法 299 条 2 項本文）。有益費はマストな費用ではなく，プラスアルファの費用ですので，請求できる場合とその額が限定されています。

　ただし，裁判所は所有者の請求によって，その償還について相当の期限を許与することができます（民法 299 条 2 項ただし書）。つまり，所有者は支払を待ってもらうことができます。これは，わざと高額な有益費を支出して留置し続けようとする留置権者がいるために設けられた規定です。

4　留置物の保管方法

＊この 4 の留置物の保管方法の規定（民法 298 条 1 項，2 項）は質権に準用されていますので（民法 350 条），質権でも同様の結論となります。

1．注意義務

　留置権者は物を留置できますが，留置している物について善管注意義務（P132）を負います（民法 298 条 1 項）。留置している物は，他人の物だからです。

2．債務者（物の所有者）の承諾がないとできないこと

Case

　Aは，パソコンの修理をあなたに依頼し，修理が完了したが，Aが代金を支払わないので，あなたはパソコンを留置している。この場合，あなたは，Aの承諾なくして，留置しているそのパソコンをBに賃貸することができるか？

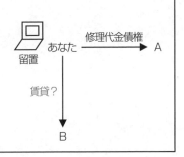

　留置権者は，債務者（物の所有者）の承諾を得なければ，留置物を使用したり，賃貸したり，担保に供したりすることができません（民法 298 条 2 項本文）。よって，上記 Case において，あなたは，Aの承諾なくして，パソコンをBに賃貸できません。

　留置権は，債務者に早く弁済させることだけを目的とする担保物権ですので，勝手に使用したりすることはできないのです。

　よって，上記2で「留置権者が法定果実（家賃など）を収取できる」と説明しましたが，これは留置権者が債務者（物の所有者）の承諾を得て賃貸していることが前提です。

　債務者（物の所有者）の承諾を得ずにした賃貸は，留置権者と賃借人との関係においては相対的に有効ですが，留置権の適法な行使ではありませんので，留置権者は収取した賃料を不当利得として債務者（物の所有者）に返還する必要があります。

　ただし，保存に必要な使用は，債務者（物の所有者）の承諾がなくてもできます（民法298条2項ただし書）。

ex. 機械を留置している場合，サビつかないようにするために毎日動かすことができます。

　これは，債務者（物の所有者）のためになる行為ですので，認められています。

第4節　消滅

　留置権の最後に，留置権の消滅原因をみます。

　留置権も，物権に共通する消滅原因である，P65～66の目的物の滅失，放棄および混同で消滅します。留置権も物権だからです。

　しかし，留置権に特有の消滅原因があります。それが以下の $\boxed{1}$ ～ $\boxed{4}$ です。なお，$\boxed{1}$ の被担保債権の消滅時効は，担保物権共通の消滅原因です（P179 $\boxed{1}$）。

$\boxed{1}$ 被担保債権の消滅時効

＊この $\boxed{1}$ の被担保債権の消滅時効の規定（民法300条）は質権に準用されていますので（民法350条），質権でも同様の結論となります。

1．意義

　留置権を行使して物を留置していても，被担保債権の消滅時効は進行します（民法300条）。物を留置していても，それは被担保債権を行使しているわけではないからです。

　留置権にも付従性はありますので，被担保債権の消滅時効が完成すると留置権は消滅します。

2．訴訟で留置権を主張した場合

　物を留置権者に留置されている債務者が，留置権者に留置物の引渡しを請求する訴訟を起こした場合に，被告である留置権者が留置権を主張したときは，被担保債権の消滅時効の更新事由に当たるでしょうか。

　判例（最大判昭38.10.30）は，留置権の主張は時効の更新事由そのものには当たらないとしました。つまり，訴訟で留置権を主張したからといって，時効が更新されて時効期間が0からスタートするわけではありません。

　しかし，訴訟係属中（裁判中）は時効の完成猶予の効力があるので，訴訟の終結後6か月以内に訴え提起などをすれば，時効の完成を猶予させることができます。

　「被告の留置権の主張は，時効の更新事由そのものには当たらないが，時効の完成を猶予させるくらいの効果は認めてやるよ」という判例です。

2 占有の喪失

1．原則

　留置権者が物の占有を失えば，留置権は消滅します（民法302条本文）。

　留置権はその名のとおり「留置」していること，つまり，占有していることが成立要件だからです（P183の要件①）。

※占有を回復する方法

　留置権者が占有を失った原因が占有を奪われたことである場合は，占有回収の訴え（民法200条。P91～95（1））によって占有の回復を図ることができます。

　しかし，留置権に基づく返還請求はできません。占有を失っているため，留置権が消滅しているからです。

2．例外

　P191～192の2.の規定に従って，留置権者が債務者の承諾を得て，留置している物を賃貸し，または質権の目的とした場合には，留置権者は留置権を失いません（民法302条ただし書）。

　これは適法な賃貸・質権設定ですし，留置権者はまだ代理人を通じて占有しているからです。P78で説明した，代理占有（間接占有）に当たります。

3 消滅請求

＊この 3 の留置権の消滅請求の規定（民法298条3項）は質権に準用されていますので（民法350条），質権でも同様の結論となります。

　P191～194 4 で説明したとおり，留置権者は，善管注意義務を負い（民法298条1項），留置物の保存に必要な使用をすることを除き，債務者（物の所有者）の承諾を得なければ，留置物を使用したり，賃貸したり，担保に供したりすることができません（民法298条2項）。

　留置権者がこれらの義務に違反した場合，債務者（物の所有者）は留置権の消滅を請求できます（民法298条3項）。これは，留置権者の義務違反に対する制裁として債務者（物の所有者）に認められた権利です。また，物が損傷したりすることから債務者（物の所有者）を保護するための規定ともいわれています。

　この消滅請求権は形成権（一方的な意思表示によって効果を発生させる権利）ですので（通説），債務者（物の所有者）の意思表示が留置権者に到達したら効力が生じます。

　なお，留置権者が債務者の承諾を得て留置物の使用などをしている場合，留置物が債務者から第三者に譲渡されても，その承諾が第三者が留置物について対抗要件（登記など）を備えるよりも前にされていれば，第三者は留置権の消滅請求をすることはできません（最判平9.7.3）。

④ 相当の担保の供与

　たとえば，機械の修理代金が10万円である場合に，その10万円を支払わないために500万円の機械を留置されたらどう感じるでしょうか。「ちょっとヒドいな……」と思いますよね。このように，債務額と比べて留置されている物があまりに高額であることがあるため，債務者は留置物に代わる相当の担保を供して（ex. 質権や抵当権を設定する。保証人を立てる。），留置権の消滅を請求することができるとされています（民法301条）。

　しかし，質権や抵当権を設定したり保証人を立てたりするには，留置権者の協力も必要です。「協力してくれなかったらどうしよう……」と思うかもしれませんが，ご安心ください。留置権者が担保の提供に応じないときは，債務者は留置権者の承諾に代わる裁判（民執法177条）を得て留置権の消滅を請求できます。

※「相当の担保」とは？

　「相当の担保」とは，留置物の価値相当額の担保ではなく，債務の相当額の担保のことです。
ex. 上記の例でいえば，500万円相当の担保ではなく，10万円相当の担保です。

　ここで，500万円相当の担保を出さないといけないのならば，この制度の意味がありません。

※質権に準用されるか？

　この④の相当の担保の供与による留置権の消滅の規定（民法301条）は，質権には準用されていません（民法350条参照）。よって，質権の設定者が相当の担保を提供して質権の消滅を請求することはできません。

　質権の場合，質物は債務者が自ら差し出した物です。よって，債務額と比べて留置されている物があまりに高額であっても，それは債務者が納得して差し出した物ですので，債務者を保護する必要がないのです。

第3章	先取特権

第1節　先取特権とは？

> **民法303条（先取特権の内容）**
> 先取特権者は，この法律その他の法律の規定に従い，その債務者の財産について，他の債権者に先立って自己の債権の弁済を受ける権利を有する。

1　意義

先取特権：特定の債権を有する先取特権者が，債務者の財産について，他の債権者に先立って弁済を受けることができる法定担保物権

先取特権は，その名のとおり「先」に「取」る「特権」です。ですが，担保物権自体が，そもそも目的物から優先的に弁済を受けられる権利です。では，何が「特権」なのかというと，先取特権は，質権や抵当権と異なり，設定契約なしに一般債権者に対して優先できます。しかも，留置権や質権と異なり，占有も不要です。また，先取特権の種類によっては，不動産質権や抵当権の登記よりも後に債権が生じた場合であっても，登記された質権や抵当権に優先できます。

このように，先取特権は非常に図々しい権利なのです。

2　趣旨

設定契約も占有もなしに，場合によっては登記された不動産質権や抵当権にも優先するわけですが，なぜこのようなスゴイことが認められるのでしょうか。

先取特権で保護される債権として，たとえば，従業員の給料債権があるのですが，これらの債権は法律で特に保護すべき理由があるのです。以下のような理由です。以下のいずれかまたは複数の理由から，先取特権が認められています。

①債権者間の実質的な公平を確保する必要性
②社会的弱者を守る必要があるという政策的な考慮
③債権者の通常の期待

また，先取特権で保護される債権は少額の債権なので，他の債権者に優先させてもそれほど大きな影響がないという理由もあります。簡単にいうと，「少額だし，いっか」という理由です。

第2節　種類と順位

1　先取特権は3種類に分かれる

先取特権は，担保となる物に応じて種類が分かれます。まず，債務者の総財産に成立する先取特権が「一般の先取特権」です。「一般の」とは，総財産に成立するという意味です。それに対して，債務者の特定の財産に成立する先取特権が「動産の先取特権」と「不動産の先取特権」に分かれます。特定の動産に成立するのが「動産の先取特権」，特定の不動産に成立するのが「不動産の先取特権」です。このように，先取特権は，以下の3種類に分かれるのです。

① 「一般の先取特権」（下記 2 ）
② 「動産の先取特権」（下記 3 ）
③ 「不動産の先取特権」（下記 4 ）

また，これら3種類の中でも，債権の内容によっていくつかの種類に分かれます。そして，その中で優先順位があります。

2　一般の先取特権

1．意義

一般の先取特権：債務者の総財産に成立する先取特権

「総財産に成立する」とは，たとえば，動産でも不動産でも，債務者の財産が競売された場合，他の一般債権者に優先して弁済を受けられるということです。不動産であっても，登記なく一般債権者に優先できます（民法336条本文）。

2．種類と順位

一般の先取特権には以下の4種類があり（民法306条），以下の順の優先順位となります（民法329条1項）。

	意義	趣旨
第1順位 **共益の費用**	債権者の共同の利益のためにされた，債務者の財産の保存，清算または配当に関する費用のことです（民法307条1項）。 ex1. 債権者代位権や詐害行為取消権（Ⅲのテキスト第5編第3章第3節）の行使にかかった費用 ex2. 債務者の財産を競売した場合の競売手続の費用	債務者の財産を保存したり，債権者に配当するために競売したりするための費用ですので，債権者みんなのためになる費用です。この支出により，他の債権者も利益を受けます（P196①の趣旨）。以下の第2順位～第4順位の先取特権者も利益を受けています。よって，最も優先される先取特権となるのです。
第2順位 **雇用関係**	従業員の給料債権が典型例ですが（民法308条），この雇用関係はひろく解されています（最判昭47.9.7）。 ex1. 退職金（最判昭44.9.2）。賃金の後払の性格を持つからです。 ex2. パートタイマーの給料債権	労働者の生活保障のためです（P196②の趣旨）。 また，労働者の労働によって，債務者（会社など）の財産が増加したといえますので，労働者を優先させることが債権者間の公平にもなります（P196①の趣旨）。
第3順位 **葬式の費用**	葬儀社が有する債権です（民法309条）。 ex. 債務者のためになされた葬式の費用	「葬式くらいはできるように」として認められた先取特権です。葬儀社に優先権を与えることによって，葬式がしやすくなります（P196②の趣旨）。
第4順位 **日用品供給費**	日用品を供給する者が有する債権です（民法310条）。 ex1. スーパーが有する飲食料品についての債権 ex2. 電力会社が有する電気の供給についての債権	「日用品の供給を安心してできるように」として認められた先取特権です。スーパーなどに優先権を与えることによって，日用品の供給がしやすくなります（P196②の趣旨）。 このような趣旨ですので，債務者が法人である場合は先取特権が認められません（最判昭46.10.21）。法人の生活保障を考える必要はないからです。

3　動産の先取特権

1．意義

　動産の先取特権：債務者の特定の動産に成立する先取特権

2．種類と順位

　動産の先取特権は8種類ありますが（民法 311 条），以下の3種類を押さえてください（民法 311 条1号，4号，5号）。以下の順の優先順位となります（民法 330 条1項，334条）。

	意義	趣旨
第1順位 **不動産の** **賃貸借** ※	「不動産の賃貸借」から生ずる債権ですが，動産に先取特権が成立するのでご注意ください（民法313条）。 ex. 賃貸人が賃借人に賃料債権や損害賠償請求権を有する場合，賃借人が賃貸不動産に備え付けた動産（テレビなど）があれば，その動産に先取特権が成立します。 なお，賃貸人が敷金を受け取っている場合は，敷金でまかなえる部分については先取特権を有しません（民法316 条）。敷金は未払賃料などを担保するためのものなので，「まずは敷金のほうから回収しろ！」ということです。	賃貸人は，賃料債務や損害賠償債務を賃借人が履行しない場合，賃借人が不動産に備え付けた動産から回収することを期待しているからです（P196③の趣旨）。 このような趣旨ですので，第1順位の不動産の賃貸借の先取特権者は，債権取得時に，以下の第2順位の動産の保存または第3順位の動産の売買の先取特権があることを知っていたときは，これらの者に優先権を主張できません（民法 330 条2項前段）。自分に優先する債権があることをわかっているなら，その動産から優先して回収できるという期待がないからです。
第2順位 **動産の保存**	動産の保存，動産に関する権利の保存などのための費用のことです（民法320 条）。 ex1. 動産の修理費用 ex2. 債務者の動産が時効取得されそうな場合に，時効を更新させた費用	債務者の財産の価値が保存されたわけですから，保存行為をした債権者を優先させることが，債権者間の公平になります（P196①の趣旨）。

	なお, 保存行為をした者が数人いるときは, 後の保存者が前の保存者に優先します (民法330条1項柱書後段)。後の保存者のほうが, 現在の動産に対する寄与度が高いからです。また, 前の者の保存行為が手抜きだったから, 後の保存行為が必要となったのかもしれません。	
第3順位 **動産の売買**	動産の売主が買主に対して有する売買代金債権とその利息債権のことです (民法321条)。	売主がその動産を売ったからこそ債務者の財産となったので, 売主を優先させるのが, 債権者間の公平になります (P196①の趣旨)。

※不動産の賃貸借の先取特権

　第1順位の不動産の賃貸借の先取特権について, 少し補足します。不動産の賃貸借の先取特権は, 債務者以外の者の動産について成立することがあります。即時取得の規定 (民法192条～195条) が準用されるからです (民法319条。P57※)。

ex. あなたがAに, 所有している建物を賃貸していたとします。Aが賃料の支払を遅滞している場合に, Aがその建物に備え付けたテレビが実はAの友人Bの物であったときでも, あなたがAの所有物であると過失なく誤信したのであれば, あなたはそのテレビについて不動産の賃貸借の先取特権を取得します。

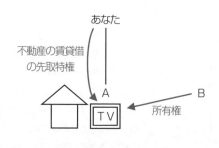

　Bには酷ですが, 賃貸不動産に備え付けられた動産から回収できるというあなたの期待を保護するのが不動産の賃貸借の先取特権なので, 即時取得の規定が準用されているのです。

4 不動産の先取特権

1. 意義

不動産の先取特権：債務者の特定の不動産に成立する先取特権

2. 種類と順位

不動産の先取特権には以下の3種類があり（民法 325 条），以下の順の優先順位となります（民法 331 条1項）。

	意義	趣旨
第1順位 **不動産の保存**	不動産の保存のための費用，不動産に関する権利の保存のための費用などのことです（民法 326 条）。 ex1. 建物の修繕費用 ex2. 債務者の不動産が時効取得されそうな場合に，時効を更新させた費用 なお，保存行為をした者が数人いるときは，後の保存者が前の保存者に優先すると解されています。やはり後の保存者のほうが，現在の不動産に対する寄与度が高いからです。また，前の者の保存行為が手抜きだったから，後の保存行為が必要となったのかもしれません。	債務者の財産の価値が保存されたわけですから，保存行為をした債権者を優先させることが，債権者間の公平になります（P196①の趣旨）。
第2順位 **不動産の工事**	不動産の工事をした業者などが有する債権のことです（民法 327 条1項）。上記の第1順位の「不動産の保存」が価値を維持・回復する行為であるのに対して，「不動産の工事」は価値を増加する行為です。 ex. 建物の増築費用	工事をした債権者のおかげで債務者の財産の価値が増加した（工事がなければ増加してなかった）わけですから，工事をした債権者を優先させることが，債権者間の公平になります（P196①の趣旨）。 このような趣旨ですので，価値が現存している必要があります（民法 327 条2項）。

第3順位 **不動産の売買**	不動産の売主が買主に対して有する売買代金債権とその利息債権のことです（民法328条）。 なお，たとえば，ある不動産が「あなた→A→B」と売買され，売主であるあなたとAが不動産の売買の先取特権を有する場合，あなたがAに優先します（民法331条2項）。Aはあなたに売買代金と利息を支払っていない者ですから，Aよりあなたが優先されるのです。	売主がその不動産を売ったからこそ債務者の財産となったので，売主を優先させるのが，債権者間の公平になります（P196①の趣旨）。

※不動産の先取特権を主張するのは大変？

　一般の先取特権と動産の先取特権と異なり，不動産の先取特権を主張するには，以下の時点で登記をしなければなりません。

かなり急ぐ

　以下の登記の期限は，いずれもかなり急ぎます。よって，実際には不動産の先取特権はほとんど使われていません。たとえば，不動産の工事の先取特権は工事を始める前に登記をすることが要求されますが，工事を始める前から支払が不安な債務者から工事を請け負う業者は普通はいません。

①不動産の保存の先取特権　→　保存行為が完了した後直ちに登記しなければなりません（民法337条）。
②不動産の工事の先取特権　→　工事を始める前にその費用の予算額を登記しなければなりません（民法338条1項前段）。
③不動産の売買の先取特権　→　所有権の移転の登記と同時に（＊）不動産の売買代金またはその利息が弁済されていないことを登記しなければなりません（民法340条）。

＊民法340条には「売買契約と同時に」と規定されていますが，所有権の移転の登記と同時でないと不動産の売買の先取特権の登記はできませんので，所有権の移転の登記と同時で構いません。

5　他の先取特権者および一般債権者・他の担保権者との間の優先関係

　上記2～4では，同種の先取特権の中での優先関係をみてきました。しかし，同一目的物について，一般の先取特権と動産の先取特権が成立したりすることもあれば，先取特権者と一般債権者や他の担保権者（質権者や抵当権者）が競合することもあります。その場合の優先関係を，「一般財産」（下記1.），「動産」（下記2.），「不動産」（下記3.），つまり，目的物に分けてみていきます。

　なお，これはすべてに関係するルールですが，同一目的物について，同順位の先取特権者が数人いるときは，各先取特権者はその債権額の割合に応じて弁済を受けます（民法332条）。

＊以下の図の「①」「②」などは，順位を表しているのではなく，説明の便宜のために付けているものです。

1．目的物が「一般財産」である場合

　一般財産に対する優先関係は，右のとおりとなります。

　「一般財産」とは，担保に入っていない財産のことです。担保に入っていない財産ですので，担保権者との関係は問題とならず，一般債権者との関係のみが問題となります。

① 「一般の先取特権」は法律で特に保護すべき債権であり，その額も少額ですので，「一般債権」に優先します。

② 「一般の先取特権」の間の優先関係は，P197～198の2.で説明したとおりです。

優先 ↑

②共益の費用
②雇用関係
②葬式の費用
②日用品供給費
①一般債権

※太字になっているものが先取特権です。

2．目的物が「動産」である場合

　動産に対する優先関係は，右のとおりとなります。

　動産を目的とする債権者は，動産の先取特権者以外に，一般の先取特権者（＊），動産質権者，一般債権者がいます。

＊一般の先取特権は，債務者の総財産を目的としますので，動産にも成立します。

① 一般の先取特権のうち，「共益の費用」のみ動産の先取特権に優先します（民法329条2項ただし書）。共益の費用は債権者みんなのためになる費用なので，最優先される権利となるのです。

② 「共益の費用以外の一般の先取特権」は，動産の先取特権に後れます（民法329条2項本文）。動産の先取特権は特定の

優先 ↑

①共益の費用	
⑤不動産の賃貸借	③動産質権
⑤動産の保存	
⑤動産の売買	
②一般の先取特権（共益の費用を除く）	
④一般債権	

※太字になっているものが先取特権です。

203

動産のみを目的とするものなので, 総財産を目的とする一般
の先取特権に優先するのです。

③「動産質権」は, 動産の先取特権のうち第1順位の不動産の賃貸借の先取特権と同
順位となります（民法334条）。質権は, その動産から優先弁済を受けることを期
待して設定された担保物権だからです。

④一般の先取特権と動産の先取特権は法律で特に保護すべき債権ですので,「一般債
権」に優先します。

⑤「動産の先取特権」の間の優先関係は, P199～200の2.で説明したとおりです。

3. 目的物が「不動産」である場合

不動産に対する優先関係は, 以下のとおりとなります。

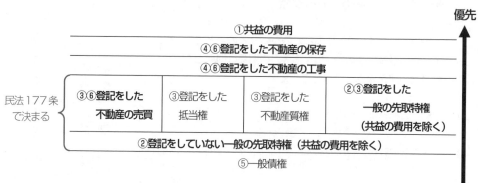

＊太字になっているものが先取特権です。

　上記の図には,「登記をした一般の先取特権」と「登記をしていない一般の先取特
権」があります。一般の先取特権は債務者の総財産を目的としますので, 不動産にも
成立します。そして, 不動産なので登記をすることもできます。

　ただ, 一般の先取特権は, まずは不動産以外の財産から弁済を受け, それでも不足
がある場合でなければ不動産から弁済を受けることができません（民法335条1項）。
不動産から債権を回収することを期待している債権者は多いです。しかし, 一般の先
取特権は, 債務者の総財産を目的とするので, 債務者のすべての不動産に成立します。
そこで, 一般の先取特権者の優先弁済権に制限を設けないと, 他の債権者への影響が
大きくなってしまうので, このような制限があります。

①一般の先取特権のうち，「共益の費用」のみ不動産の先取特権に優先します（民法329条2項ただし書）。共益の費用は債権者みんなのためになる費用なので，最優先される権利となるのです。

②「共益の費用以外の一般の先取特権」は，不動産の先取特権に後れます（民法329条2項本文）。不動産の先取特権は特定の不動産のみを目的とするものなので，総財産を目的とする一般の先取特権に優先するのです。ただし，一般の先取特権も登記をすると，登記をした不動産の売買の先取特権，登記をした抵当権，登記をした不動産質権と同等となり，登記の先後で優先関係が決まることになります（民法177条）。

③「登記をした不動産の売買の先取特権」，「登記をした抵当権」，「登記をした不動産質権」，「登記をした一般の先取特権（共益の費用を除く）」の優先関係は，登記の先後によって決まります（民法177条）。

④「登記をした不動産保存の先取特権」と「登記をした不動産工事の先取特権」は，不動産の売買の先取特権，抵当権，不動産質権，一般の先取特権（共益の費用を除く）よりも後に登記された場合でも，これらの権利に優先します（民法339条，361条）。保存・工事によって保存・増加された価値は先取特権者のおかげですし，保存・工事の費用は少額ですので，このような非常に図々しい優先権が認められているのです。

⑤「一般債権」は，登記をしていない一般の先取特権にさえ後れます。

⑥「不動産の先取特権」の間の優先関係は，P201〜202の2.で説明したとおりです。

第3節　効力

1 一般の先取特権と動産の先取特権の追及効

先取特権の目的となっている動産を債務者が譲渡してしまった場合，先取特権はどうなるかという問題があります。以下の Case で考えてみましょう。

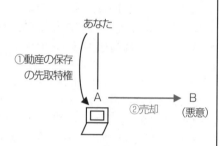

> **Case**
>
> あなたは，Aに頼まれてAが所有しているパソコンを修理したが，Aが修理費用を支払わなかったので，そのパソコンにあなたの動産の保存の先取特権が成立した。その後，Aは，そのパソコンが先取特権の目的物となっていることを知っているBに，そのパ
>
> ソコンを売却し，占有改定の方法により引き渡した。この場合，あなたはそのパソコンについて先取特権を行使できるか？

> **民法333条（先取特権と第三取得者）**
> 　先取特権は，債務者がその目的である動産をその第三取得者に引き渡した後は，その動産について行使することができない。

1．意義

動産が先取特権の目的となっていても，その動産を第三者が取得し引渡しを受けると，先取特権者は先取特権を行使できなくなります（民法333条）。

動産に成立する先取特権には，動産の先取特権だけでなく一般の先取特権もありますので，この民法333条が適用されるのは，動産の先取特権と一般の先取特権になります。

2．趣旨

この条文の趣旨として「取引の安全のためである」と説明しているテキストが多いです。しかし，下記3．①でみるとおり，第三者は悪意でも構いませんので，取引の安全では説明できません。取引の安全は善意者を保護する考え方だからです。

そこで，この条文の趣旨は，「先取特権が成立していても，動産は債務者の生活や営業の中で譲渡する必要性が生じることも多いので，債務者の処分権を認めている」

と考えてください。つまり，第三者の保護というよりは，債務者の処分権を認めるための条文なのです。「そうすると，先取特権者が害されるのでは？」と思われると思いますが，先取特権者は，下記 2 で説明するとおり，（上記 Case でいうと）AのBに対する売買代金債権に物上代位ができるので，先取特権者の保護も図られています。

3. 要件

　債務者が，動産の先取特権または一般の先取特権の目的となっている動産を「第三取得者」（下記①）に「引き渡した」（下記②）ことです。

①第三取得者

　「第三取得者」とは，動産の所有権を取得した者のことです（大判昭 16.6.18）。賃借人や質権者などは含みません。しかし，譲渡担保権者は含まれます（最判昭 62.11.10）。譲渡担保権者が所有権を取得すること（P334 の 1.で説明します）を重視した結論です。
　第三取得者は，先取特権の存在について悪意であっても構いません。上記 2.のとおり，債務者に処分権を認めたので，債務者に処分権がある以上，第三者が悪意かは関係ないからです。

②引き渡した

　引渡しには，占有改定も含まれます（大判大 6.7.26，最判昭 62.11.10・通説。P86 の「記憶のテクニック」）。上記 2.のとおり，債務者に処分権を認めたので，債務者に処分権がある以上，引渡しの方法は関係ないからです。

　よって，上記 Case のBは，先取特権の存在について悪意であり，占有改定による引渡ししか受けていませんが，それでも要件を充たしますので，あなたはパソコンについて先取特権を行使できなくなります。

2　物上代位

> **民法304条（物上代位）**
> 1　先取特権は，その目的物の売却，賃貸，滅失又は損傷によって債務者が受けるべき金銭その他の物に対しても，行使することができる。ただし，先取特権者は，その払渡し又は引渡しの前に差押えをしなければならない。

1．意義

物上代位：先取特権の目的物が売却・賃貸・滅失・損傷により保険金請求権などに変じた場合，その変じたものに先取特権の効力が及ぶこと（民法304条）

ex1. 上記 1 の Case においては，先取特権の目的であるパソコンが売買代金債権に変じましたので，あなたは，AのBに対する売買代金債権に物上代位できます。

ex2. AがBから依頼を受けて機械の設置工事を請け負い，その履行のため，Aがあなたからその機械を購入し，あなたがAの指示に基づいてその機械をBに引き渡した場合，Aがあなたにその機械の売買代金を支払っておらず，あなたの動産の売買の先取特権が生じたとき，

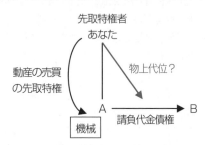

原則として，あなたは，AのBに対する請負代金債権について物上代位できません。しかし，BがAに支払う請負代金がAがあなたに支払う売買代金に相当するなど，請負代金債権の全部または一部を売買代金債権と同視するに足りる特段の事情がある場合には，物上代位できます（最決平10.12.18）。

2．いつまで物上代位できるか？

目的物が売買代金債権などに変じたとき，先取特権者は家で寝ているだけで物上代位できるわけではありません。民法304条1項ただし書で「払渡し又は引渡しの前に差押えをしなければならない」とされています。

具体的にみていきましょう。

＊以下の判例知識は，民事執行法・民事保全法を学習した後でないと理解が難しいので，今はわからなくても気にされないでください。

　動産の売買の先取特権の物上代位については，債務者が動産を転売し，動産が転売代金債権に変じた後，他の債権者がその転売代金債権を差し押さえまたは仮差押えをして

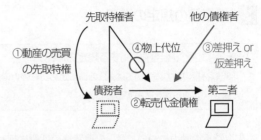

も，動産の売買の先取特権者は，転売代金債権を差し押さえて物上代位権を行使できます（最判昭60.7.19）。

　しかし，その転売代金債権が譲渡されて第三者に対する対抗要件が備えられたり（最判平17.2.22），その転売代金債権について転付命令（P257）を得た債権者が現れたりした場合は（最判昭59.2.2），動

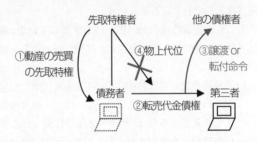

産の売買の先取特権者は，転売代金債権を差し押さえて物上代位権を行使できません。

　上記の結論が異なる理由を説明します。
　動産の売買の先取特権は，その動産を目的とするものです。よって，その動産が変じた転売代金債権が，他の財産に混じって完全に特定性を失ってしまうか，第三者が排他的な権利を取得するまでは物上代位をすることができます。転売代金債権の譲渡や転付命令の場合は，「第三者が排他的な権利を取得した」といえますが，転売代金債権が他の債権者に差し押さえられたり仮差押えをされたりしただけでは，「他の財産に混じって完全に特定性を失った」「第三者が排他的な権利を取得した」とはいえないのです。民事執行法・民事保全法で学習する知識になってしまいますが，債権に差押えや仮差押えがされただけでは，その債権が特定の債権者のものになったわけではないからです。

3 抵当権の規定の準用

> **民法341条（抵当権に関する規定の準用）**
> 先取特権の効力については，この節に定めるもののほか，その性質に反しない限り，抵当権に関する規定を準用する。

　先取特権の効力については，先取特権の性質に反しない限り抵当権の規定が準用されます（民法341条）。先取特権は，目的物の占有を要しない非占有担保である点で抵当権と類似しているからです。

　よって，先取特権の効力について学習していない知識を問われたら，原則として，抵当権の知識で答えてください。試験では，たとえば，以下のような知識が問われています。

ex1. 不動産売買の先取特権について，売買代金と利息の支払がされていない旨の登記がされていても，利息について，後順位抵当権者や一般債権者など第三者との関係で優先できるのは，最後の2年分に限られます。P237の民法375条の規定は，先取特権にも準用されるからです（民法341条）。

ex2. 先取特権の目的となっている不動産の所有権を買い受けた第三者が，先取特権者の請求に応じてその先取特権者にその代価を弁済したときは，先取特権は，その第三者のために消滅します。P320の民法378条の規定は，先取特権にも準用されるからです（民法341条）。

ex3. 先取特権の目的となっている不動産の第三取得者は，消滅請求の手続をとることができます。P322の民法379条の規定は，先取特権にも準用されるからです（民法341条）。

[MEMO]

第1節　質権とは？

> **民法342条（質権の内容）**
> 質権者は，その債権の担保として債務者又は第三者から受け取った物を占有し，かつ，その物について他の債権者に先立って自己の債権の弁済を受ける権利を有する。

1　意義

質権：設定者（債務者または物上保証人）が債務の担保に出した物を，質権者が占有し（権利質を除く），債務が弁済されない場合にその物の売却価額から優先弁済を受ける約定担保物権

　これが，最もなじみ深い担保物権かもしれません。「質」ときくと質屋さんをイメージされると思います。「ブランド物のバッグを質に入れてお金を借りる」というハナシは聞いたことがあると思います。厳密にいうと，質屋には質屋営業法という特別法が適用されるので，民法の質権とは異なる点があります。また，今の質屋は，担保を取ってお金を貸すことよりも，買取りとその販売がメインとなっています。しかし，最もイメージしやすいのが質屋でしょうから，まずは質屋でイメージしてください。

　ただし，それは質権のうち「動産質」のイメージです。実は，質権は3種類あります。担保に取るものの目的の違いに応じて分かれています。動産を担保に取るのが「動産質」，不動産を担保に取るのが「不動産質」，債権などを担保に取るのが「権利質」です。

質権 ─┬─ 動産質　（第2節）
　　　├─ 不動産質（第3節）
　　　└─ 権利質　（第4節）

　この第1節では，基本的に3種類の質権に共通するハナシを扱います。

2　趣旨

　抵当権と比較して考えてみましょう。抵当権は，占有を移さない，つまり，設定者が不動産を使用し続けることができる点に特徴がありました（P231①）。それに対して，質権は，（権利質を除いて）質権者に質物の占有を移すことが成立要件となっています。つまり，"占有を移すか移さないか"ということが，質権と抵当権の最大の違いなのです。

　質権は，質権者に占有を移すことで，債務者に心理的圧迫を加え，債務の弁済を間

接的に強制する担保物権です。自分の大事なブランド物のバッグが取られていたら，早く弁済して取り返したいと思いますよね。

③ 当事者
質権設定契約の当事者は，質権者と設定者です。

・質権者：被担保債権の債権者
・設定者：債務者または第三者（民法342条）

設定者に「第三者」とありますとおり，質権にも物上保証があります（P233の「約定担保物権→物上保証」）。
ex. お金を借りたい彼氏のために，その彼女がブランド物のバッグを質に入れることもOKです。

④ 効力
1. 被担保債権の範囲
（1）広く担保される
質権で担保される債権は，以下のものです（民法346条本文）。なお，設定契約で被担保債権の範囲を変更することもできます（民法346条ただし書）。

・元本
・利息
・違約金
・質権の実行の費用
・質物の保存の費用
・債務の不履行による損害賠償
・質物の隠れた瑕疵によって生じた損害の賠償

なんかいっぱいありますね……。質権の被担保債権の範囲はヒジョーに広いです。利息や損害賠償が，最後の2年分に制限されるということもありません。
被担保債権の範囲が広い理由ですが，抵当権と異なり，質権は質権者が目的物を占有するため，後順位の質権者が登場することがほとんどありません。また，質物が第三者に譲渡されることも少ないです。つまり，質権者以外には関係ない（ことが多い）ので，被担保債権の範囲を広くしても構わないのです。

=P339
┐
P237

（2）将来債権

P234＝
P339　　将来債権であっても，被担保債権となります。

　　将来債権は，抵当権でも被担保債権となりました（P234（2））。上記（1）で説明
したとおり，質権の被担保債権の範囲のほうが広いわけですから，もちろん，質権の
被担保債権ともなるのです。

（3）根質権

＊この根質権の説明は，不動産登記法で根抵当権を学習した後にお読みください。

　　将来生じる債権について，一定の基準を定めてその範囲内のものを一括して担保す
る「根質権」を設定することもできます。根抵当権の質権バージョンです。

　　根質権には，目的物の違いによって「動産根質権」と「不動産根質権」があります
が，これらには少し違いがあります。

（a）動産根質権

　　動産根質権は，極度額（担保される債権の限度額）を定める必要はありません（大
判大6.10.3）。

　　動産だと他の担保権者が登場する確率が低いため，他の担保権者のことを考える必
要があまりないのです。

（b）不動産根質権

　　それに対して，不動産根質権は，極度額を定める必要があります。

　　形式的な理由は，不動産質権には抵当権（根抵当権）の規定が準用されるからです
（民法361条，398条の2第1項。P220[1]）。

　　実質的な理由は，不動産だと他の担保権者が登場する確率が高いため，負担の限度
を明確にして，後順位抵当権者などが「私にも優先権がこれくらいは回ってくるかな」
とわかるようにしておく必要があるのです。

2．優先弁済的効力
（1）優先弁済を受ける方法

　　質権者が優先弁済を受ける方法は，抵当権などと同じく，基本的には競売（民執法
180条，190条，192条）です。

（2）流質契約の可否

ここで，疑問を持った方がいると思います。「質屋って，借りた金を返さなかった債務者のブランド物のバッグとかをわざわざ競売しているの？」という疑問です。質屋の場合は，わざわざ競売をしていません。債務者が借りた金を返さなかった場合，債務者のブランド物のバッグを取り上げて質屋の所有物とします。要は，払わなければ取り上げるということです。これを「流質」といいます。

質屋の場合は，質屋営業法で流質が特別に認められています。質屋の場合は，行政の厳しい監督を受けるなど他の規制が厳しいため，認められているのです。

しかし，民法では，流質は認められていません（民法349条）。

人にお金を借りるときは，せっぱ詰まっているときです。そうすると，たとえば，1万円しか借りないのに，20万円のバッグを担保に取られるということも往々にして起こります。「貸してください〜」と土下座をして借りようとしているときですから，差し出せるものならなんでも差し出してしまいます。そこで流質を認めてしまうと，債務者が返せなくなった場合，質権者は1万円しか貸していないのに20万円のバッグを奪えることになってしまうのです。よって，規制の厳しい質屋と異なり，民法では流質は認められていないのです。

この流質の禁止（民法349条）は強行規定であり，流質契約をしても無効となります。

※弁済期後の流質の可否

弁済期後に流質契約をすることは，民法でもOKです（民法349条参照）。

弁済期後ですから，「貸してください〜」と土下座をして借りようとしているときではないからです。

次のページからは，「動産質」「不動産質」「権利質」と分けてみていきます。

第2節　動産質

1　意義

動産質：動産を目的として設定される質権

動産質権の目的物は，譲渡可能な物である必要があります（民法343条）。よって，法律上，譲渡が禁止されている麻薬などは動産質権の目的とすることができません。譲渡可能でないと，換価して優先弁済を受けられないからです。換価して優先弁済を受けるのが担保物権です。

譲渡可能な物であれば構いませんので，民事執行法上の差押禁止動産も動産質権の目的とすることができます。強制執行において，宝石やテレビは差し押さえられるのですが，寝具や仏像など差押えが禁止されているものがあります（民執法131条）。寝具や仏像まで取り上げるのは，行き過ぎだからです。それが差押禁止動産です。しかし，動産質権は設定者が自ら差し出しますので，設定者が構わないのならば寝具や仏像などでもOKなのです。

2　設定

1．成立要件

動産質権の成立には，当事者の合意（下記①）に加え，目的物の引渡し（下記②）も必要です。目的物の引渡しも要求されるのは，要物契約だからです。

> ── 用語解説 ──「要物契約」
>
> 「要物契約」とは，当事者の合意に加え，目的物の引渡しもされることにより成立する契約のことです。当事者の合意だけで成立する「諾成契約」の反対概念です。

①質権設定の合意

質権者と設定者（債務者または物上保証人）が合意します。

P220=

②目的物の引渡し（民法344条）

Case

Aとあなたは，Aがあなたに20万円を貸す担保として，あなたが所有しているブランド物のバッグに質権を設定することにした。バッグはあなたがAのために占有する，つまり，バッグの引渡しを占有改定ですることができるか？

　要物契約であるため，債権者への目的物の引渡しもあって初めて動産質権が成立します。

　要物契約とされたのは，動産質権は抵当権と異なり登記をするわけではないので，債権者への占有の移転によって質権の存在を公示する必要があるからです。また，目的物を奪うことで債務者に心理的圧迫を加え，債務の弁済を間接的に強制することが質権の本質であることも理由の１つです。

※動産質権の成立に必要な占有の移転方法

　占有改定（民法183条）では，ダメです（民法345条）。よって，上記Caseの場合，動産質権は成立していません。

　動産質権は抵当権と異なり登記をするわけではないので，占有の移転によって質権の存在を公示する必要がありますが，設定者のところにあったのでは公示になりません。また，目的物を奪うことが質権の本質ですので，現実には設定者が占有したままである占有改定ではダメです。

=P221

　それに対して，現実の引渡し（民法182条1項），簡易の引渡し（民法182条2項），指図による占有移転（民法184条）はOKです。

　「引渡しの要件を充たすか？」が問題となるときには，これら３つは常に要件を充たしますので（P86の「記憶のテクニック」），占有改定が要件を充たすかだけを記憶してください。

　指図による占有移転で動産質権は成立しますので，この方法を使えば複数の動産質権を設定することができます。

ex. あなたがブランド物のバッグを倉庫に預けていたとします。この場合，あなたが倉庫管理者に，「Aのために質権を設定したので，Aのために占有しろ」と命じてAの動産質権を設定した後，倉庫管理者に「Bのために質権を設定したので，Bのためにも占有しろ」と命じることでBの動産質権を設定することもできます。

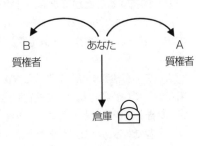

　複数の動産質権者が登場する珍しいパターンです。この場合，AとBの優先関係は設定の前後によるため，先に設定を受けたAがBに優先します（民法355条）。

2．対抗要件としての「占有」

> ### 民法352条（動産質の対抗要件）
> 　動産質権者は，継続して質物を占有しなければ，その質権をもって第三者に対抗すること
> ができない。

P221

　質権者が動産の占有を取得することは，動産質権の成立要件ですが，対抗要件でもあります。それを定めたのが，この民法352条です。なお，"対抗要件"ですので，質権者が占有を失っても質権が消滅するわけではありません。

　よって，たとえば，質権が成立した後に，設定者が「大事なデートがあるから，今日だけバッグを返してください」と言い，質物であるブランド物のバッグが設定者に返還された場合でも，質権は消滅せず，対抗力が失われるだけです（大判大5.12.25）。

（1）代理占有（間接占有）も含むか

　民法352条の「占有」は，他人の所持を介しての占有である代理占有（間接占有。P78）でも構いません。上記1．のex.が代理占有（間接占有）の例です。AとBは，倉庫に所持をしてもらって代理占有（間接占有）しています。

　ただし，設定者に所持させる代理占有（間接占有）はダメです（民法345条）。
　質権の存在を公示する必要がありますので，設定者のところに質物があったのでは公示にならないからです。

（2）対抗することができない「第三者」

　占有を失って対抗することができなくなるのは，設定者と債務者以外の者に対してです。「第三者」ですから，設定者と債務者は含みません。

　よって，質権者が占有を失った質物が設定者のところにあるときは，質権者は設定者に対して，質権に基づいて質物の返還を請求できます。
ex. 質権者Aが質にとったブランド物のバッグをなくしてしまいましたが，それを設定者であるあなたがたまたま拾った場合には，Aはあなたに対して，質権に基づいてそのバッグの返還を請求できます。

（3）第三者に質物を奪われた場合

　占有を失うと，第三者には動産質権を対抗できなくなります（民法352条）。では，第三者に質物を奪われた場合は，質権者は何ができるでしょうか。

　まず，質権に基づく返還請求はできません。占有を失い動産質権の対抗力を失っているため，物権的請求権（物権的返還請求権）が認められないからです。

　返還の請求は，占有回収の訴え（民法200条）によってのみできます（民法353条）。占有を奪われていますので，P92（a）の占有回収の訴えの要件に該当するのです。

③ 効力 ―― 質物の保管方法

＊これは，留置権の規定を準用している部分なので，P191～192 の④で扱っているのですが，不動産質権に特則があり（P222の1.），その違いを考えるうえで重要な規定なので，ここでも説明します。

1．注意義務

　質権者は物を占有できますが，占有している物について善管注意義務（P132）を負います（民法350条，298条1項）。占有している物は，他人の物だからです。

2．設定者の承諾がないとできないこと

　質権者は，設定者の承諾を得なければ，質物を使用したり，賃貸したり，担保に供したりすることができません（民法350条，298条2項本文）。

ex. あなたが所有しているブランド物のバッグを
　　質物として占有している質権者Aは，あなたの
　　承諾がなければ，そのバッグをBに賃貸するこ
　　とができません。

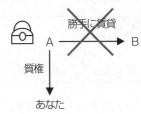

　動産の場合，使用すると価値が下がるからです。
新品で20万円のバッグでも，使用してUSEDになると3万円程度でしか売れなかったりしますよね。

┐
P222

④ 優先弁済権

　動産質権者は，弁済期に債権の弁済を受けないとき，質物から弁済を受けるには，質物を競売する必要があるのが原則です。しかし，正当な理由がある場合に限り，あらかじめ債務者に通知をしたうえで，鑑定人の評価に従って質物をもって直ちに弁済に充てることを裁判所に請求することができます（民法354条）。

　動産は，価値が低く競売すると費用倒れになる，相場が決まっている（これらが「正当な理由」の例です），といったことがあるので，不動産質と異なり，競売せずに質物を弁済に充てる方法が認められているんです。

第3節　不動産質

1　意義

不動産質：不動産を目的として設定される質権

民法361条（抵当権の規定の準用）

　不動産質権については，この節に定めるもののほか，その性質に反しない限り，次章（抵当権）の規定を準用する。

　不動産質権には，抵当権の規定が準用されます（民法361条）。不動産を目的とした担保物権であるという共通の性質があるからです。

ex. 不動産質権の目的となっている不動産の所有権を買い受けた第三者が，不動産質権者の請求に応じてその不動産質権者にその代価を弁済したときは，不動産質権は，その第三者のために消滅します。P320の民法378条の規定は，不動産質権にも準用されるからです（民法361条）。

2　設定

1．成立要件

Case

　あなたが所有している建物にA銀行の質権を設定する場合，建物の引渡しをすることなく，不動産質権の登記をすることで設定することができるか？

　不動産質権の成立要件も，以下の2点です。

①質権設定の合意

　質権者と設定者（債務者または物上保証人）が合意します。

P216＝

②目的物の引渡し

　不動産質権も「引渡し」が必要です（民法344条）。よって，上記Caseの場合，不動産質権は成立していません。不動産を引き渡す必要があります。

　設定者から占有を奪うことが質権の本質ですので，不動産質権であっても占有を移す必要があるのです。

※不動産質権の成立に必要な占有の移転方法

　これは動産質権と同じです。占有改定（民法183条）ではダメで，現実の引渡し（民法182条1項），簡易の引渡し（民法182条2項），指図による占有移転（民法184条。大判昭9.6.2）はOKです（P86の「記憶のテクニック」）。

=P217

2．対抗要件

> **Case**
>
> 　あなたが所有している建物にA銀行の質権を設定する合意がされ，A銀行に建物が引き渡された。この場合，A銀行が占有しているという事実があるから，不動産質権の登記がなくても不動産質権を第三者に主張することができるか？

P218
⌟

　不動産質権の対抗要件は，登記です（民法177条）。不動産の物権変動ですから，原則どおり民法177条が適用されるのです（P28（a））。よって，上記Caseにおいて，A銀行は不動産質権の登記をしていませんので，不動産質権を第三者に主張することはできません。

　不動産質権の成立要件は合意と「引渡し」であり，対抗要件は「登記」であるという点は，よく知識の混同をねらって出題されます。よって，思い出し方を考えておきましょう。成立要件は質権の本質から，対抗要件は民法177条の原則から考えるという思考過程で思い出せるようにしてください。

3．存続期間

　不動産質権には存続期間があります。

　不動産質権の存続期間は，10年を超えることができません。10年より長い期間を定めたときでも，存続期間は10年に短縮されます（民法360条1項）。存続期間の定めがないときは，存続期間は10年となります（大判大6.9.19）。

　存続期間を経過すると，不動産質権は消滅します。

　一応，存続期間の更新もできますが，更新後の存続期間も更新時より10年を超えることができません（民法360条2項）。

　動産質や権利質と異なり，不動産質権には存続期間がある理由は，不動産を長期にわたって他人（不動産質権者）の手に委ねておくことは不動産を荒廃させることになるからです。「10年」は，「不動産質権」と記憶してください。

3　効力

Case

あなたが所有している建物に，A銀行の質権が設定された。

（1）A銀行は，あなたの承諾なしで，その建物をBに賃貸することができるか？

（2）A銀行は，あなたに被担保債権の利息を請求することができるか？

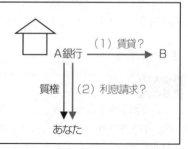

1．使用収益権

不動産質権者は，設定者の承諾がなくても，質にとった不動産を使用したり賃貸したりすることができます（民法356条）。よって，上記Case（1）の賃貸は可能です。不動産を賃貸した場合，不動産質権者が不動産から生じた家賃などを収取することができます（大判昭9.6.2）。

P219

不動産の場合，誰も使用しないと，クモの巣だらけになったりホームレスが住み着いたりしてかえって荒廃してしまいます。ここが，使うとUSEDになり価値が下がってしまう動産との違いです。

2．不動産質権者の負担

（1）管理費用

不動産質権者は，質にとった不動産の管理費用その他の不動産上の負担を負います（民法357条）。

これは，上記1.の使用収益権が認められた代わりに不動産質権者が負う負担です。「使ったり貸したりできるんだから，費用などは負担しろ」ということです。

ex. 不動産質権者が質にとった建物を使用できる代わりに，その建物の固定資産税は不動産質権者が支払う必要があります。

（2）利息

上記Case（2）ですが，不動産質権者は被担保債権の利息を請求できません（民法358条）。

これも，上記1.の使用収益権が認められた代わりです。「使ったり貸したりできるんだから，それが利息に相当するだろ」ということです。

利息とは？

　利息が生じるのは，一定期間その金銭を使うことができることから生まれる利益があるからです。つまり，「この期間金銭を使えるなら，これだけ（←これが利息に相当）増やせるでしょ」ということです（今の時代はほとんど増やせませんが……）。

　不動産質権では，たしかに債務者が借りたお金を使えますが，質権者も不動産を使えるので，利息が請求できないとされています。

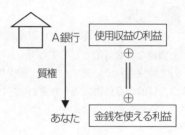

3．特約の可否

　上記1.と2.は強行規定ではありませんので，これと異なる特約をすることができます（民法359条）。

ex.「設定者が不動産を使用し管理費用を支払い，不動産質権者は利息を請求できる」という特約をすることができます。不動産質権者からすると，こちらのほうがラクでしょう。

― Realistic 2　不動産質権は使われない ―

　不動産質権は，実務ではほとんど使われません。その理由は，以下の2点です。

①不動産質権は，10年の存続期間があります（P221の3.）。10年で消えてしまうような担保物権は，銀行からすると使いにくいです。それに対して，抵当権には存続期間はありません。抵当権は不動産を他人（抵当権者）の手に委ねるわけではないからです。抵当権なら，20年ローンでも30年ローンでも使えるのです。

②不動産質権は，原則として不動産質権者が不動産を管理します（P222の1.）。銀行からすると，これはメンドーです。

　よって，実務では，これらの問題がない抵当権が使われます。

第4節　権利質

> **民法362条（権利質の目的等）**
> 1　質権は，財産権をその目的とすることができる。

1　意義

　権利質：債権，株式などの財産権を目的とする質権
　債権などを目的としますので，もはや物権といえるか微妙ですが，民法では物権として規定されています。一応，担保物権は交換価値を把握することが主な目的ですから，目的が有体物に限られるわけではないと説明されます。ちょっと目的を広げすぎなような気がしますが……。

　債権などは抵当権では目的とすることができないので，この権利質は実務でも重要な役割があります。
ex. 銀行が住宅ローンの融資をする際，設定者
　　が有する建物の火災保険の保険金請求権
　　に債権質を設定することがあります。P251
　　の2.で説明したとおり，抵当権の目的とな
　　っている不動産が焼失した場合，抵当権者
　　は設定者が有する保険金請求権に物上代

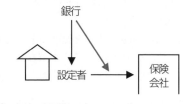

　　位することができます。しかし，物上代位をするには保険金の払渡し前に差押えが必要であり（民法372条，304条1項ただし書），保険金請求権について確実に優先権を行使できるとは限りません。そこで，抵当権の設定と同時に，保険金請求権に権利質（債権質）を設定しておくことがあるのです。

2　債権質

　試験で問われる権利質は，ほとんどが債権を目的とする「債権質」ですので，債権質について説明します。

1. 成立要件

　債権質の成立要件は，以下のとおりです。

①質権設定の合意（設定契約）

　質権者（上記1のex.だと銀行）と債権を有する設定者（上記1のex.だと建物の所有者）が合意します。

②有価証券（手形，小切手など）については，質入れの裏書（うらがき），証書の交付も必要となる場合あり（民法520条の7，520条の2，520条の17，520条の13，520条の20）

　この②の要件は，有価証券に関するものであり，すべての債権質にマストな要件ではありません。たとえば，通常の金銭消費貸借契約から生じた債権ならば，裏書や借用証書（証書）の交付は不要です。

　「裏書」というのは，手形などの裏面に「○○のためにこの手形に質権を設定した」などと記載することです。

2．対抗要件

　通常の債権質の場合，対抗要件は，第三債務者（以下の ex.だと B）への通知または第三債務者の承諾です（民法364条，467条）。

ex. AがBに債権を有しています。このAのBに対する債権を目的として，Aの債権者であるあなたのために債権質を設定した場合，AがBに通知をすること，または，Bが承諾をすることが，債権質の対抗要件となります。

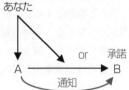

　下記3.（1）で説明しますが，債権質が設定されると，Bの支払先がAからあなたに変わります。そこで，Bが誤ってAに支払ってしまわないように，確実にBに知らせる必要があるのです。よって，第三債務者の承諾は，具体的に特定された者に対する質権の設定についてなされる必要があります（最判昭58.6.30）。上記ex.では，「あなた」に質権を設定したと具体的に特定されていますので，問題ありません。

　これは，Ⅲのテキスト第5編第5章第1節2で扱う債権譲渡と同じ対抗要件です。債権質は債権譲渡と類似するので，対抗要件も債権譲渡と同じとなるのです。

3．効力

　債権質の効力は，質入れされた債権のすべてに及びます。よって，その債権に担保（ex. 抵当権，保証人）があれば，担保にも及びます。

　では，債権質が設定されると，質に入った債権は誰が取り立て，どのように弁済されることになるのでしょうか。以下の Case で考えてみましょう。

Case

　AがBに100万円の債権を有している。このAのBに対する債権を目的として，あなたがAに対して有している 50 万円の債権を担保するために質権が設定された。この場合，AのBに対する債権を取り立てられるのは誰か？

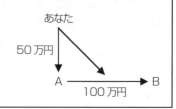

（1）設定者の取立権

　債権質を設定すると，設定者は自分の債権ですが，取立てなど債権を消滅させる行為ができなくなります（最判平18.12.21 参照）。よって，上記 Case において，Aは自分の債権ですが，取立てができません。

　設定者は債権を担保に出したので，質権者を害する行為ができなくなるからです。

　できなくなるのは質権者を害する行為ですので，設定者は，時効の完成猶予事由である催告（民法 150 条）や債権存在確認の訴えを提起することはできます。これらは，むしろ質権者のためになる行為だからです。

（2）質権者の取立権
（a）直接取立権

　質権者は，質に入った債権を直接に取り立てることができます（民法366条1項）。よって，上記Caseにおいて，あなたは「A→B」の債権を取り立てられます。

　債権を直接に取り立てることができますので，他の民法上の担保物権と異なり，裁判所の関与なく取り立てられます。これは，動産質権や不動産質権では認められていないことです。動産や不動産は，競売をしてみないといくらで売れるかわかりません。よって，質権者が不当な評価をして，動産や不動産を取り上げるかもしれません。たとえば，質権者が，100 万円相当の時計を「10 万円だ」と評価して取り上げるかもしれません。よって，裁判所の手続で担保権を実行する必要があります。それに対して，

債権は契約などでその額が明確に定められており，不当な取立てとはならないので，直接の取立てを認めても構わないのです。

※債権の目的物が金銭でないとき

　債権の目的物が金銭でない，たとえば，上記 Case において「A→B」の債権が商品の引渡請求権である場合，質権者はその商品を取り立てることができます。質権者が商品を取り立てると，質権者はその商品に質権を有することになります（民法 366条4項）。

（b）取立ての要件

　質権者の債権（上記 Case だと「あなた→A」の債権）と質に入った設定者の債権（上記 Case だと「A→B」の債権）の双方の弁済期が到来している必要があります。

　「あなた→A」の債権の弁済期が到来していなければ，あなたには担保物権を実行する根拠がありませんし，「A→B」の債権の弁済期が到来していなければ，Bは支払を強制される筋合いがないからです。

※質に入っている債権（上記Caseだと「A→B」の債権）の弁済期が先に到来した場合

　この場合，「あなた→A」の債権の弁済期が到来していないので，あなたは取立てができませんが，Bに「供託しろ」と請求できます（民法 366条3項前段）。つまり，Bに対して，「国に預けておけ」と請求できるのです。

　BがAに支払ってしまうと，Aがそれを持ち逃げする可能性があるからです。

（c）取り立てることができる額

　質権者が取り立てることができるのは，自分の債権額が限度です（民法366条2項）。上記 Case では，「A→B」の債権額が100万円ですが，「あなた→A」の債権額が50万円ですので，あなたが取り立てることができる「A→B」の債権額は50万円です。あなたは，50万円しか債権を有していませんので，それを超える取立ては不要だからです。

第5節　転質

　3種類の質権をみましたが，質権にはもう1つ論点があります。それが，「転質」
です。これは質物の再利用のハナシです。

Case

　Aは，Bに対して貸した金の担保として，
Bが所有しているブランド物のバッグに質
権の設定を受け，Bから引渡しを受けた。そ
の後，Aがあなたから借金をした場合，Aは
そのバッグを，Bの承諾なくして，あなたに
対する債務の担保としてさらに質入れする
ことができるか？

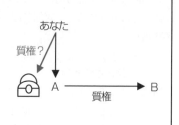

　転質：質権者（上記 Case だと A）が質物として受け取った物を，さらに自分の債
　　　　務を担保するために質入れすること

　上記 Case だと，AがBのバッグを質にとっているわけですが，そのバッグをさら
に質に入れる（あなたに渡す）ことが転質です。

　転質には，承諾転質（下記[1]）と責任転質（下記[2]）があります。

1 承諾転質

民法298条（留置権者による留置物の保管等）

2　留置権者は，債務者の承諾を得なければ，留置物を使用し，賃貸し，又は担保に供するこ
　とができない。ただし，その物の保存に必要な使用をすることは，この限りでない。

民法350条（留置権及び先取特権の規定の準用）

　第296条から第300条まで及び第304条の規定は，質権について準用する。

1．意義

　承諾転質：設定者（上記 Case だと B）の承諾を得てなされる転質

　これについては，すでに P191〜192 の 2.で扱っています。P191〜192 の 2.の留置権
についての規定である民法 298 条は質権に準用されていますので（民法 350 条），質
権者は設定者の承諾を得れば，質にとったものを担保に供する（さらに質入れする）
ことができます。

2．効果 ―― 原質権者の責任

　承諾転質がされた場合，原質権者（上記 Case だと A）は過失責任しか負いません。よって，上記 Case がBの承諾のある承諾転質だった場合，あなたのところにある質物が不可抗力によって消滅したときは，AはBに対して損害賠償責任を負いません。

　あなたに質入れすることをBは納得していますので，Aは無過失責任までは負わなくて済むのです。

2　責任転質

1．意義

　上記 1 の民法350条，298条2項だけですと，承諾転質しかできないように思えます。しかし，質権の規定の中には，以下の民法348条もあります。

民法348条（転質）

　　質権者は，その権利の存続期間内において，自己の責任で，質物について，転質をすることができる。この場合において，転質をしたことによって生じた損失については，不可抗力によるものであっても，その責任を負う。

　上記 1 の民法350条，298条2項の承諾転質しかできないと，この民法348条がまったく意味のない条文となってしまいます。それでは，民法348条がかわいそうすぎる……というか，意味のない条文というのはほとんどありませんので，民法348条により設定者の承諾がなくても転質ができると解されています（最判昭45.3.27・通説）。これを「責任転質」といいます。よって，上記Caseにおいて，Aはそのバッグを，Bの承諾なくしてさらに質入れすることができます。

2．性質

　上記 1 の承諾転質については，性質はほとんど問題となりません。承諾転質は，設定者の承諾がありますので，要件や効果がすべて設定者の承諾の内容によって決まるからです。

　それに対して，責任転質は設定者の承諾がないため，その性質をどのように理解するか（何が質入れされているか）について以下のとおり学説の対立があります。

＊上記 Case の人物関係で説明します。

Point

「A→B」の債権が質（転質）に入っているかいないかが，最大のポイントです。

	質物再度質入説（通説）　→←	共同質入説（有力説）
転質とは？	Aが，質物の上に再度質権を設定することです。「A→B」の債権は質に入りません。 質入れ　あなた　そのまま 🔒　A ――→ B 被担保債権	「A→B」の債権を質に入れることで，「A→B」の質権も付従性により質入れされます。 質入れ　あなた 🔒　A ――→ B 被担保債権
理由	①条文の文言（民法348条前段「質物について」）に合致します。 ②付従性（P179 1 ）は緩和すべきです。	付従性（P179 1 ）を重視すべきです。被担保債権が質（転質）に入ることによって，質権が質（転質）に入ります。
直接取立権	「A→B」の債権は質入されていないので，あなたが「A→B」の債権を直接に取り立てること（民法366条1項）は認められにくいです。	あなたが「A→B」の債権を直接に取り立てること（民法366条1項）が認められます。「A→B」の債権が質に入っていますので，P226～227（2）の債権質と同じ法律関係となるため，あなたは民法366条1項に基づいて「A→B」の債権を直接に取り立てることができるのです。

3．効果 ── 原質権者の責任

　責任転質がされた場合，原質権者（上記 Case だと A）は不可抗力によるものであっても，その責任を負います（民法348条後段）。上記 Case において，あなたのところにある質物が不可抗力によって消滅したときでも，AはBに対して損害賠償責任を負います。

　あなたに質入れすることをBは納得していませんので，Aの責任の範囲が広がるのです。

第5章 **抵当権**

第1節 抵当権とは？

1 意義

抵当権：設定者（債務者または物上保証人）が債務の担保に出した物を，抵当権者に占有を移転せずに設定者の使用収益に委ねておき，債務が弁済されない場合にその物の交換価値から優先弁済を受ける約定担保物権

2 特徴

抵当権の学習の視点

抵当権の規定は，以下の「非占有担保」「交換価値の把握」のどちらが前面にでるかが大きなポイントとなります。

①非占有担保：抵当権者が目的物を占有しない

この特徴が，抵当権が画期的な権利といわれる理由であり，担保物権の中で最も多く使われている理由でもあります。

同じ約定担保物権である質権（動産質）は，質権者に目的物を占有させる必要があります（質権は質屋でイメージしてください）。つまり，設定者が目的物を使えないのです。それに対して，抵当権は，目的物の占有を抵当権者に移転する必要がありませんので，設定者が目的物を使い続けることができます。

この利点が生きるのが，たとえば，住宅ローンの担保です。普通の人が住宅を購入するとき，現金では売買代金を払えないので，購入する土地と建物を担保にして銀行などで住宅ローンを組むのが通常です。しかし，土地と建物を購入して，その土地と建物に住めない（使えない）のであれば，誰も住宅ローンを組んで住宅を購入しないですよね。そこで抵当権を使えば，居住しながら住宅ローンを返済していくことができます。これによって，住宅などの取引が活発になり，経済の循環も良くなります。

②交換価値の把握：売り払った場合にいくらになるか

P7（c）で説明したハナシです。抵当権者の具体例としては銀行をイメージして欲しいのですが，銀行は担保に取った建物や土地が使いやすいかどうかなどはどうでもよく，「金に替えるといくらになるのか」のみを考えています。銀行は交換価値を把握していますので，抵当権の目的物をお金に替えることができるのです。

第2節　設定

> **民法369条（抵当権の内容）**
> 1　抵当権者は，債務者又は第三者が占有を移転しないで債務の担保に供した不動産について，他の債権者に先立って自己の債権の弁済を受ける権利を有する。
> 2　地上権及び永小作権も，抵当権の目的とすることができる。この場合においては，この章の規定を準用する。

1 設定方式

　抵当権は約定担保物権ですので，抵当権設定契約により成立します。諾成契約（P216）です。

2 当事者

　抵当権設定契約の当事者は，抵当権者と設定者です。

・抵当権者：被担保債権の債権者
・設定者　：債務者または第三者（民法369条1項）

　担保を差し出す設定者には，債務者だけでなく，第三者もなることができます。第三者が担保を差し出す場合を「物上保証」といい，その第三者を「物上保証人」といいます。
　よって，抵当権設定時の当事者の関係は，以下の2つのものがあることになります（あなたが抵当権者，Aが債務者である場合の例です）。

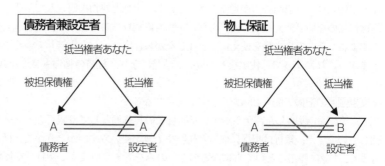

約定担保物権→物上保証

法定担保物権は物上保証ということはありませんが，基本的に約定担保物権については物上保証は OK です。

③ 目的物

抵当権の目的物，つまり，物権レベルのハナシをみていきます。

1．抵当権の目的となり得るもの

抵当権の目的となり得る（担保として差し出せる）のは，以下の①または②です。

判断基準

抵当権の目的とするためには，登記・登録制度がある必要があります。抵当権は非占有担保であるため（P231①），目的物を占有することによって公示できません。そこで，登記・登録で公示することになります（下記⑤）。よって，登記・登録制度が存在するものでないと認められないのです。たとえば，登記・登録制度が原則としてない動産に抵当権を設定することは，原則として認められません。

なお，登記・登録制度があれば，必ず抵当権の目的とできるわけではありません。たとえば，地役権は，登記制度がありますが，抵当権を設定することはできません（民法 281 条 2 項。P167〜168（3））。

①民法上認められているもの　：不動産（民法 369 条 1 項），地上権，永小作権（民法 369 条 2 項）
②特別法上認められているもの：工場財団，立木法に基づいて登記された立木など

2．一筆の土地の一部に設定することの可否

一筆の土地の一部であっても，抵当権を設定することはできます（P153 の「民法（実体）の基本的な考え方」）。

3．持分に設定することの可否

共有不動産の持分上に抵当権を設定することもできます。

これは，上記 2.の一筆の土地の一部に設定する物理的なハナシと異なり，観念的なハナシですのでご注意ください（P130 の「『30/90 ㎡』ではない」）。

4　被担保債権

被担保債権，つまり，今度は債権レベルのハナシをみていきます。

１．被担保債権の種類

P338＝　被担保債権は金銭債権に限りません。

ex. 物の引渡請求権を被担保債権として，抵当権を設定することもできます。

金銭債権以外の債権であっても，債務不履行の場合には，金銭債権である損害賠償請求権となるからです。

２．付従性との関係

担保物権には付従性がありますので（P179[1]），被担保債権が存在して初めて抵当権が成立するのが原則です。

（１）債権が無効である場合

被担保債権が無効である場合，設定された抵当権も無効となります。地球（債権）自体が存在しないのですから，人間(抵当権)が存在することはできないのです(P179)。

ex. 被担保債権が公序良俗違反で無効の場合，抵当権も無効です（大判昭8.3.29）。

（２）付従性の緩和 ―― 将来発生する債権

P214＝
P339　抵当権の付従性は緩和されており，以下の①や②のような，将来発生する債権を被担保債権とする抵当権の設定が認められています（大判明 38.12.6，大判昭7.6.1，最判昭33.5.9）。地球（債権）ができるよりもちょっと前に，宇宙空間で生きられる人間（抵当権）がいるようなものです。現代は金融の取引が多様化しているので，付従性を厳格に要求すると実際の取引の実情に合わなくなるため，付従性が緩和されているんです。

①期限付債権・条件付債権

期限付債権は期限が到来するまで，条件付債権は条件が成就するまで債権が発生しませんが，これらを被担保債権とする抵当権を設定することができます。

②求償債権

求償債権を被担保債権として抵当権を設定することができます。

求償債権とは，主債務者に保証人がいる場合に，保証人が主債務者の代わりに弁済したとき，保証人が主債務者に対して「代わりにお前の借金を払ってやったんだから，

払ってやった分をよこせ！」などと言える権利のことです（民法 459 条）。ドラマやマンガでは，保証人が主債務者の代わりに借金を支払い，保証人が破産してしまうなどというパターンが多いのですが（実際にもそのパターンは多いのですが），あくまで主債務者の借金ですから，保証人は主債務者に求償できるのです。

　実は，メガバンクが住宅ローン融資をする場合には，この求償債権を被担保債権として抵当権を設定するのが通常です。以下の図をご覧ください。メガバンク（株式会社○○銀行）には，関連会社（○○信用保証株式会社）があり，住宅の買主（主債務者・設定者）が住宅ローンを組むときは，その○○信用保証株式会社が保証人となります。そして，住宅の買主の住宅ローンの返済が滞ると（以下の図の①），○○信用保証株式会社が株式会社○○銀行に保証人として代わりに弁済し（以下の図の②），住宅の買主に対する求償債権を取得します（以下の図の③）。この求償債権は，住宅の買主の住宅ローンの返済が滞り，○○信用保証株式会社が代わりに弁済した場合に生ずる債権ですので，まだ発生していません。つまり，将来債権なのですが，抵当権の被担保債権とすることができるのです。

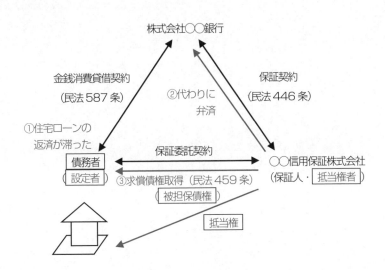

　このように，回りくどい抵当権の設定方法を採る理由ですが，まず，保証料が取れます……。上記の株式会社○○銀行と○○信用保証株式会社は，実態はほとんど同じ会社なのですが，保証人になったということで，住宅の買主から保証料が取れるのです。また，住宅の買主が住宅ローンを返済できず融資が焦げついた場合に，株式会社

○○銀行自身が一発で不良債権を抱えないというメリットがあります。銀行は一定の自己資本比率を保つ必要がありますので，多額の不良債権を抱えることは銀行の存亡に関わることなのです。

5 公示方法

　抵当権の対抗要件は，登記です（民法 177 条）。物権変動は，第三者に対抗するには登記が必要とされるのが原則であり，これは抵当権も同じです（無制限説。P28（a））。

第3節　被担保債権の範囲

　この第3節からは，抵当権が設定された後のハナシになります。

　まずは，債権レベルのハナシです。被担保債権の範囲，つまり，抵当権によって被担保債権がどこまで担保されるのかをみていきます。

1 抵当権によって担保されるもの

　抵当権によって担保されるのは，元本，利息，定期金，遅延損害金などです。

　「利息」と「遅延損害金」は異なります。弁済期前に発生するのが利息であり，弁済期後に発生するのが遅延損害金です。きちんと弁済期までに返済した場合，利息を支払う必要はありますが，遅延損害金を支払う必要はありません。

　「定期金」は，継続して一定の時期に支払われる金額のことです。たとえば，毎月支払われる賃料がこれに当たります。あまりありませんが，賃料が抵当権の被担保債権である場合，定期金（賃料）が抵当権で担保されることになります。

2 利息・定期金・遅延損害金の担保の限界

　では，元本だけでなく，利息，定期金および遅延損害金も，発生したものはすべて担保されるのでしょうか。

民法375条（抵当権の被担保債権の範囲）

1　抵当権者は，利息その他の定期金を請求する権利を有するときは，その満期となった最後の2年分についてのみ，その抵当権を行使することができる。ただし，それ以前の定期金についても，満期後に特別の登記をしたときは，その登記の時からその抵当権を行使することを妨げない。

2　前項の規定は，抵当権者が債務の不履行によって生じた損害の賠償を請求する権利を有する場合におけるその最後の2年分についても適用する。ただし，利息その他の定期金と通算して2年分を超えることができない。

P213
」
「
P339

1．制限

　利息，定期金および遅延損害金が発生している場合でも，これらは最後の2年分についてのみしか抵当権による優先権を主張できません（民法375条1項本文，2項本文）。

　抵当権は非占有担保であるため（P231①），目的物は設定者が占有しています。よって，銀行の抵当権が設定された後も，後順位でサラ金の抵当権が設定されたり，一般債権者が目的物を差し押さえるなど，第三者が利害関係を持つことが多いです。そこで，これらの利害関係人を保護するため，第三者との関係において抵当権の被担保債権の範囲は制限されているのです。「後で出てくる第三者もいるから，ちょっとは遠慮しろ（利息などは2年分でガマンしろ）！」ということです。また，抵当権者が優先弁済を受ける額を他の債権者にわかるようにする，という理由もあります。

※民法375条1項ただし書

　これは2年分でガマンしたくない場合の規定ですが，不動産登記法で学習します。

※民法375条2項ただし書

　これは，たとえば，利息と遅延損害金の双方が生じているときは，合わせて2年分でガマンしろということです。

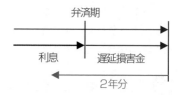

2．2年の制限がされる範囲

　利息，定期金および遅延損害金について，抵当権による優先権が2年分に制限されるのは，後順位抵当権者や一般債権者など第三者との関係においてのみです。債務者，物上保証人，第三取得者との関係では2年分に制限されません（大判大4.9.15，大判昭15.9.28）。これらの者に対しては，2年以上前の利息，定期金および遅延損害金についても抵当権の優先権を主張できます。

　民法375条の2年分という制限は，上記1.で説明したとおり，「後で利害関係を持った後順位抵当権者や一般債権者に対してはちょっとは遠慮しろ。優先弁済を受ける額を他の債権者にわかるようにしろ。」という規定ですから，債務者，物上保証人，第三取得者には遠慮する必要はないのです。

┌─ 用語解説 ── 「第三取得者」 ─────────────────
│　「第三取得者」とは，担保に入っている不動産を担保権付きで譲り受けた人です。担保権付
│きですから，通常はかなり安く手に入れています。

第4節　抵当権の効力が及ぶ目的物の範囲

　次は，物権レベルのハナシです。「抵当権の効力が及ぶ目的物の範囲」とは，抵当権がどこまで目的物の交換価値を把握（P231②）しているかという問題です。交換価値を把握していれば，競売して，そこから優先弁済を受けることができます。

　もちろん，抵当に入っている不動産の交換価値は把握しています。ですが，土地の上にある庭石や建物の中にある畳はどうでしょう。庭石や畳の交換価値も把握しているのであれば，競売して，そこから優先弁済を受けられますが，把握していないのであれば受けられません。この第4節では，このような問題をみていきます。

一般債権者との戦い

　抵当権の効力が及ぶ目的物の範囲のウラにある問題は，「一般債権者との戦い」です。抵当権の効力が及ぶ財産は，抵当権者が優先してそこから債権を回収することになりますので，一般債権者はできる限り抵当権の効力が及んでほしくないと思っています。及ばない物については，一般債権者がいける（そこから債権を回収できる）からです。

　抵当権の効力の及ぶ範囲（抵当権が把握している交換価値の範囲）を規定したのが，民法370条です。

民法370条（抵当権の効力の及ぶ範囲）

　　抵当権は，抵当地の上に存する建物を除き，その目的である不動産（以下「抵当不動産」という。）に付加して一体となっている物に及ぶ。ただし，設定行為に別段の定めがある場合及び債務者の行為について第424条第3項に規定する詐害行為取消請求をすることができる場合は，この限りでない。

1　総説

　民法370条は，抵当権が設定されている不動産に「付加して一体となっている物」（付加一体物）に抵当権の効力が及ぶとしています。土地に抵当権が設定されている場合の建物は除きます（民法370条本文）。「土地と建物は別の不動産である」というのが民法の考え方だからです。

　なお，以下の①〜③の場合には，付加一体物であっても抵当権の効力は及びません。

①「権原」（民法242条ただし書）により他人が附属させた物

　これは、P122のⅱの「例外」に当たる物のことです。たとえば、抵当権が設定された土地を植栽を目的として賃借した者が立木を植えた場合、その立木は法律的には土地にくっついていない（浮いている）ので、抵当権の効力は及びません。

②設定行為における当事者の契約で効力が及ばないとした物（民法370条ただし書）

　設定時にたとえば、「畳については抵当権の効力が及ばない」と定めることができます。これに効力が及ばないのは当たり前ですね。抵当権者が自分で納得して定めたことですから。

③付加行為について詐害行為取消請求（民法424条3項）をすることができる場合（民法370条ただし書）

　「詐害行為」とは、意図的に債権者を害する行為のことです。ここでは、設定者と抵当権者が示し合わせて一般債権者を害した場合が問題となります。

ex. 設定者が所有している高価な庭石がありましたが、その庭石は当初は抵当権の目的となっている土地上にはありませんでした。しかし、設定者と抵当権者が示し合わせて、その庭石を抵当権の目的となっている土地上に移動し、その土地

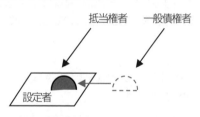

から取り外すことが困難となった場合、その行為は詐害行為になり得、抵当権の効力が及ばないとされる可能性があります。この庭石は、抵当権の目的となっている土地上になかったわけですから、一般債権者がそこから債権を回収できる財産だったのです。それを、設定者と抵当権者が示し合わせて、抵当権の目的となっている土地上に移動させることで、抵当権の目的にしようとしたわけです。

2 「付加して一体となっている物」（付加一体物）とは？

　上記1の①～③の例外はありますが、付加一体物には抵当権の効力が及びます。では、付加一体物とはなんでしょうか。民法370条には「付加して一体となっている物」としか規定されていないため、何が付加一体物に当たるか、解釈が必要となります。

1．付合物と従物

　まず問題となるのが、付合物と従物です。

　「付合物」とは、P121のⅰの「原則」、P122のⅲの「再例外」に当たる物で、不動産にくっついた物のことです。

「従物」とは，Ⅰのテキスト第2編第3章3で説明した物のことで，刀に対しての
鞘など，通常は運命をともにする物のことです。
　不動産の付合物と従物の例としては，以下の物があります。

基本的には，以下の基準で判断できると思います。ただ，以下の基準では「雨戸」
「洗車機」「ガソリンスタンドの地下タンク」が思い出しにくいと思いますので，こ
れらは個別に記憶してください。

業者に頼まずに取り外せない　　　　　　**業者に頼まずに取り外せる**

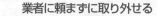

付合物の例	従物の例
雨戸・ガラス戸など建物の内外を遮断する建具類（大判昭5.12.18），建物の増築部分，石垣，庭石（取り外しの難しいもの）	クーラー，畳，ふすま，障子，庭石（取り外しの容易なもの），石灯籠（庭に置く置物。最判昭 44. 3.28)，ガソリンスタンドの地下タンク・洗車機（最判平2.4.19）

（1）付合物

　付合物は，付合した時期が抵当権設定の前であるか後であるかにかかわらず付加一
体物（民法370条）に当然に含まれ，抵当権の効力が及びます。
　付合物は不動産にくっついているため（P121)，不動産の構成部分となっており独
立性を失っているからです。

（2）従物

民法87条（主物及び従物）
2　従物は，主物の処分に従う。

（a）従物は付加一体物に当たるか

　従物については，主物の処分に従うとしたこの民法 87 条2項がありました。しか
し，付合物と異なり，主物と従物はあくまで別の物なので，付加一体物に当たるか争
いがあります。

　P239 で説明したとおり，付加一体物に当たり抵当権の効力が及ぶと，抵当権者が嬉しく一般債権者が悲しいですが，付加一体物に当たらず抵当権の効力が及ばないと，一般債権者が嬉しく抵当権者が悲しいです。

	肯定説（経済的一体性説） ⟶	⟵ 否定説（構成部分説）※
ダレの味方か	抵当権者 ↗ 一般債権者 ↘	一般債権者 ↗ 抵当権者 ↘
結論	付加一体物に当たります。	付加一体物には当たりません。
理由	抵当権は不動産の交換価値を把握するものであるため，付加一体物とは不動産の交換価値を担う経済的に一体である物をいいます。従物は主物と経済的に一体（運命共同体）です。	付加一体物とは，独立性を失っている付合物のみを指します。従物は独立性を有しています。

※否定説（構成部分説）によっても抵当権設定の前から存在する従物については，抵当権の効力が及ぶと考えられています（大連判大8.3.15）。民法87条2項に「従物は，主物の処分に従う」と規定されているため，抵当権設定の前から存在する従物は，処分（抵当権設定行為）によって主物（不動産）とともに抵当に入ったと考えられるからです。

　この1.について，ここまでをまとめると以下のとおりです。

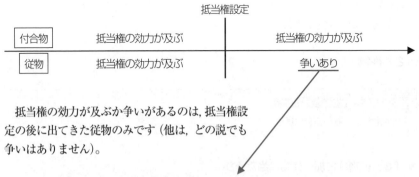

　抵当権の効力が及ぶか争いがあるのは，抵当権設定の後に出てきた従物のみです（他は，どの説でも争いはありません）。

（b）抵当権設定後の従物に抵当権の効力が及ぶか
　それでは，争いがある点をみていきます。上記の経済的一体性説と構成部分説で考え方が分かれます。

	経済的一体性説　　━━▷◁━━　　構成部分説	
ダレの味方か	抵当権者 ↗ 一般債権者 ↘	一般債権者 ↗ 抵当権者 ↘
結論	抵当権の効力が及びます。	抵当権の効力が及びません。
理由	抵当権設定後の従物も，目的物と経済的に一体（運命共同体）であることに変わりがないからです。	民法87条2項の「処分」は，抵当権設定行為のみ（P242※）をいいます。民法87条2項の「処分」を狭く解した考え方です。

2. 従たる権利

ややこしいハナシでしたが，ここからはもう少し単純になります。次は，従たる権利が付加一体物に当たるか（抵当権の効力が及ぶか）です。こんなハナシです。

Case

Aは，あなたのAに対する債権を担保するために，所有している建物に抵当権を設定した。その建物は，Bが所有している土地の上に建っており，AがBから地上権の設定を受けて建てたものであった。この場合，あなたの抵当権の効力は，Aの地上権にも及ぶか？

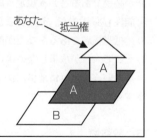

「従たる権利」とは，上記 Case のAの地上権のように，建物が建っている土地の利用権（ex. 地上権，賃借権）などのことです。

（1）従たる権利に抵当権の効力が及ぶか？

借地上の建物に抵当権を設定した場合，土地の利用権（地上権，賃借権など）にも抵当権の効力が及びます（最判昭40.5.4）。抵当権の効力が及ぶと，抵当権者は建物と合わせて土地の利用権を競売することができ，建物を買い受けた人は，土地の利用権も得ることができます。

土地の利用権にも及ばなければ，建物を収去する必要が生じます。つまり，現実的には建物を壊すしかなくなってしまいます。それはⅠのテキスト第2編第2章第1節4 1.（2）で説明した社会経済上の不利益になるので，抵当権の効力が及ぶとされたのです。

（2）賃貸借契約が合意解除された場合や賃借権が放棄された場合

　たとえば，上記 Case の土地の利用権が賃借権であり，あなたが抵当権に基づいて競売したところ，Cが建物を買い受けたとします。抵当権の効力は賃借権に及びますので，Cは賃借権も取得できます。しかし，AとBが賃貸借契約を合意解除していた場合はどうなるでしょうか。

　判例は，賃貸借契約の合意解除を買受人Cに対抗できないとしました（大判大 14.7.18）。Aが賃借権を放棄した場合も同様です（大判大 11.11.24）。

　賃貸借契約の合意解除や賃借権の放棄は競売の妨害と考えられるので，「示し合わせて合意解除するのはダメ」「妨害のために放棄するのはダメ」ということです。

（3）土地の利用権が賃借権である場合の問題

　たとえば，上記 Case の土地の利用権が賃借権である場合，競売されると賃借人が変わることになります。賃借人が変わる場合には，賃貸人（上記 Case だとB）の承諾が必要であるという規定（民法612条1項）があります。しかし，Bが承諾しない可能性もあります。そうすると，そんな危なっかしい建物を買い受ける人はいなくなり，抵当権者であるあなたが競売してもムダということになってしまいます。

　そこで，Bが承諾しない場合には，Bの承諾に代わる裁判所の許可を得ることができるという規定（借地借家法 20 条）があります。これによって，抵当権者が競売しやすくなっているのです。

3．分離物

　付加一体物に当たるか（抵当権の効力が及ぶか）の最後は，分離物です。

　「分離物」とは，抵当権が設定されている不動産にくっついていたが，不動産から分離されてしまった物のことです。不動産から分離された場合（下記（1）（a））と，不動産から分離されてさらに搬出された場合（下記（1）（b））に問題となります。

【大前提】

　大前提として，設定者は通常の使用収益の範囲内で不動産にくっついている物を分離したり搬出したりすることはでき，この場合には抵当権の効力は及びません。抵当権は非占有担保ですので，設定者は通常の使用収益は問題なくできるからです。

　よって，問題となるのは，通常の使用収益の範囲を超えた分離・搬出の場合です。抵当権の競売開始決定前（下記（1））と競売開始決定後（下記（2））に分けてみていきます。

（1）抵当権の競売開始決定前

（a）分離物が抵当権が設定された不動産上にある場合

　抵当権の競売開始決定前に，不動産から分離されたが，まだ分離物が不動産上にある場合，抵当権の効力は及ぶでしょうか。以下の Case のような場合です。

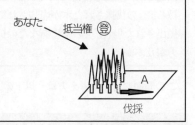

Case

　Aが所有している山林にあなたの抵当権が設定され，登記も備えられている。Aが木を伐採したが，木がまだ山林上にある場合，伐採されたその木に抵当権の効力は及ぶか？

　この問題については，肯定説と否定説があります。判例は肯定説です。

	肯定説（大判昭7.4.20）　➡　◀━	否定説
ダレ の味 方か	抵当権者 ↗ 一般債権者 ↘	一般債権者 ↗ 抵当権者 ↘
結論	抵当権の効力が及びます。 →上記 Case の場合，及びます。	抵当権の効力が及びません。 →上記 Case の場合，及びません。
理由	抵当権は付加物を含めた抵当不動産全体の価値を把握する物権であり，不動産上にある以上，まだ抵当権の登記による公示の衣につつまれているからです。 抵当権登記の公示の衣	分離される前は不動産の一部でしたが，分離されることによって動産となり，独立の物となるからです。

（b）分離物が抵当権が設定された不動産から搬出された場合

では，分離物が不動産から搬出された場合は，どうでしょう。

Case	
Aが所有している山林にあなたの抵当権が設定され，登記も備えられている。Aが木を伐採し，その伐採された木が売却されて山林から搬出された場合，その木にあなたの抵当権の効力が及ぶか？	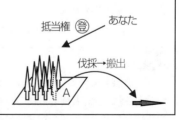

この問題に対する考え方は，以下の2説があります。

	対抗力喪失説　　➡　　◀━━　即時取得基準説	
結論	搬出後であっても，債務者・設定者が所有している場合には，抵当権の効力が及びます。しかし，第三者には対抗できなくなります。 →上記 Case においては，伐採された木は売却されておりAが所有していませんので，抵当権の効力が及びません。	搬出後であっても，第三者が分離物を即時取得（民法192条）しない限り，抵当権の効力は及びます。 →上記 Case においては，伐採された木の売却を受けた者が即時取得していれば，抵当権の効力が及びません。
理由	抵当権は，目的となっている不動産にくっついている物も含めて交換価値を把握しているので，搬出されても効力が及ぶのです。ただし，抵当権も登記を対抗要件とする物権ですから，抵当不動産から搬出されると，登記による公示の衣から外れるので，第三者への対抗力が失われます。 抵当権登記の公示の衣	分離物を取得した善意無過失の第三者は，取引の安全から即時取得の制度で保護すべきです。しかし，それ以外はできる限り抵当権の効力を及ぼすべきです。

（2）抵当権の競売開始決定後

競売開始決定後に分離・搬出された物には，抵当権の効力が及びます（大判大5.5.31）。

競売手続の開始によって差押えの効力が生じており，その後に分離・搬出する行為は明らかに競売手続の妨害に当たるからです。

3 果実

抵当権が設定された不動産から果実（みかん，賃料など）が生じることがあります。その果実に抵当権の効力が及ぶでしょうか。果実については民法371条に規定されています。

民法371条

抵当権は，その担保する債権について不履行があったときは，その後に生じた抵当不動産の果実に及ぶ。

債務不履行があった後に生じた果実には，抵当権の効力が及びます（民法371条）。つまり，きちんと返済をしている間の果実は，設定者のものであるということです。

これは，投資物件をイメージしてください。最近では，副業でマンション経営をされる会社員の方などもいますが，マンションの一室でさえも，なかなかキャッシュで買える人はいません。そこで，通常はローンを組んで投資物件を購入し，賃貸します。この場合に，ローンの返済が滞っていないにもかかわらず投資物件から生じる賃料を抵当権者に持っていかれるのであれば，誰もマンション経営なんてしません。雑誌とかによく書かれている「あなたもマンション経営はじめてみませんか！！」といった誘いも，世の中からなくなってしまうでしょう。

※債務不履行があった後に抵当権者が果実から弁済を受ける方法

では，実際に債務不履行があった後に，抵当権者が果実から弁済を受けるにはどうすればよいでしょうか。

民事執行法に，抵当権者が申し立てると，裁判所が選任する管理人が賃料の取立てなどをしてくれる「担保不動産収益執行」という制度があり（民執法180条2号。P264），抵当権者はこのような方法によって果実から弁済を受けることができます。抵当権者がこういった方法をとらないと，所有者が果実を取得し続けます。

4 一括競売

P239 で説明したとおり，土地に抵当権が設定された場合，建物には抵当権の効力が及びません。では，以下の Case のような競売は認められないでしょうか。

Case

　Aが所有している土地にあなたの抵当権が設定された後，Aがその土地上に建物を建てた。あなたは，その土地と建物の両方を一緒に競売できないか？

民法 389 条（抵当地の上の建物の競売）

1　抵当権の設定後に抵当地に建物が築造されたときは，抵当権者は，土地とともにその建物を競売することができる。ただし，その優先権は，土地の代価についてのみ行使することができる。
2　前項の規定は，その建物の所有者が抵当地を占有するについて抵当権者に対抗することができる権利を有する場合には，適用しない。

1．意義

　なんと，上記 Case の場合に，あなたが土地とともに建物を競売することが認められています。民法 389 条 1 項本文に「……競売することができる」とありますとおり，建物の競売がマストなわけではありませんが（大判大 15.2.5）。

2．趣旨

　P270①で説明するハナシですが，更地に抵当権を設定した後に建築された建物のためには，法定地上権（民法 388 条）は成立しません。「抵当権設定当時，土地上に建物が存在すること」という P270 の要件①を充たさないからです。よって，抵当権者は，建物の存在を無視して更地として競売することができます。

　しかし，実際には建物が建っているわけですから，更地として競売しても建物を収去させる必要があります。ですが，実際には建物の所有者（上記 Case ではA）がなかなか建物を収去しないことが多く，収去させるのはかなり大変です。そのため，競売しようとしても買い手が見つかりにくいです。

　また，建物収去を強制することは I のテキスト第2編第2章第1節 4 1.（2）で説明した社会経済上の不利益となります。

　そこで，建物と一緒に競売することが認められたのです。

3．要件

①抵当権が設定された後に土地上に建物が築造されたこと（民法389条1項本文）

　建物を築造した者が設定者以外の者であっても，一括競売が可能です。

　かつては，設定者自身が築造した場合にのみ一括競売が認められていましたが，占有屋対策で平成15年に改正され，設定者以外の者が築造した場合にも拡大されました。

用語解説 ──「占有屋」

　「占有屋」とは，競売手続を妨害する者のことです。不良少年や外国人を競売不動産に住まわせる，競売不動産に高額な費用を支出したことにして留置権を主張するなどして，競売手続をジャマし，「どいて欲しかったら，カネをよこさんかい！」と言って不当な利益を得る者がいました。

抵当権者（銀行）に有利に法改正・判例変更

　1990年代からの不況で銀行が不良債権の山を抱えました。潰れる可能性のある銀行も出てきました。銀行（特に大手）が潰れてしまうと，連鎖的に企業の倒産が起こり，日本経済に多大な被害が生じるため，国家ぐるみで銀行を保護（悪くいえばひいき）し始めました。占有屋対策も改正の大きなテーマでした。

　なお，他にも抵当権について，抵当権者（銀行）に有利に法改正・判例変更がされたものがあります。

②建物の所有者が土地を占有するについて抵当権者に対抗することができる権利を有しないこと（民法389条2項）

　建物の所有者が土地を占有するについて抵当権者に対抗することができる権利を有している場合とは，たとえば，建物の所有者が土地を賃借しており，抵当権の登記よりも先に賃借権の登記がされている場合が当たります。こういった場合でなければ，この②の要件を充たします。

4．効果

　抵当権者は，土地の競売代金のみについて優先弁済権を行使でき，建物の競売代金については優先弁済権を行使できません（民法389条1項ただし書）。

　これは当たり前です。上記2.のような理由から建物も競売することを認めているだけであり，建物に抵当権は設定されていませんから，建物について優先弁済権を主張できるわけがありません。

第5節　物上代位

　P180 4 で説明した物上代位です。抵当権の物上代位について，掘り下げてみていきます。

民法304条（物上代位）

1　先取特権は，その目的物の売却，賃貸，滅失又は損傷によって債務者が受けるべき金銭その他の物に対しても，行使することができる。ただし，先取特権者は，その払渡し又は引渡しの前に差押えをしなければならない。

民法372条（留置権等の規定の準用）

　第296条，第304条及び第351条の規定は，抵当権について準用する。

　物上代位は，先取特権の条文として規定されており（民法304条），それを抵当権が準用する（民法372条）形式が採られています。よって，民法304条の「先取特権」を「抵当権」に，「先取特権者」を「抵当権者」に置き換えて読んでください。

1　意義

　物上代位：抵当権の目的となっている不動産が滅失・損傷などにより保険金請求権などに変じた場合，その変じたものにも抵当権の効力が及ぶこと

　抵当権者は，「物」の「上」に設定者が持つ地「位」に「代」わることができるのです。だから，「物上代位」といいます。

2　趣旨

　たとえば，あなたが抵当権者だったとして，担保に取っている建物が火事で燃えたりしたら，どう思うでしょうか。困りますよね。人質（担保）がなくなるわけですから。その場合に，設定者が火災保険に入っていて保険金をいっぱいもらったら，どう思うでしょうか。「ズルイ！」と思いますよね。あなたは人質がなくなったのに，設定者は保険金をもらえるわけですから。そこで，設定者がもらう保険金などに対して，抵当権を行使できるとされたのです。

　物上代位が認められるのは，抵当権が不動産の交換価値を把握している物権だからです。“価値”を把握しているので，不動産が変じたものにも効力が及ぶのです。物上代位は，「交換価値の把握」（P231②）が前面に出てくるハナシです。

3 物上代位の目的物

先取特権の民法304条が抵当権に準用されますが，民法304条がそのまま準用されるのかが問題となります。先取特権と抵当権は異なりますので，1つ1つ抵当権にも準用されるのかを考える必要があるのです。また，民法304条に明確に書かれていないものについても，物上代位できるかが問題となります。

1つ1つ，抵当権者が物上代位できるかをみていきましょう。

物上代位できるかの判断基準

抵当不動産の価値代替物といえれば物上代位できます。物上代位は抵当権が抵当不動産の交換価値を把握しているから認められるものですので，抵当不動産の価値代替物でないと物上代位できないのです。

1．損害賠償請求権

第三者が抵当不動産を滅失・損傷した場合に，設定者がその第三者に対して取得する不法行為に基づく損害賠償請求権について，抵当権者は物上代位できます（大判大5.6.28，大判大6.1.22）。

不法行為による損害賠償は，不動産の滅失・損傷によって失った価値を補填させるためのものですから，まさに価値代替物です。

2．保険金請求権

何度か物上代位の例として挙げていたものですので，記憶してしまった方もいると思います。不動産が燃えてしまった場合に設定者が取得する火災保険金請求権などの保険金請求権について，抵当権者は物上代位できます（大連判大12.4.7・通説）。

保険金請求権は，不動産が燃えてしまった場合などに価値を補填させるためのものですから，まさに価値代替物です。

3．賃料

設定者が抵当不動産を賃貸することによって得る賃料について，抵当権者は物上代位できます（最判平元.10.27）。なお，物上代位できるのは，債務不履行後であると解されています（これに反対する説もあります）。

不動産から生じる賃料は，価値代替物そのものといえるのか疑問に思うかもしれませんが，賃料は不動産の交換価値のなし崩し的な具体化であるとされています。「なし崩し的な具体化」とは，たとえば，毎月生じる賃料が5万円であっても，それが積もれば不動産の価額になるので，不動産の価値代替物といえるということです。

※抵当権設定前に賃借権の対抗力が備えられていた場合

　抵当権設定前に賃借権の対抗力が備えられていた（ex. 抵当権設定前に賃借権の登記がされていた）場合であっても，抵当権者は物上代位できます。

　物上代位は，「誰に支払うか」の問題であり，「どちらが優先するか」という対抗力の問題ではないため，対抗力を備えた先後は関係ないのです。

４．転貸賃料

　上記3.のとおり，賃料には物上代位できますが，では転貸賃料にも物上代位できるでしょうか。「転貸」とは，以下のCaseのＢＣ間の契約のことであり，要は又貸しのことです。

Case

　Aが，あなたへの債務を担保するためにあなたの抵当権を設定した建物を，Ｂに賃貸した。その建物がさらにＣに転貸されている場合，あなたはＢの転貸賃料債権に対して物上代位できるか？

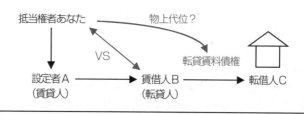

　Ｂは債務を負担した者でも物上保証した者でもないので，Ｂが有する転貸賃料債権に物上代位できるかが問題となります。以下のとおり対立がありますが，判例は否定説です。

	否定説（最決平 12.4.14） ⟶⟵	肯定説
ダレの味方か	賃借人（Ｂ）↗ 抵当権者（あなた）↘	抵当権者（あなた）↗ 賃借人（Ｂ）↘
結論	【原則】 抵当権者（あなた）は転貸賃料債権に物上代位することができません。	抵当権者（あなた）は，転貸賃料債権に物上代位できます。

	【例外】 設定者（A）と賃借人（B）を同視することができる 場合であれば，抵当権者（あなた）は転貸賃料債権に 物上代位できます。 ex1. Bが，Aが1人で経営する株式会社である場合， 　　　法人格の濫用とされ，「A＝B」とみなされる場 　　　合があります。 ex2. BがAの家族である場合，「A＝B」とみなされ 　　　る場合があります。	
理由	【原則の理由】 民法304条1項に「債務者（上記CaseだとA）が 受けるべき金銭その他の物」と規定されているからで す。また，賃借人（B）は，設定者（A）のように債 務の履行について責任を負う立場にありません。「A→ B」の債権と「B→C」の債権は別物ですから，抵当 権者（あなた）は，「A→B」の債権に物上代位すべき です。 - 【例外の理由】 設定者（A）と賃借人（B）を同視することができる 場合であれば，上記の【原則の理由】を考慮する必要 はありません。	転貸賃料も目的物の価値代 替物だからです。

5．買戻代金

　詳しくはⅢのテキスト第7編第2章第1
節②2.（3）で扱いますが，「買戻し」とは，
売主が不動産を売却するのですが，売主が
買主に一定期間内に売買代金などを支払え
ば，買主から売った不動産を取り戻すこと
ができる特約のことです（民法579条）。こ
の買戻特約がされた売買の買主が不動産に

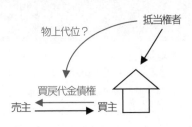

抵当権を設定した場合，売主の買戻権行使により買主から売主に対して生じる買戻代
金債権について，抵当権者は物上代位できます（最判平11.11.30・多数説）。
　買戻代金は，買主から売主への不動産の所有権復帰についての対価です。買主から
すると，所有権がなくなりますので，不動産が「滅失」したのと同じです。滅失して

受け取るのが，損害賠償請求権（上記1.）や保険金請求権（上記2.）ではなく，買戻代金ですが，目的不動産の価値代替物であるという点では同じなので，物上代位できるのです。

4　代位の要件

　上記3で「物上代位できます」と説明したものには物上代位できるわけですが，不動産が保険金請求権などに変じたとき，抵当権者は家で寝ているだけで物上代位できるわけではありません。民法304条1項ただし書（P250）には「払渡し又は引渡しの前に差押えをしなければならない」と規定されており，「払渡し又は引渡しの前に差押えをすること」が要件となっています。

ex. 抵当権の目的となっている不動産が火事で焼失し，設定者が火災保険金請求権を取得した場合には，抵当権者は，保険会社から設定者に火災保険金が払われる前に差押えをしなければ，物上代位できません。

1．「払渡し又は引渡しの前の差押え」が要求される理由

　払渡しまたは引渡しの前に差押えをしなければならない理由には，争いがあります。これは，「物上代位とはそもそも何なのか？」という考え方の違いから生じ得る争いです。以下の表の上段が下段の前提になっていることを意識してください。
＊P14の「Realistic 1」で説明したとおり，まず両端の説からお読みください。

> ### 抵当権者の味方度（一般債権者の味方度）
>
> 左にある説ほど一般債権者の味方であり，右にある説ほど抵当権者の味方です。

一般債権者　←――――――――――――――――――→　抵当権者

	優先権保全説	第三債務者保護説 （最判平10.1.30）	特定性維持説
物上代位とは	この説は，物上代位とは，抵当権者保護のために政策的に認められた特権的効力だと考えます（特権説）。つまり，「抵当権には本来ない効力だが，特別に認めてやったんだよ」ってことです。	この説は，物上代位とは，優先権保全説の前提となる特権説と，特定性維持説の前提となる価値権説の両者を含むと考える折衷説です。	この説は，物上代位とは，抵当権が交換価値を支配している物権であることから，本質上当然に認められると考えます（価値権説）。 抵当権者が優先権を有することは，抵当権の登記からわかります。

| 「払渡し又は引渡しの前の差押え」が要求される理由 | 差押えは，抵当権者が物上代位という特別の保護を受けるための要件ということになります。「特別に特権を認めてやったんだから汗をかけ」ということです。 | 第三債務者（保険会社など）の二重弁済の防止のために，差押えが要求されます。

抵当権者　←　どっち？

設定者　←　保険会社
（第三債務者） | 本来は差押えは不要です。物上代位できるのは，抵当権の本質上当然だからです。
しかし，保険金などが設定者に支払われて，設定者の一般財産（担保に入っていない財産）に混入してしまうことを防ぐために差押えが要求されます。 |

2. 「差押え」は抵当権者自らが行う必要があるか？

　上記の3説のいずれの説でも，差押えは要求されます。「差押え」は条文に規定されていることだからです（民法304条1項ただし書。P250）。**学説といえども，条文に規定されていることを曲げることはほとんどありません。**

　では，「差押え」は抵当権者自身がする必要があるでしょうか。抵当権者以外の債権者が差押えをしても構わないのでしょうか。
　説によって結論が異なります。上記の3説で結論に違いが出るのは，ここです。

抵当権者の味方度（一般債権者の味方度）

一般債権者　←　　　　　　　　　　　　　　　　　　→　抵当権者

	優先権保全説	第三債務者保護説 （最判平10.1.30）	特定性維持説
結論	自ら差し押さえる必要があります。		自ら差し押さえる必要はありません。
理由	物上代位権は「特別に認めてやった」特権ですから，抵当権者自ら汗をかく必要があります。	二重弁済の危険を防止するためには，抵当権者が自ら差し押さえて，第三債務者に誰に弁済すべきかを公示する必要があります。	保険金などが一般財産に混入しなければよいので，他の債権者による差押えでも，「一般財産に混入しない」という目的は果たせます。

3.「払渡し又は引渡し」とは？

　払渡しまたは引渡しの前に差押えをしなければならないのですが，「払渡し又は引渡し」とは，なんでしょうか。もちろん，保険会社が設定者に保険金を支払うことなどは該当しますが，以下では微妙な事例をみていきます。

　「払渡し又は引渡し」に該当すれば，その前に差押えをしなければ物上代位できなくなりますが，該当しなければ，その前に差押えをする必要はない（その後の払渡しまたは引渡しの前に差押えをすれば物上代位できる）ことになります。

（1）賃料債権の債権譲渡

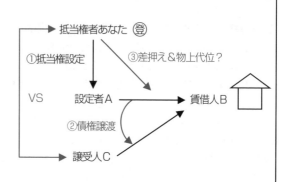

Case

　Aは，あなたのAに対する債権を担保するために所有している建物にあなたの抵当権を設定し，登記もされた。AはBに，その建物を賃貸している。その後，Aは，その建物から将来発生する賃料債権をCに譲渡し，賃借人Bに対して確定日付のある証書をもって通知した。この場合，あなたは，被担保債権の債務不履行を理由として，AのBに対する賃料債権を差し押さえて物上代位できるか？

　Ⅲのテキスト第5編第5章第1節で扱う債権譲渡の知識も必要となってしまいますが，まず，将来発生すべき債権であっても，目的とする債権が特定されていれば，譲渡できます（民法466条の6第1項）。よって，上記CaseのAのBに対する将来発生する賃料債権も，譲渡できます。

　次に，債権譲渡が「払渡し又は引渡し」に含まれるかが問題となります。「払渡し又は引渡し」に含まれれば，上記Caseでは，すでに払渡しまたは引渡しがされており，あなたは物上代位できないということになってしまいます。しかし，判例は，債権譲渡は「払渡し又は引渡し」に含まれないとしました（最判平10.1.30，最判平10.

2.10)。よって，上記 Case において，あなたは，賃料債権を差し押さえて物上代位でき，Cに優先して賃料の払渡しを受けることができます。

　この不動産には抵当権の登記がされており，賃料に対して物上代位される可能性があることは公示されているからです。よって，Bからすると，あなたに支払えばよいのかCに支払えばよいのか迷うことはありません。Cも，抵当権の登記があることにより，抵当権者が賃料に物上代位してくる可能性はわかっています。

　また，AとCの執行妨害を防止したいという理由もあります。債権譲渡をすることで抵当権者が物上代位できなくなるのであれば，設定者Aが「返済も滞っているし，そろそろ抵当権者が物上代位してくるな……」と思ったときに，友人Cと示し合わせて債権譲渡をすることにより物上代位から逃げる恐れがあるのです。

（2）転付命令

　上記（1）の Case において，Cへの債権譲渡が，AC間の契約によるものではなく，Cが，AのBに対する債権について転付命令を得た場合はどうでしょうか。

> **用語解説 ── 「転付命令」**
>
> 　「転付命令」とは，強制執行の 1 つです。簡単にいうと，裁判所主導で，債務者の債権を債権者に譲渡することです（民執法 159 条）。この事例だと，CがAの債権者である場合に，強制執行により債権を回収する方法として，Aの債権を強制的にCに譲渡してしまうということです。

　あなたの物上代位による差押えよりも前に，Cが転付命令を得て，転付命令がBに送達された場合には，あなたは物上代位できなくなります（最判平 14.3.12）。

　転付命令は，"裁判所主導"の債権譲渡ですから，上記（1）で説明したような執行妨害が考えられないからです。

4．賃借人による相殺の可否

P251の3.でみたとおり，抵当権者は賃料債権に物上代位できます。では，抵当権者が賃料債権に対して物上代位による差押えをした後に，賃借人（右の図のB）は，抵当権の設定の登記の後に賃貸人（右の図のA）に対して取得した何らかの債権で賃料債権と相殺し，抵当権者（右の図のあなた）に「あなたには賃料を支払わないよ」と言うことができるでしょうか。

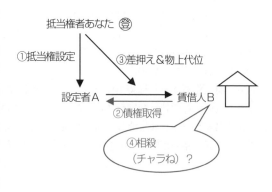

用語解説 ──「相殺」

　詳しくはⅢのテキスト第5編第6章第2節で扱いますが，現時点では，「相殺」は，お互いが債権を有している場合に「チャラね」とすることだと考えてください（民法505条1項）。友人同士でお昼代を貸し借りしたら，「チャラね」で終わらせますよね。それが相殺です。

　この事例の場合，Bは相殺することによって，あなたに「あなたには賃料を支払わないよ」と言うことはできません（最判平13.3.13）。

　これも，上記3.の（1）の理由であった「抵当権者の物上代位の可能性は，この不動産に抵当権の登記がされていることにより公示されている」と同じです。Bが債権を取得したのは，抵当権の設定の登記の後ですから，Bはあなたが物上代位してくる可能性をわかっていたのです。よって，その後に反対債権を取得し，相殺することによってあなたを害することはできません。

　このような理由ですので，Bが反対債権を取得したのが抵当権設定よりも前であれば，Bは相殺できます。

　なお，上記の事例において，賃借人Bは，「③差押え＆物上代位」の前に相殺することはできます（最判平13.3.13）。

　抵当権者は，払渡しまたは引渡しの前に差し押さえる必要があります。よって，賃借人は，抵当権の設定の登記の後に取得した債権でも，差押えの前であれば相殺で対抗できるのです。

5．物上代位と敷金との優先関係

　敷金の定めがある抵当不動産の賃貸借契約に基づく賃料債権に対して，抵当権者（右の図のあなた）が物上代位による差押えをした後に，その賃貸借契約が終了し，目的物が明け渡されたときは，未払の賃料債権は敷金によって充当されるでしょうか。

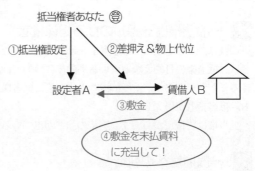

- 抵当権者あなた ㊾
- ①抵当権設定
- ②差押え＆物上代位
- 設定者A
- ③敷金
- 賃借人B
- ④敷金を未払賃料に充当して！

用語解説 ── 「敷金」

　「敷金」は，一般的な世間の敷金のイメージで問題ありません。賃貸マンションの募集広告に書かれている「敷金1か月分」などの敷金のことです。未払賃料や通常の使用によるものとは考えられない損傷（ex. 壁に大きな穴を開けた）によって必要となる修繕費など，賃貸人が賃借人に対して将来取得する可能性がある債権を担保するために，賃貸借契約の設定時に賃借人が賃貸人に差し出す金銭です（民法 622 条の2第1項柱書かっこ書）。敷金は，賃貸借契約終了後，不動産の明渡時に清算されます（民法 622 条の2第1項1号）。未払賃料や修繕費などがなければ賃借人に返還されますが，未払賃料や修繕費などがあると敷金はそれらに充当されます。

　この事例の場合，敷金は未払賃料に充当され，賃料債権は当然に消滅します（最判平 14.3.28）。つまり，あなたは賃料債権に物上代位できなくなります。
　敷金は賃貸借"契約時に"未払賃料などの担保のために出したものであり，Bは敷金が充当されることを期待しているからです。
　また，賃料に物上代位がされるということは，Aに債務不履行があるということです（P251 の3.）。そこで，敷金を充当できないとすると，Bが債務不履行状態にあるAから敷金を回収することは現実的には厳しく，Bが損害を受けてしまいます。
　判例は，敷金の場合には，このような賃借人の事情を考慮して，賃借人を保護したのです。

第6節　優先弁済的効力

1　一般債権者を押しのける担保権者

　これは，Ⅰのテキスト第1編第5章 2 で説明したハナシです。抵当権を有する債権者は，抵当権の目的となっている不動産については，一般債権者に優先して配当を受けることができます。一般債権者よりも後に抵当権者の被担保債権が発生したとしても，抵当権者が優先します。

　抵当権は物権だからです。物権の強さが出ている点です。

2　一般財産への執行

　抵当権者が，債務者の一般財産（担保に入っていない財産）に対して強制執行する（競売にかけるのが典型例です）こともできます。また，他の債権者が一般財産を競売した場合にも，抵当権者は配当を受けることができます。抵当権者も債権者であることに変わりはないからです。

　しかし，ここで問題が生じます。抵当権者は，上記 1 で説明したとおり，抵当権の目的となっている不動産から優先して債権を回収することができます。にもかかわらず，抵当権者が債務者の一般財産から債権を回収することは，他の一般債権者からするとあまりにも迷惑です。たとえるなら，司法試験の合格者が司法書士試験を受けるようなものです。法律上は，弁護士になれば司法書士の仕事はできるわけですから，司法書士試験を受ける必要はありません。みなさんからしても迷惑ですよね。

　よって，抵当権者が債務者の一般財産から債権を回収するときは，以下の制限が設けられています。

1．抵当目的物からの弁済で不足する場合

　抵当権者は，抵当不動産から弁済を受けられない部分についてのみ，債務者の一般財産から弁済を受けることができます（民法394条1項）。「抵当不動産で足りる場合は，そっちから回収しろ！」ということです。ただ，抵当権者も債権者ですから，抵当不動産で足りない場合は，一般財産から回収できます。もちろん，一般財産については優先権はありませんが。

※抵当権者が先に一般財産に強制執行した場合

　抵当権者が抵当権を実行しないで先に一般財産に強制執行した場合，一般債権者はこれに対して異議の申立てをすることができます（大判大15.10.26）。

　なお，この場合でも，債務者から異議の申立てをすることはできません（大判大15.10.26）。債務者は債務を弁済すべき立場ですから，「『そっちから強制執行しないで』なんて言っているヒマがあれば，早く弁済しろ！」ということです。

┌─ 用語解説 ── 「実行」 ─────────────────────
│
│　担保物権の「実行」とは，債務者が支払を怠った場合に，競売を申し立てるなどして担保に
│取っている物の換価をすることです。
└──────────────────────────────────

2．抵当権実行前に一般債権者が一般財産に強制執行した場合

　抵当権者ではなく，一般債権者が一般財産に強制執行した場合，抵当権実行前でも上記1.の規定は適用されず，抵当権者は債権全額につき一般財産から配当を受けることができます（民法394条2項前段）。

　上記1.と異なり，抵当権者が強制執行したわけではないので，この強制執行は適法です。よって，抵当権者も債権者として配当を受けることができます。

　ただし，一般財産ですから，抵当権者は一般債権者に対して優先権はありませんが。

　なお，この場合，他の一般債権者は裁判所に対して，抵当権者に配当すべき金額を供託することを請求できます（民法394条2項後段）。

　抵当権者は，抵当不動産から回収できるかもしれないので，それまでは供託しておいてもらうよう請求できるのです。

┌─ 用語解説 ── 「供託」 ─────────────────────
│
│　詳しくは供託法で学習しますが，「供託」とは，債権者が弁済金などを受け取れない事情が
│ある場合などに，弁済金などを国（法務省の出先機関の法務局が供託を扱います）に預けてお
│くことです。
└──────────────────────────────────

3　抵当不動産に他人が競売手続を開始した場合

「
P349　　抵当権の目的となっている不動産でも，他の一般債権者や後順位抵当権者も原則として競売を申し立てることができます。他の一般債権者や後順位抵当権者が競売を申し立てても，1番で登記されている抵当権者は1番で配当を受けます（民執法 87 条1項4号）。「競売を申し立てた債権者が1番で配当を受けられる」といった規定はありません。よって，順位どおりに配当を受けることになるのですが，1番抵当権者でなくても競売を申し立てることができる点にはご注意ください。

4　第三取得者による費用の償還請求

　　「抵当権者が優先的に配当を受ける」というのが基本なのですが，少し変わった優先権があります。それは，第三取得者（P238）が抵当不動産について費用を出した場合の償還請求権です。

　　第三取得者は，抵当不動産につき必要費または有益費を支出した場合，抵当権者や他の債権者に優先して抵当不動産の代価から償還を受けることができます（民法 391条）。

　　第三取得者が出した費用はその不動産の価値を保つまたは上げるものであり，その価値は第三取得者が出した費用によって生じたものです。また，その額は通常少額です。よって，抵当権者や他の債権者に優先して償還を受けられるのです。

　　したがって，第三取得者が費用の償還請求権を有しているにもかかわらず，競売代金が抵当権者に交付されたために第三取得者が優先償還を受けられなかったときは，第三取得者は，その抵当権者に不当利得として費用相当額の返還請求ができます（最判昭 48.7.12）。

第7節　利用権との関係

　P251 の3.などでも出てきましたが，抵当不動産に賃借権など利用権（P160）が設定される場合があります。そこで，この第7節では，抵当権と利用権との関係をみていきます。

1 抵当建物使用者の引渡しの猶予

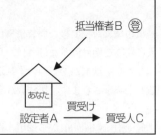

Case

　Aが所有している建物にBの抵当権が設定され，その登記がされた。その後，その建物をあなたがAから賃借した。この場合において，Bが抵当権を実行し競売を申し立て，Cがその建物を買い受けたときは，あなたはCに，その建物を直ちに明け渡さなければならないか？

抵当権者B　㊁

あなた

設定者A　　買受け　→　買受人C

民法395条（抵当建物使用者の引渡しの猶予）

1　抵当権者に対抗することができない賃貸借により抵当権の目的である建物の使用又は収益をする者であって次に掲げるもの（次項において「抵当建物使用者」という。）は，その建物の競売における買受人の買受けの時から6箇月を経過するまでは，その建物を買受人に引き渡すことを要しない。
　　一　競売手続の開始前から使用又は収益をする者
　　二　強制管理又は担保不動産収益執行の管理人が競売手続の開始後にした賃貸借により使用又は収益をする者
2　前項の規定は，買受人の買受けの時より後に同項の建物の使用をしたことの対価について，買受人が抵当建物使用者に対し相当の期間を定めてその1箇月分以上の支払の催告をし，その相当の期間内に履行がない場合には，適用しない。

1．意義
（1）抵当権に対抗できる賃借権
　賃借権が抵当権に対抗できる場合，たとえば，（あまりありませんが）抵当権の設定の登記がされるよりも前に賃借権の設定の登記がされている場合，抵当不動産が競売されても賃借権は原則として残ります。
　この場合は，競売の買受人が，賃貸人の地位を承継することになります。

（2）抵当権に対抗できない賃借権

　上記（1）のように賃借権が抵当権に対抗できることはあまりなく，実際には抵当権に対抗できない賃借権が多いです。抵当権の設定されている建物が競売された場合に，抵当権に対抗できない賃借権がどうなるかを定めたのが，この 1 の民法 395 条のハナシです。もしみなさんが賃貸マンションにお住まいならば，大家さんがそのマンションに抵当権を設定しており，大家さんの弁済が遅滞し抵当権を実行された場合には，みなさんが当事者（賃借人）となる問題でもあります。

　抵当権に対抗できない賃借権は，競売により消滅します。よって，賃借人は，買受人に建物を明け渡さなければならなくなります。
　しかし，以下の①②のいずれかに当たる者は，買受人の買受けの時から 6 か月間引渡しが猶予されます（民法 395 条 1 項）。

①競売手続の開始前から使用または収益する者（民法 395 条 1 項 1 号）
　基本的には，競売手続の開始前から建物を使っている賃借人が対象です。競売手続の開始後に現れた賃借人は，設定者とグルになって競売を妨害しようとしている者である可能性があるからです。
　よって，上記 Case のあなたは，この①に該当しますので，直ちに建物を明け渡す必要はなく，Cの買受けの時から 6 か月間引渡しが猶予されます。

②強制管理または担保不動産収益執行の管理人が競売手続開始後にした賃貸借により使用または収益する者（民法 395 条 1 項 2 号）
　強制管理または担保不動産収益執行による場合は，競売手続の開始後に現れた賃借人でも OK です。

　用語解説 ──「強制管理」「担保不動産収益執行」

　「強制管理」「担保不動産収益執行」とは，裁判所が選任する管理人が賃貸などをし，その賃料などから債権者が弁済を受ける制度です（民執法 93 条，180 条 2 号）。一般債権者の申立てによるものを「強制管理」，担保権者の申立てによるものを「担保不動産収益執行」といいます。

　強制管理と担保不動産収益執行は，裁判所がからむ適法な手続ですので，競売の妨害ということが考えられないため，競売手続開始後の賃借人も引渡しが猶予されるのです。

2．趣旨

　6か月間引渡しが猶予されるのは，賃借人の保護のためです。いきなり「出て行け！」と言われても困りますので，新しい住まいを見つける期間の猶予が与えられているのです。新しい住まいを見つけるための猶予ですので，この民法395条が適用されるのは「建物」の賃貸借のみで，「土地」の賃貸借には適用されません。

　なお，平成15年の改正前の民法395条は，抵当権に対抗できない賃借権でも，短期賃貸借（民法602条。詳しくはⅢのテキスト第7編第5章第5節1.（1）※で説明します）である場合は，短期賃貸借の期間（建物は3年間）は抵当権に対抗できるとされていました。つまり，競売されても，最長で3年間は引渡しが猶予されていました。そのため，この制度は抵当権の実行を妨害するために濫用され，特にバブル崩壊後の不良債権処理において大きな問題となりました。そこで，改正がされ，現在は新しい住まいを見つけるために必要な6か月間しか猶予が認められなくなりました。
　P249で説明した，抵当権者（銀行）に有利に法改正がされた例です。

3．使用対価

　6か月間引渡しが猶予されますが，その猶予期間中は，建物を使用している元賃借人は，買受人に賃料相当額を支払う必要があります。単に引渡しが猶予されているだけで賃借権は消滅していますので，6か月間でも元賃借人と買受人の間に賃貸借契約が成立するわけではありません。よって，「賃料」ではなく「賃料相当額」となります。

他人の物をタダで使えることはない

　たとえ返還が猶予されたとしても，基本的に他人の物をタダで使えることはありません。これが，民法の基本的な考え方です。使用できる利益があるわけですから，使用対価を支払うのが公平の原理から当然だからです。

　このように，元賃借人には賃料相当額の支払義務があります。よって，その支払を怠った場合，買受人が元賃借人に相当の期間を定めて対価の1か月分以上の支払を催告し，その期間内に支払がないときは，引渡しが猶予されなくなります（民法395条2項）。つまり，元賃借人はすぐに出て行かなければならなくなるのです。

2 抵当権者の同意の登記をした賃貸借の対抗力

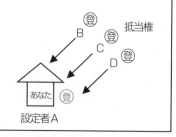

Case

Aが所有している建物にB，C，Dの抵当権が設定され，その登記がされた。その後，その建物をあなたがAから賃借し，賃借権の登記がされた。この場合において，あなたの賃借権を抵当権に対抗することができるようにする方法はないか？

設定者A

民法387条（抵当権者の同意の登記がある場合の賃貸借の対抗力）

1　登記をした賃貸借は，その登記前に登記をした抵当権を有するすべての者が同意をし，かつ，その同意の登記があるときは，その同意をした抵当権者に対抗することができる。

2　抵当権者が前項の同意をするには，その抵当権を目的とする権利を有する者その他抵当権者の同意によって不利益を受けるべき者の承諾を得なければならない。

1．意義

　抵当権の登記の後に設定された賃借権（抵当権に対抗できない賃借権）であっても，賃借権の登記前に登記した抵当権者全員が同意をし，かつ，同意の登記があるときは，同意をした抵当権者に対抗することができます。つまり，その賃借権は，抵当権の先順位になることができるのです（民法387条1項）。

　よって，上記 Case の場合も，B，C，Dが同意をし，あなたの賃借権がB，C，Dの抵当権に優先する同意の登記をすれば，あなたはB，C，Dに優先できます。

2．趣旨

　ですが，「わざわざ賃借権よりも後順位になる抵当権者なんて，いないんじゃないの？」と思われるかもしれません。一般的にはそうなのですが，都会のオフィスビルでは需要がないことはありません。都会のオフィスビル（貸しビル）であれば，大企業がテナントに入ってくれたほうが（賃借人になってくれたほうが），銀行（抵当権者）も債権を回収しやすいという面があります。大企業がテナントに入ってくれれば，オフィスビルのオーナーの収入が安定し，オフィスビルのオーナーから抵当権の設定を受けている銀行が弁済を受けやすくなります。しかし，大企業（賃借人）には「オフィスビルのオーナーの返済が滞り，銀行にオフィスビルを競売されると，オフィスビルから出て行かないといけなくなる」という不安があります。大企業の本社移転に

は莫大な費用がかかるので，本社移転は大問題です。そこで，「抵当権者が競売して
も，賃借権は残りますよ」と大企業（賃借人）を安心させるため，賃借権を抵当権に
優先させることができるこの制度が，平成15年に設けられたのです。

3. 要件

　賃借権を抵当権に優先させるには，以下の3つの要件を充たす必要があります。
①②は，民法ではちょっと変わった要件です。

①賃借権の登記がされていること（民法387条1項）

　賃借権は登記されている必要があります。登記されていない賃借権は，抵当権に優
先させる同意の登記をすることはできません。
　賃借権の登記が必要とされたのは，先順位の抵当権者に同意をするかしないかの判
断をさせるために，賃借権の内容を登記で公示させる必要があるからです。

②賃借権より先順位の抵当権を有するすべての者の同意およびその登記（民法387条1項）

　先順位の一部の抵当権者との間でのみ優先させると対抗関係が複雑になるので，先
順位の抵当権を有するすべての者の同意が必要とされました。
　そして，その登記が必要です。今まで，登記は対抗要件（民法177条）でしたが，
この登記は対抗要件ではなく，効力発生要件です。

> ### 新しい制度はわかりやすくすることが多い
>
> 　民法制定当初にはなく，その後の改正で作られた規定は，わかりやすさを追求して
> いる，たとえば，登記を効力発生要件にしているものが多いです（すべてではありま
> せん）。不動産の物権変動の民法の原則は「意思表示のみで効力が発生し，第三者に
> 対抗するには登記が必要である（民法176条，177条）」なのですが，正直，登記を効
> 力発生要件としたほうがわかりやすいです。そこで，平成15年の改正で作られた民
> 法387条は，登記を効力発生要件としているのです。

③不利益を受けるべき者の承諾（民法387条2項）

　抵当権を目的とする権利を有する者，その他抵当権者の同意によって不利益を受け
るべき者の承諾が必要です。
ex. 上記Caseにおいて，Bの抵当権を目的として転抵当権（P295～298[2]）が設定さ
　　れていた場合には，その転抵当権者の承諾が必要となります。

　抵当権が賃借権よりも後順位になるということは抵当権の価値が下がるということですので，抵当権を目的とする権利を有する者などの承諾が必要となるのです。

③ 法定地上権

　地上権は，設定者（地主）と地上権者との契約で成立するのが通常ですが，抵当権がからんで成立する場合があります（P153②）。それがこの「法定地上権」です。

民法388条（法定地上権）

　土地及びその上に存する建物が同一の所有者に属する場合において，その土地又は建物につき抵当権が設定され，その実行により所有者を異にするに至ったときは，その建物について，地上権が設定されたものとみなす。この場合において，地代は，当事者の請求により，裁判所が定める。

1．意義・趣旨

　「法定」地上権とありますとおり，法律上当然に成立する地上権です。では，どのような場合に，法律上当然に地上権が成立するのでしょうか。

　以下の2つの事例が基本となります。

事例① 建物のみが競売	事例② 土地のみが競売
Aが土地とその土地上の建物を所有しており，建物にBの抵当権が設定されていました。この場合に，Bが競売を申し立て，建物をあなたが買い受けました。	Aが土地とその土地上の建物を所有しており，土地にBの抵当権が設定されていました。この場合に，Bが競売を申し立て，土地をあなたが買い受けました。

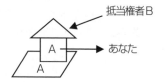

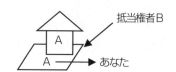

【前提知識】

　民法は，原則として，土地の所有者が自分のために地上権や賃借権などの土地利用権を設定することを認めていません（P69（ⅰ））。よって，上記事例①②ともに土地と建物をAが所有していましたので，競売されるまでは土地利用権はありませんでした。

事例①

　建物のみが競売され，あなたが建物を買い受けた場合，あなたは土地利用権がないと建物を使えません。よって，"法律上当然に"地上権を成立させる必要があります。

事例②

　土地のみが競売され，あなたが土地を買い受けた場合，Aは土地利用権がないと建物を使えません。よって，"法律上当然に"地上権を成立させる必要があります。

　法律上当然に地上権を成立させる理由は，以下のとおりです。

事例①

　土地の利用権がないために建物が使えないなら，あなたは競売で入札しようと思いませんよね。そうすると，誰も入札者がいなくなり，建物を有効利用できなくなり，社会経済上の損失となります。

事例②

　Aが建物を使えないとすると，建物を収去しなくてはならなくなります。建物を収去することは，社会経済上の損失となります。

　建物を収去するかの問題ですので，ここでもⅠのテキスト第2編第2章第1節 4 1.（2）で説明した社会経済上の不利益の回避という趣旨が出てくるのです。

　事例①は競売の買受人であるあなたのためですから，納得できると思います。

　それに対して，事例②で，競売代金を払ってわざわざ買ったあなたが，地上権が成立するのを我慢しないといけないのは，納得できないと思います。しかし，法律上当然に地上権が成立することは事前にわかっているため，あなたが払う競落金もかなり安くなります。それでバランスが取れているのです。また，事例②では，抵当権者Bも更地ではなく底地として評価していますので，そんなに高額な融資をしていません。

　── 用語解説 ──「更地」「底地」──

　「更地」とは，建物などのない土地のことです。底地よりも評価額は高くなります。
　「底地」とは，建物などがある土地のことです。更地よりも，評価額は低くなります。
　同じ土地でも，一般的には評価額は「更地10：底地3」といわれています。市場価値が，「更地10：底地1.0〜1.5」くらいになることもあります。

※法定地上権の地代・存続期間

　法定地上権は法律上当然に成立する地上権ですから，設定行為（契約）で地代や存続期間が決まっていることはありません。

　地代は，当事者の協議が調わなければ，当事者の請求により裁判所が定めます（大判明43.3.23。民法388条後段）。

　存続期間は，当事者の協議が調わなければ，借地借家法が適用されて30年となります（借地借家法3条）。法定地上権は，建物の存在を前提として成立する地上権ですので，建物を所有することを目的とする地上権となり，借地借家法が適用されます。借地借家法が適用される要件については，Ⅲのテキスト第7編第5章第1節3で説明します。

2．成立要件

　法定地上権の成立要件は，民法388条に規定されている以下の4点です。まず，以下の要件を正確に記憶することが基本であり，極めて重要です。

①抵当権設定当時，土地上に建物が存在すること
　銀行（抵当権者）は設定時に不動産の価値を判断していくら融資するかを決めますので，基準時は設定時です。また，設定時に土地上に建物が存在しないと，銀行（抵当権者）が法定地上権の成立を想定できないという理由もあります。

②抵当権設定当時，土地と建物が同一人所有であること
　上記①と同じ理由から，基準時は設定時です。「土地と建物が同一人所有である」という要件があるのは，別人所有であれば何かしらの土地利用権があるはずだからです。土地利用権がないと，他人の土地の上に建物を所有できません。

③土地・建物の一方または双方に抵当権が設定されたこと
　民法388条には「土地又は建物につき抵当権が設定され」とあるのですが，土地と建物の双方に設定された場合にも下記④の事態は起こるので，解釈で土地と建物の双方に抵当権が設定された場合も含むとされています（大判明38.9.22，大判昭6.10.29，最判昭37.9.4）。

④抵当権の実行により土地・建物の所有者を異にするに至ったこと
　土地・建物の所有者が別人にならなければ，土地利用権（法定地上権）は必要ありません。

　この①～④の要件をもう少し細かく下記（1）からみていきますが，その前に以下の点を押さえると，法定地上権が成立するかどうかの判断がグッと楽になります。

それぞれの思惑

・建物の抵当権者・建物の買受人　→　法定地上権の成立を望む

　建物の抵当権者からすると，法定地上権が成立すれば建物が高く売れるので嬉しいです。建物の買受人も，土地を利用できるので嬉しいです。

・土地の抵当権者・土地の買受人　→　法定地上権の成立を望まない

　土地の抵当権者からすると，法定地上権が成立すれば土地が安くしか売れないので悲しいです。土地の買受人も，土地を利用できないので悲しいです。

Point

Ⅰ　法律上当然に成立するかしないかが決まる（大判明41.5.11）

　"法定"地上権であるため，当事者の特約の有無などは関係なく決まります。また，当事者の特約の有無は，買受人にはわかりません。

Ⅱ　登記は関係なく，実体がどうなっているかが問題となる

Ⅲ　抵当権者が2人いる場合は，先に設定された抵当権の抵当権者の利益を優先する

　先に設定された抵当権が，後に設定された抵当権によって不利益を受けるのはおかしいからです。

（1）抵当権設定当時，土地上に建物が存在すること（要件①）

（a）更地に抵当権設定後，建物を建てた場合

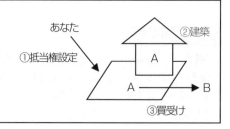

Case

　Aは，所有している土地にあなたのために抵当権を設定した後，土地上に建物を建てた。その後，あなたが競売を申し立てBが買受人となった場合，法定地上権は成立するか？

あなた
①抵当権設定
②建築
A
A → B
③買受け

　上記Caseの場合，法定地上権は成立しません（大判大4.7.1）。

　「抵当権設定当時，土地上に建物が存在すること」という要件①を充たしません。抵当権設定当時には建物が存在しなかったため，抵当権者であるあなたは更地（価値の高い土地）として担保価値を評価して融資をしています。

※更地に抵当権を設定するに際して土地の抵当権者の建物建築の承認があった場合

　たとえば，上記 Case において，更地にあなたの抵当権が設定されたが，抵当権設定時に「後日，建物を建てていいよ」とあなたが承認していた場合でも，法定地上権は成立しません（大判大7.12.6，最判昭36.2.10，最判昭47.11.2）。

　P271 の Point I にありますとおり，法律上当然に成立するかしないかが決まるので，建物建築の承認があってもそれは関係ありません。

（b）抵当権が2つある場合

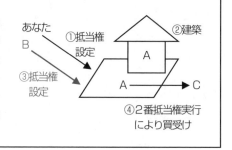

Case

　Aは，所有している土地にあなたのために1番抵当権を設定した後，その土地上に建物を建て，さらに，Bのために2番抵当権を設定した。その後，2番抵当権者Bが競売を申し立て，Cが買受人となった場合，法定地上権は成立するか？

あなた
B
①抵当権設定
②建築
A
③抵当権設定
A → C
④2番抵当権実行により買受け

　上記 Case の場合，Bの2番抵当権設定時には建物はあり，その時点では「抵当権設定当時，土地上に建物が存在すること」という要件①を充たします。しかし，法定地上権は成立しません（最判昭47.11.2）。1番抵当権設定時には，「抵当権設定当時，土地上に建物が存在すること」という要件①を充たしておらず，1番抵当権設定時を基準として法定地上権が成立するかを考えるのです。

　P271 の PointⅢにありますとおり，抵当権者が2人いる場合は，先に設定された抵当権の抵当権者の利益を優先します。後に設定されたBの抵当権によってあなたが不利益を受けるのはおかしいからです。あなたは土地の抵当権者ですので，法定地上権の成立を望みません（P271 の「それぞれの思惑」）。

※順位変更がされた場合

　上記 Case を少し変えて，Bの抵当権設定の後，Bの抵当権実行の前に，あなたの1番抵当権とBの2番抵当権の順位変更がされていた場合はどうなるでしょうか。「順位変更」とは，抵当権者同士が合

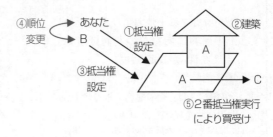

意しその登記をすることによって，抵当権の順位を変更することです（民法374条）。複数の金融機関の抵当権が設定されている場合に，金融機関同士で話し合いがつき，順位の変更がされることがあります。

　この場合でも，法定地上権は成立しません（最判平4.4.7）。

　たしかに，Bの抵当権が先順位となりました。しかし，順位変更がされても，あなたが抵当権を設定したときに建物がなかった（＝あなたは更地として評価していた）ということが変わるわけではないからです。

　また，P271 の PointⅢで「先に設定された抵当権の抵当権者の利益を優先します」と記載しました。順位変更がされても，"先に設定された"抵当権があなたの抵当権であることに変わりはありません。

（c）建物の再築

*この（c）の再築は例外的なハナシであり，内容も少し難しいので，P286（法定地上権の最後）までお読みいただいてからお読みください。

ⅰ　原則

建物の再築がされた場合にも法定地上権が成立するか問題になった，以下の事案があります。

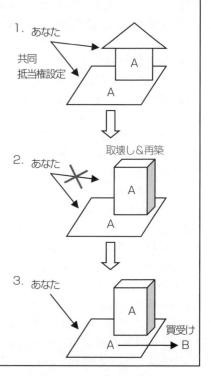

Case

　以下の場合，法定地上権は成立するか？

1．Aが所有する土地およびその土地上の建物にあなたの共同抵当権（P306 1 ）が設定された。

2．その後，Aは，その建物を取り壊し，別の建物を建築した（*）。

*建物に設定されていた抵当権の効力は，その建物が取り壊され，別の建物が新築された場合，新築後の建物には及びません。物権は目的物が滅失すれば消滅するので（P65の1.），その建物が取り壊された時点で抵当権は消滅するからです。

3．その後，あなたがその土地の競売を申し立て，Bが買受人となった。

　上記 Case の何が問題かというと，P270 の成立要件の4つはすべて充たしているのです。

要件①～③：上記 Case の1.の抵当権設定時点で，「土地上に建物が存在し」（要件①），「土地と建物が同一人所有であり」（要件②），「土地・建物の一方または双方に抵当権が設定された」（要件③）

要件④　　：上記 Case の3.の競売により，「抵当権の実行により土地・建物の所有者
　　　　　を異にするに至った」（要件④）

　しかし，法定地上権が成立してしまうと，あなたはたまったものではありません。
上記 Case の2.の建物の取壊しにより，あなたの建物に対する抵当権は消滅していま
す。よって，競売して配当を受けることができるのは土地のみであり，法定地上権が
成立すれば，土地は底地（価値の低い土地）としてしか売れないのです。本来は，土
地と建物を競売して配当を受けられたのに，土地のみしか競売できず，しかも，底地
としてしか売れなくなってしまいます。
　そこで，判例は以下のように考え（以下の表の左），法定地上権の成立を否定しま
した。成立要件4つを充たすにもかかわらず法定地上権が成立しない，例外です。
　なお，成立要件4つを充たしているので，法定地上権が成立するとする学説（以下
の表の右）もあります。

	全体価値考慮説（最判平9.2.14）──▶ ◀── 個別価値考慮説	
ダレ の味 方か	上記 Case のあなた ↗ 上記 Case のA ↘	上記 Case のA ↗ 上記 Case のあなた ↘
結論	法定地上権は成立しません。	法定地上権は成立します。
理論	抵当権は目的物の交換価値を把握している物権です（P231②）。土地と建物に共同抵当権が設定された場合，建物については「建物＋土地利用権」を把握していま 建物＋土地利用権 土地－土地利用権 す。「＋土地利用権」とは，土地を利用できる価値も把握しているということです。土地については「土地－土地利用権」を把握しています。「－土地利用権」とは，土地を利用できない価値（底地）しか把握していないということです。	
	この説は，上記の「建物＋土地利用権」と「土地－土地利用権」を別々にではなく，全体として把握していると考えます。よって，建物の取壊しにより建物の抵当権が消滅した場合，「建物＋土地利用権」の「＋土地利用権」	この説は，上記の「建物＋土地利用権」と「土地－土地利用権」を個別的に把握していると考えます。よって，建物の取壊しにより建物の抵当権が消滅した場合，「建物＋土地利用

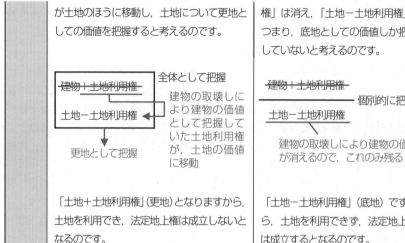

| が土地のほうに移動し，土地について更地としての価値を把握すると考えるのです。 | 権」は消え，「土地－土地利用権」，つまり，底地としての価値しか把握していないと考えるのです。 |

全体として把握
建物＋土地利用権
建物の取壊しにより建物の価値として把握していた土地利用権が，土地の価値に移動
土地－土地利用権
更地として把握

個別的に把握
建物＋土地利用権
土地－土地利用権
建物の取壊しにより建物の価値が消えるので，これのみ残る

| 「土地＋土地利用権」（更地）となりますから，土地を利用でき，法定地上権は成立しないとなるのです。 | 「土地－土地利用権」（底地）ですから，土地を利用できず，法定地上権は成立するとなるのです。 |

　全体価値考慮説は，建物の取壊しにより「土地利用権」が土地の価値に移動するといっていますが，まあ屁理屈のようですね。土地と建物は別物なわけですから，建物が取り壊されたら土地の価値である「土地－土地利用権」しか残らないとしている個別価値考慮説のほうが筋が通っています。

　しかし，土地と建物を担保に取っていた抵当権者が土地を底地としてしか競売できないというのはあまりに不公平だということで，判例が無理矢理に「全体価値を把握」「土地利用権が土地の価値に移動する」という，いわば屁理屈を持ちだしたのです。そこまでして抵当権者を保護したかったということです。

ⅱ　例外

　再築の場合でも，法定地上権が例外的に成立する場合があります。

　それは，新建物の所有者が土地の所有者と同一人で，かつ，土地の抵当権者が新建物について土地の抵当権と同順位の共同抵当権の設定を受けたなどの特段の事情がある場合です（最判平9.2.14）。仮に上記ⅰの Case において，あなたが新建物に土地の抵当権と同順位の共同抵当権の設定を受けていれば，法定地上権は成立します。

　この場合，あなたは，従来の状況が回復されたといえるからです。

※法律上優先する債権が存在する場合でも「特段の事情がある」といえるか？

　新建物の所有者が土地の所有者と同一人で，かつ，土地の抵当権者が新建物について土地の抵当権と同順位の共同抵当権の設定を受けた場合であっても，新建物に設定

された抵当権の被担保債権に法律上優先する債権が存在するときは，「特段の事情がある場合」には当たらず，法定地上権は成立しません（最判平9.6.5）。この事案は，新建物を目的とする国税債権がありました。国税債権（ex. 所得税債権）は，法定納期限等が抵当権の設定より前であれば，なんと登記をしていなくても抵当権に優先します（国税徴収法16条参照）。国税の回収のために，国税債権には非常に図々しい優先権が認められているのです。この国税債権が「法律上優先する債権」です。

　新建物に同順位の抵当権の設定を受けても，優先する債権（国税債権）があるのであれば，従来の状況が回復されたとはいえないため，「特段の事情がある場合」には当たらず，法定地上権は成立しないとされたのです。

（d）建物登記の必要性

　「抵当権設定当時，土地上に建物が存在すること」が要件①ですが，これは建物が抵当権設定当時に実際に存在していれば足り，登記がされていなくても法定地上権は成立します（大判昭7.10.21，大判昭14.12.19，最判昭44.4.18，最判昭48.9.18）。

　P271のPointⅡにありますとおり，登記は関係ありません。抵当権設定にあたっては現地調査をするのが通常ですので，抵当権者も，建物が実際に存在していれば，底地（価値の低い土地）として担保価値を評価し融資をしているからです。

（2）抵当権設定当時，土地と建物が同一人所有であること（要件②）
（a）設定時は同一人所有であったが，競売時には別人所有となった場合

Case

　土地とその土地上にある建物の所有者がともにAである場合において，土地のみにあなたのために抵当権が設定された後，その建物のみがBに売却された。その後，あなたがその土地の競売を申し立て，Cが買受人となった場合，法定地上権は成立するか？

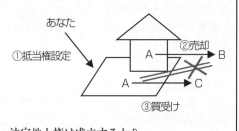

　上記Caseの場合でも，法定地上権は成立します（大連判大12.12.14）。

　たしかに，競売時には土地と建物が別人所有となっていますが，「抵当権設定当時，土地と建物が同一人所有であること」という要件②は充たしています。よって，抵当権者であるあなたは法定地上権が成立するだろうと考え，底地（価値の低い土地）として担保価値を評価して融資をしていますので，成立しても問題ありません。

※建物に抵当権が設定されていた場合

上記 Case は土地に抵
当権が設定されていた事
案ですが，あなたの抵当
権が建物に設定されてい
た場合も，法定地上権は
成立します（通説）。

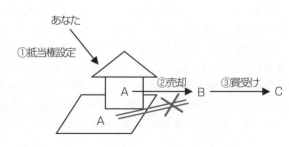

この場合も，競売時に
は土地と建物が別人所有

となっていますが，「抵当権設定当時，土地と建物が同一人所有であること」という
要件②は充たしています。よって，抵当権者であるあなたは法定地上権が成立するだ
ろうと考え，法定地上権が伴う建物（価値の高い建物）として担保価値を評価して融
資をしています。

（b）設定時は別人所有であったが，競売時は同一人所有となった場合
ｉ　建物抵当の場合
（ⅰ）抵当権が１つの場合

Case

Bが所有している土地
の上にあるA所有の建物
にあなたのために抵当権
が設定された後，その建
物がBに売却されて土地
と建物の所有者が同一人
になった。その後，あな

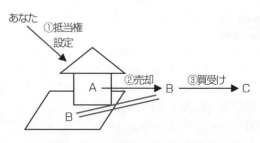

たがその建物の競売を申し立て，Cが買受人となった場合，法定地上権は成立す
るか？

上記 Case の場合，法定地上権は成立しません（最判昭44.2.14）。

たしかに，競売時には土地と建物が同一人所有となっていますが，「抵当権設定当
時，土地と建物が同一人所有であること」という要件②を充たしません。

※土地の承継があった場合

上記 Case は建物が承継された事案ですが，建物ではなく土地がBからAに承継されていた場合も，法定地上権は成立しません（最判昭44.2.14）。

この場合も，競売時には土地と建物が同一人所有となっていますが，「抵当権設定当時，土地と建物が同一人所有であること」という要件②を充たしません。

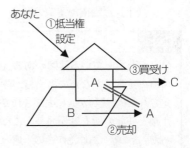

（ⅱ）抵当権が2つある場合

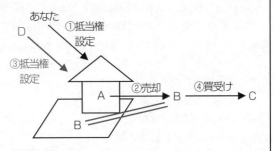

Case

Bが所有している土地の上にあるA所有の建物にあなたを抵当権者とする1番抵当権が設定された後，建物がBに売却されて土地と建物の所有者が同一人になり，さらに建物にDを抵当権者とする2番抵当権が設定された。その後，あなたがその建物の競売を申し立て，Cが買受人となった場合，法定地上権は成立するか？

上記 Case の場合，あなたの1番抵当権設定時には土地と建物が同一人所有ではなく「抵当権設定当時，土地と建物が同一人所有であること」という要件②を充たしていませんが，Dの2番抵当権設定時には土地と建物が同一人所有であり要件②を充たしています。この場合，法定地上権は成立します（大判昭14.7.26）。この場合は，2番抵当権設定時を基準として法定地上権が成立するかを考えるのです。

P271 の PointⅢにありますとおり，抵当権者が2人いる場合は，先に設定された抵当権の抵当権者の利益を優先します。あなたは建物の抵当権者ですので，法定地上権の成立を望みます（P271 の「それぞれの思惑」）。

ⅱ　土地抵当の場合
（ⅰ）抵当権が1つの場合

Case

　Bが所有している建物があるA所有の土地にあなたの抵当権が設定された後,建物がAに売却されて土地と建物の所有者が同一人になった。その後,あなたがその土地の競売を申し立て,Cが買受人となった場合,法定地上権は成立するか?

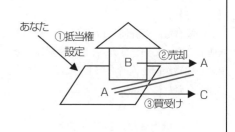

　上記Caseの場合,法定地上権は成立しません(最判昭44.2.14参照)。
　「抵当権設定当時,土地と建物が同一人所有であること」という要件②を充たしません。

※土地が承継された場合

　上記 Case は建物が承継された事案ですが,建物ではなく土地がAからBに承継されていた場合も,法定地上権は成立しません(最判昭44.2.14参照)。
　この場合も,競売時には土地と建物が同一人所有となってい

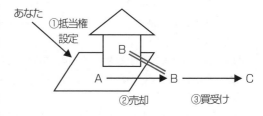

ますが,「抵当権設定当時,土地と建物が同一人所有であること」という要件②を充たしません。

（ⅱ）抵当権が2つある場合

> **Case**
>
> 　Bが所有している建物があるA所有の土地にあなたの抵当権が設定された後，土地がBに売却されて土地と建物の所有者が同一人になり，さらに土地にDを抵当権者とす
>
>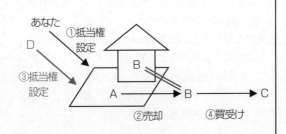
>
> る2番抵当権が設定された。その後，あなたがその土地の競売を申し立て，Cが買受人となった場合，法定地上権は成立するか？

　上記 Case の場合，あなたの1番抵当権設定時には土地と建物が同一人所有ではなく「抵当権設定当時，土地と建物が同一人所有であること」という要件②を充たしていませんが，Dの2番抵当権設定時には土地と建物が同一人所有であり要件②を充たしています。しかし，法定地上権は成立しません（最判平2.1.22）。1番抵当権設定時を基準として法定地上権が成立するかを考えるのです。

　P271 の Point Ⅲ にありますとおり，抵当権者が2人いる場合は，先に設定された抵当権の抵当権者の利益を優先します。後に設定されたDの抵当権によってあなたが不利益を受けるのはおかしいからです。あなたは土地の抵当権者ですので，法定地上権の成立を望みません（P271 の「それぞれの思惑」）。

※競売前に抵当権が消滅していた場合

> **Case**
>
> 　Bが所有している土地上にA所有の建物があった場合において，その土地にあなたの1番抵当権が設定された後，Bがその建物を取得し，その後，その土地にDの2番抵当権が設定された。しかし，あなたの抵当権が抵
>
>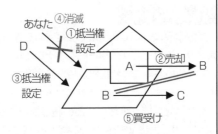
>
> 当権設定契約の解除によって消滅した。その後，Dがその土地の競売を申し立て，Cが買受人となった場合，法定地上権は成立するか？

　上記（ⅱ）の Case と、「1番抵当権設定時には土地と建物が同一人所有ではない」「2番抵当権設定時には土地と建物が同一人所有である」という点は同じです。しかし、競売時に1番抵当権が消滅しています。この場合、上記（ⅱ）の Case と異なり、法定地上権は成立します（最判平 19.7.6）。

　競売時に1番抵当権が消滅していますので、P271 の Point Ⅲ の考慮が不要です。よって、2番抵当権設定時を基準として考えればよいのです。2番抵当権設定時には「抵当権設定当時、土地と建物が同一人所有であること」という要件②を充たしていますので、法定地上権は成立します。

（c）登記上は別人所有の場合

　「抵当権設定当時、土地と建物が同一人所有であること」という要件②は、実体上、土地と建物が同一人所有であれば、登記上は別人の所有とされていても法定地上権は成立します（最判昭 48.9.18、最判昭 53.9.29）。

　P271 の Point Ⅱ にありますとおり、登記は関係なく、実体がどうなっているかで決まるからです。

（d）共有の場合

　「土地と建物が同一人所有」というこの要件②ですが、土地または建物、あるいは、その双方が共有であった場合はどうなるでしょうか。土地が共有・建物が単有で、土地の共有者の1人が建物の所有者である（後記 ⅰ（ⅰ））など、同一人所有といえるか微妙な問題があります。

　このように、共有がからむと一見複雑そうにみえますが、実は以下の「Realistic rule」「視点」「原則」を押さえていただければ、それでほとんどの事案の判断ができます。

Realistic rule

　持分のみについて利用権を設定することはできません。これは、「持分」ですから、概念のハナシであり、物理的なハナシではありません（P130 の「『30/90 ㎡』ではない」）。他の共有者の使用収益権を侵害することになるからです。他の共有者も、不動産の全部を使用できます（P131（b））。

　それに対して、土地の一部に利用権を設定することはできた点にご注意ください（P153 の「民法（実体）の基本的な考え方」）。これが物理的なハナシです。

視点

　抵当権設定者でない他の共有者の利益を考えます。よって，土地共有と建物共有で以下の考え方となります。

【土地共有の場合】

　法定地上権は「成立しない」とすべきです。法定地上権が成立すると共有者は不利益を被る（強力な地上権の負担を負う）からです（P271 の「それぞれの思惑」）。

【建物共有の場合】

　法定地上権は「成立する」とすべきです。成立させたほうが共有者の利益となる（単なる土地利用権が強力な地上権になる）からです（P271 の「それぞれの思惑」）。

原則

【土地共有の場合】

　土地共有ならば，法定地上権は成立しません。上記の「視点」にありますとおり，他の共有者の不利益を考えてのことです。

　ただし，P286※に例外があります。

【建物共有の場合】

　建物共有ならば，法定地上権は成立します。上記の「視点」にありますとおり，他の共有者の利益を考えてのことです。

　ただし，P285 のⅲに例外があります。

ⅰ　土地共有
（ⅰ）土地の持分権に抵当権が設定された場合

Case

　Aが所有している建物が建っているAB共有の土地のA持分に，あなたの抵当権が設定された。その後，あなたがその土地のA持分の競売を申し立て，Cが買受人となった場合，法定地上権は成立するか？

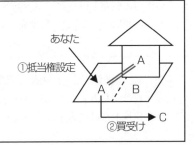

　上記 Case の場合，法定地上権は成立しません（最判昭 29.12.23）。
　成立してしまうと，共有者であるBの利益を害することになるからです（上記の「視点」）。土地共有ならば，法定地上権は成立しないのが原則です（上記の「原則」）。

（ii）建物に抵当権が設定された場合

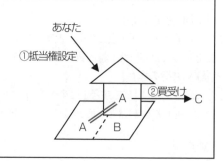

> **Case**
>
> 　ＡＢが共有する土地の上に建って
> いるＡが所有している建物に，あなた
> の抵当権が設定された。その後，あな
> たがその建物の競売を申し立て，Ｃが
> 買受人となった場合，法定地上権は成
> 立するか？

　上記Caseの場合，法定地上権は成立しません（通説）。

　成立してしまうと，共有者であるＢの利益を害することになるからです（上記の「視点」）。土地共有ならば，法定地上権は成立しないのが原則です（上記の「原則」）。

ii　建物共有
（i）土地に抵当権が設定された場合

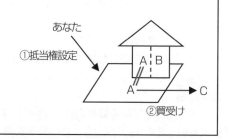

> **Case**
>
> 　ＡＢが共有する建物が建っている
> Ａが所有している土地に，あなたの抵
> 当権が設定された。その後，あなたが
> その土地の競売を申し立て，Ｃが買受
> 人となった場合，法定地上権は成立す
> るか？

　上記Caseの場合，法定地上権は成立します（最判昭46.12.21）。

　成立すれば，共有者であるＢの利益となるからです（上記の「視点」）。建物共有ならば，法定地上権は成立するのが原則です（上記の「原則」）。

第7節　利用権との関係

（ⅱ）建物の持分に抵当権が設定された場合

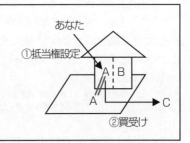

Case

　Aが所有している土地の上に建っているABが共有する建物のA持分に、あなたの抵当権が設定された。その後、あなたがその建物のA持分の競売を申し立て、Cが買受人となった場合、法定地上権は成立するか？

　上記Caseの場合、法定地上権は成立します（通説）。

　成立すれば、共有者であるBの利益となるからです（上記の「視点」）。建物共有ならば、法定地上権は成立するのが原則です（上記の「原則」）。

ⅲ　土地共有・建物共有

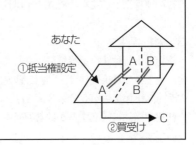

Case

　AB共有の建物が建っているAB共有の土地のA持分に、あなたの抵当権が設定された。その後、あなたがその土地のA持分の競売を申し立て、Cが買受人となった場合、法定地上権は成立するか？

　上記Caseのように、土地と建物の双方が共有である場合、法定地上権は成立しません（最判平6.4.7参照）。

　微妙な問題ですが、これは以下の理由によります。

　持分のみについて利用権を設定することはできません（上記の「Realistic rule」）。よって、仮に法定地上権が成立するとなると、土地の所有権のうち、Cが買い受けたAの持分上だけでなく、Bの持分も含めた所有権全部を目的として成立することになります。しかし、Aは、持分しか有していませんでしたので、所有権全部に地上権を設定する権限はありませんでした。よって、所有権全部を目的として法定地上権が成立するとすることはできないのです。

※例外的に法定地上権が成立する場合

　土地が共有の場合でも，例外的に法定地上権が成立する場合があります。上記 Case において，土地の共有者である B が，持分に基づく土地に対する使用収益権を事実上放棄し，A の処分にゆだねていたことなどにより，法定地上権の発生をあらかじめ容認していたとみることができる特段の事情がある場合には，法定地上権が成立します（最判平 6.12.20〔＊〕）。

＊なお，この判例の事案は，上記 Case と共有関係が少し異なり，A と建物を共有する者が B ではなく，別の者でした。つまり，「A と土地を共有する者」と「A と建物を共有する者」が別の者でした。

（3）土地・建物の一方または双方に抵当権が設定されたこと（要件③）

　この要件③については，P270 で説明した，民法 388 条は「土地又は建物につき抵当権が設定され」となっているが，土地と建物の双方に抵当権が設定された場合も含む（大判明 38.9.22，最判昭 37.9.4），という知識だけを押さえていただければ結構です。

（4）抵当権の実行により土地・建物の所有者を異にするに至ったこと（要件④）

　この要件についても，P270 で説明した以上のハナシはありません。

3．対抗要件

　法定地上権は法律上当然に成立しますが，第三者に対抗するには対抗要件が必要です。地上権の対抗要件は，「地上権の登記」または「土地上の建物の登記」（これはⅢのテキスト第 7 編第 5 章第 3 節 1 1．（2）で扱います）です。

　法律上当然に成立するかは効力発生要件の問題であって，対抗要件の問題とは別だからです。

第8節　抵当権侵害

1　大前提

「抵当権を害するような侵害行為があった場合に，抵当権者が何を言えるのか？」というハナシをみていきます。

しかし，その大前提として押さえておいていただきたいことがあります。設定者は，抵当権の目的となった不動産について，以下の2点は問題なくできます。

①設定者が不動産を使う

ex. 設定者は，住宅ローンを担保するために銀行の抵当権を設定しても，不動産に住むことができます。当たり前ですね。

②第三者に用益させる

ex. 銀行の抵当権が設定された不動産を賃貸することができます（＊）。P247 3 でも説明した，投資物件をイメージしてください。

＊ただし，住宅ローンだと通常は，転勤などの理由がない限り，設定者が不動産を賃貸できない旨の特約があります。

これらのことが許されるのは，抵当権が非占有担保（P231①）だからです。非占有担保なので，設定者は通常の使用収益ができるのです。

よって，「抵当権侵害」とは，通常の使用収益を超える行為が対象となります。抵当権は目的物の交換価値を把握する物権ですので（P231②），債務者や第三者が通常の使用収益を超える行為により目的物の交換価値を減少させた場合に，抵当権者に以下の請求が認められています。

・物権的請求権を行使することによる侵害の排除の請求（下記 2 ）
・損害賠償請求権を行使することによる金銭の請求（民法709条。下記 3 ）

また，抵当権の被担保債権の債務者が抵当権侵害をした場合には，以下の問題があります。

・期限の利益喪失により抵当権の実行が可能になる（下記 4 ）

2 物権的請求権

抵当権も物権ですので，物権的請求権が認められます。ただし，非占有担保ですので，通常の物権的請求権と少し違った扱いとなります。

※抵当不動産の担保価値が被担保債権を下回ることの要否

物権的請求権を行使するのに，侵害行為によって，抵当不動産の担保価値が被担保債権を下回ることは必要ありません（通説）。つまり，侵害行為があったが，抵当不動産が抵当権の被担保債権を上回る額で競売できる場合でも，行使できます。

「
P292

これは，抵当権の不可分性からきています。被担保債権のほうが目的物の価値より低くても，抵当権の効力は目的物のすべてに及ぶのです（P180 3 ）。

1．物権的返還請求権

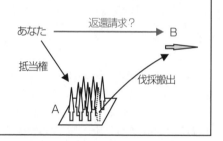

> **Case**
>
> 　Aが所有している山林にあなたの抵当権が設定されている場合において，山林の木を第三者Bが不法に伐採，搬出した。このとき，あなたはBに，その木を自分に返還するよう請求できるか？

上記 Case において，あなたは物権的返還請求権を行使できます。第三者が不法に伐採・搬出をしているため，通常の使用収益を超える行為があるといえるからです。

しかし，抵当権者であるあなたは，自分への返還を請求することはできません。抵当権は非占有担保ですので，抵当権者が占有を取得するのはおかしいからです。

よって，あなたはBに対して，設定者Aに返還するよう請求できるにとどまります（最判昭 57.3.12 参照・通説）。これは，木を抵当不動産と一緒に競売できるようにするため，木をBから第三者が即時取得することを防止するため，といった理由から認められます。

2．物権的妨害排除請求権

物権的妨害排除請求権については，以下の点が問題となります。

（1）抵当山林の立木の伐採・搬出の禁止請求の可否

　山林が抵当権の目的となっている場合に，通常の用法を超える立木の伐採や搬出がされそうなときは，抵当権者は伐採や搬出の禁止を請求できます（大判昭7.4.20，最判昭44.3.28参照）。

（2）有害な登記の抹消請求の可否

　不当に有害な登記がされた場合，抵当権者はその抹消を請求できます（最判平6.5.12）。

（3）抵当不動産の占有者に対する明渡請求の可否

問題の所在

　「抵当不動産を不法占拠者などが占有している場合に，抵当権に基づいて明渡請求ができるか」といったハナシです。これは，抵当権の以下の2つの特徴（P231）が対立し，どちらを重視するかという問題です。非占有担保という点を重視するならば，明渡請求は認められない方向にいきます。交換価値の把握という点を重視するならば，抵当不動産の価値を保つために明渡請求は認められる方向にいきます。

非占有担保　　　ＶＳ　　　交換価値の把握

（a）不法占拠者に対する明渡請求の可否

　まずは，不法占拠者に対する明渡請求が認められるかです。不法占拠者ですから，なんとなく認められそうではありますが，どうでしょうか。

Case

　あなたの抵当権が設定されているAが所有している建物をBが不法に占拠している場合，あなたはBに対して，抵当権に基づく妨害排除請求としてその建物の明渡しを請求できるか？

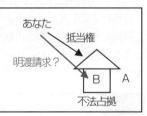

　不法占拠者により抵当不動産の交換価値の把握が妨げられる，つまり，抵当権者の優先弁済権の行使が困難になるような状態のときは，抵当権者は，以下のⅰまたはⅱの請求ができます。

　抵当権者は抵当不動産の交換価値を把握しているため，設定者に抵当不動産を適切に管理するよう求める請求権を有しているからです。また，P249で説明した占有屋（上記Caseだと B）と設定者（上記Caseだと A）が組んで，競売手続を妨害する事例が多かったことも，判例が以下の請求を認めた理由の1つです。

i　設定者の妨害排除請求権の代位行使

　抵当権者（上記 Case だとあなた）は，民法423条の法意に従い，設定者（上記 Case だとA）の不法占有者（上記 Case だとB）に対する妨害排除請求権を代位行使して抵当不動産の明渡しを請求できます（最大判平11.11.24）。

　「民法423条」とは，債権者代位権の条文です。詳しくはⅢのテキスト第5編第3章第3節[1]で扱いますが，簡単にいうと，債権者が債務者の権利を代わりに行使できるということです。上記 Case の場合，Aは所有者ですから，不法占拠者Bに対して所有権に基づく妨害排除請求権を行使できます。それをAの債権者であるあなたが代わりに行使できるのです。

ii　抵当権に基づく妨害排除請求

　抵当権者（上記 Case だとあなた）は，上記 i の請求だけでなく，抵当権自体に基づく妨害排除請求として，不法占拠者（上記 Case だとB）に明渡しを請求できます（最大判平11.11.24 参照）。

　抵当権は非占有担保ですので，抵当権に基づく妨害排除請求まで認められるか微妙なところでした。上記の「問題の所在」で説明したとおり，非占有担保と交換価値の把握のどちらを重視するかという問題ですが，この判例は「非占有担保＜交換価値の把握」の姿勢を採ったというイメージです。

（b）占有の正権原を有する者に対する明渡請求の可否

　今度は，賃借人など本来正当に占有できる者に対する明渡請求が認められるかという問題です。本来正当に占有できる者ですし，抵当権は非占有担保ですので，さすがにこれは認められない………かと思いきや，判例は交換価値の把握のほうにドンドン傾いていきます。

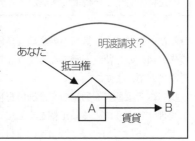

Case

　あなたの抵当権が設定されているAが所有している建物がBに賃貸された。Bへの賃貸が，競売手続を妨害する目的であり，それによりあなたの優先弁済権の行使が困難となる場合，あなたはBに対して，その建物の明渡しを請求できるか？

i　原則

Bは賃借人ですから，本来正当に占有できる者です。抵当権は非占有担保ですから，抵当権者は占有の正権原を有する者に対しては，明渡請求ができないのが原則です。

ii　例外

ですが，賃借人であっても，抵当権の設定の登記の後に賃借した者であり，その賃貸借契約が競売手続を妨害する目的であり（つまり，抵当権者に対する嫌がらせ目的のための賃貸借であり），賃借人の占有により抵当不動産の交換価値の把握が妨げられる（つまり，抵当権者の優先弁済権の行使が困難になるような状態である）ときは，抵当権者はその賃借人に対し，抵当権に基づく妨害排除請求として明渡しを請求できます（最判平17.3.10）。よって，上記 Case のあなたはBに対して，建物の明渡しを請求できます。

抵当権は非占有担保ですので，本来正当に占有できる賃借人への明渡請求は難しいです。上記の「問題の所在」で説明したとおり，非占有担保と交換価値の把握のどちらを重視するかという問題ですが，この判例は「非占有担保＜＜＜交換価値の把握」の姿勢を採ったというイメージです。

（c）抵当権者への明渡しを請求することの可否

では，"抵当権者に"明渡しを請求できるでしょうか。抵当権は非占有担保ですので，さすがにこれは無理かな………と思いきや，なんと，設定者が抵当権に対する侵害が生じないように抵当不動産を適切に維持管理することが期待できないときは，抵当権者は占有者に対し，直接自己への明渡しを請求できるとされました（最大判平11.11.24，最判平17.3.10）。

「とうとうここまできたか……」という感じです。

この判例は「非占有担保＜＜＜＜＜交換価値の把握」の姿勢を採ったというイメージです。

3　抵当権侵害に対する損害賠償請求

今度は，損害賠償請求，つまり，「カネ」の請求のハナシです。債務者や第三者が通常の使用収益を超える行為により，目的物の交換価値を減少させた場合，抵当権者は侵害者に対し損害賠償請求をすることができます。

ただし，上記 2 の物権的請求権とは，要件などが少し変わってきます。

1．第三者による侵害

Case

あなたの抵当権が設定されているAが所有している建物を，第三者Bが損傷させた場合，あなたはBに対して損害賠償を請求できるか？　なお，あなたの抵当権の被担保債権の額は 3000 万円であり，この建物の価値は 5000 万円であったが，Bの侵害行為により，建物の価値が 4000 万円に減少した。

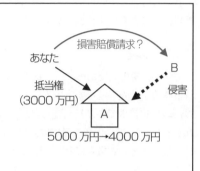

（1）要件

P288
└

抵当権者が損害を受けたというためには，侵害により交換価値が減少したために被担保債権の弁済を受けることができなくなったことを要します（大判昭 3.8.1）。よって，上記 Case のように，建物の交換価値が減少しても（5000 万円→4000 万円），それが被担保債権の額（3000 万円）を上回っている場合には，損害賠償請求はできません。

これは，この損害賠償請求の根拠が民法 709 条だからです。民法 709 条には，損害賠償請求権の発生の要件として「侵害した」とあります。上記 Case のように，建物の価値が被担保債権の額を上回っているときは，侵害したとはいえないということです。

民法709条（不法行為による損害賠償）

故意又は過失によって他人の権利又は法律上保護される利益を侵害した者は，これによって生じた損害を賠償する責任を負う。

（2）抵当権実行前の損害賠償請求

上記（1）の要件を充たすのであれば，抵当権実行の前でも，弁済期到来後であれば損害賠償請求ができます（大判昭 11.4.13・多数説）。

競売は半年〜1年くらいかかることもあるので，それを待っていると抵当権者に回復することができない状況が生じるおそれがあります。また，弁済期後であれば抵当権の実行は可能ですから，損害賠償請求を認めても問題ありません。

2．抵当不動産の占有者に対する賃料相当額の損害賠償請求の可否

　抵当権者が抵当不動産の占有者に対して明渡請求ができる場合がありました（P291のⅱ）。では，この場合に，抵当権者は占有者に対して，賃料相当額の損害賠償請求をすることができるでしょうか。

　判例は，さすがにこれはできないとしました（最判平17.3.10）。

　P289～291（3）では，非占有担保より交換価値の把握を重視していました。しかし，それはウラに占有屋（P249）が絡んだ競売手続の妨害などがあり，仕方がなかったからです。それに対して，「賃料相当額の損害賠償請求」とは，占有を奪われたことによる損害賠償請求ですから，非占有担保であることに変わりはない抵当権に，さすがにこれは認められませんでした。

4　期限の利益喪失（侵害者が抵当権の被担保債権の債務者である場合）

　「期限の利益」というものがありました（Ⅰのテキスト第2編第8章第3節2）。債務者の期限の利益とは，弁済期まで弁済する必要はないということです。

　しかし，抵当権の被担保債権の債務者が，以下の①～③のいずれかの行為（抵当権を侵害する行為）をした場合には，期限の利益を喪失します（民法137条）。その結果，抵当権者は抵当権実行（競売など）が可能となります。

　期限の利益が認められるのは，債権者（抵当権者）と債務者の間に信頼関係があるからです。だから，弁済期まで返済を待ってもらえるのです。以下の行為は，その信頼関係を壊す行為であるため，期限の利益がなくなります。

①債務者が破産手続開始の決定を受けたとき（民法137条1号）

　破産すると債務者の財産の清算が始まりますので，債務の弁済期が到来します。

②債務者が担保を滅失させ，損傷させ，または，減少させたとき（民法137条2号）

　これは，抵当権者に対する裏切り行為です。

③債務者が担保を供する義務を負う場合に，担保を供しないとき（民法137条3号）

　「担保を供する義務を負う場合」とは，たとえば，抵当権設定契約に増担保を出す特約がある場合です。増担保特約とは，「抵当権設定後に，抵当権の目的物が天災などにより滅失した場合に，設定者は代わりの担保を出さなければならない」といった内容のものです。抵当権者に有利な特約ですが，基本的には認められています。増担保を出さなければならない状況になったにもかかわらず出さないことは，信頼関係を壊す行為となります。

第9節　抵当権の処分

> **民法376条（抵当権の処分）**
> 1　抵当権者は，その抵当権を他の債権の担保とし，又は同一の債務者に対する他の債権者の利益のためにその抵当権若しくはその順位を譲渡し，若しくは放棄することができる。

1　抵当権の処分とは？

「抵当権の処分」と呼ばれるものがあります。以下の5つがそれです。上記の民法376条1項に規定されています。

①転抵当（民法376条1項の「抵当権を他の債権の担保とし」のことです。下記 2 ）
②抵当権の譲渡（民法376条1項の「抵当権……を譲渡し」のことです。下記 3 ）
③抵当権の放棄（民法376条1項の「抵当権……を……放棄する」のことです。下記 3 ）
④抵当権の順位の譲渡（民法376条1項の「その（抵当権の）順位を譲渡し」のことです。下記 4 ）
⑤抵当権の順位の放棄（民法376条1項の「その（抵当権の）順位を……放棄する」のことです。下記 4 ）

これら抵当権の処分は，抵当権者とその他の債権者との間で，**抵当権を被担保債権と切り離して処分する**ことです。

たとえば，複数の金融機関が1つの会社に融資をしている場合，金融機関同士で譲り合う必要が生じることがあります。そこで，抵当権を有効活用できるようにするため，抵当権を処分することが認められているのです。

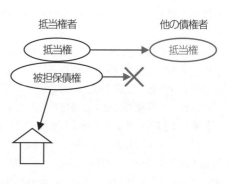

抵当権の処分には共通点があります。

抵当権の処分において，債務者，設定者，その他の担保権者（ex. 中間の抵当権者）の承諾は不要です。つまり，**抵当権の処分の当事者以外の者の承諾は不要です**（対抗要件〔P304（1）〕は除きます）。基本的に，抵当権の処分の当事者以外には影響がないからです。

2 転抵当

1．意義

転抵当：抵当権者が抵当権を他の債権の担保に供すること（民法 376 条 1 項）

抵当権者が借金をした場合などに，"抵当権を"不動産のように担保に出すことができるのです。

ex. BのAに対する債権を担保するために，Aが所有している建物にBの抵当権が設定されています。この場合において，Bがあなたに借金をした場合，Bのあなたに対する借金を担保するために，抵当権を担保に出すこと（＝転抵当）ができます。

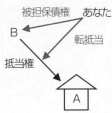

なお，抵当権の一部を目的として転抵当権を設定することもできます。

2．設定

原抵当権者（上記1.の ex.だと B）と転抵当権者（上記1.の ex.だとあなた）との合意で成立します（上記の「Realistic rule」）。基本的に，原抵当権者と転抵当権者以外には影響がないからです。

転抵当権の被担保債権の内容（債権額，弁済期など）は，原抵当権の被担保債権の内容（債権額，弁済期など）と一致している必要はありません。上記1.の ex.でいうと，「B→A」の債権と「あなた→B」の債権の内容が異なってもよいということです。債権額であれば，どちらが高くても低くても OK です。

「B→A」の債権と「あなた→B」の債権は別々に存在するもの（別のカネの貸し借り）だからです。

3．性質

*この性質についての学説対立は，P230の責任転質の学説対立と類似しています。P230の責任転質の学説対立のほうが重要であり，そちらで詳しく説明していますので，P230まで学習した後で以下の記載をお読みください。

　転抵当の法的性質については，以下の2説が対立しています。ただ，どちらの説を採っても，実際問題の処理にはほとんど違いは生じません。違いが生じるのは，「原抵当権の被担保債権を直接取り立てることができるか」くらいです。

	抵当権単独処分説　→　←　債権・抵当権共同質入れ説	
転抵当とは？	転抵当とは，被担保債権から切り離して，抵当権が把握する交換価値そのものに更に抵当権を設定することです。 あなた B　抵当権　転抵当 被担保債権 A	転抵当とは，抵当権と被担保債権に共同して質権を設定することです。 あなた B　抵当権　転抵当 被担保債権 A
転抵当権者（あなた）が原抵当権の被担保債権（「B→A」の債権）を直接取り立てることができるか	**できません** 原抵当権の被担保債権（「B→A」の債権）は質に入っていないからです。	**できます** 原抵当権の被担保債権（「B→A」の債権）も質に入っているため，P226～227（2）の債権質と同じ法律関係となるからです。

4．転抵当権者による原抵当権の実行

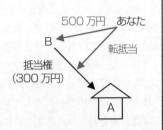

Case

　BのAに対する債権 300 万円を担保するために，Aが所有している建物にBの抵当権が設定されており，あなたのBに対する債権500 万円を担保するために，Bの抵当権を目的として転抵当権が設定されている。この場合において，BのAに対する債権の弁済期が到来していないが，あなたのBに対する債権の弁済期が到来したとき，あなたはBのAに対する抵当権を実行し，その建物の競売を申し立てることができるか？

（1）転抵当権者も原抵当権を実行できるか？

　転抵当権者（上記 Case だとあなた）も，原抵当権（上記 Case だとBの抵当権）を実行できます。

　ただし，転抵当権者が原抵当権を実行するには，転抵当権と原抵当権の双方の被担保債権の弁済期が到来していることが必要です。上記 Case でいうと，「B→A」の債権と「あなた→B」の債権の双方の弁済期が到来していなければならないということです。よって，上記 Case の場合は，「B→A」の債権の弁済期が到来していませんので，あなたは競売を申し立てることができません。

　「B→A」の債権の弁済期が到来していなければ，Aは抵当権を実行される筋合いはないですし，「あなた→B」の債権の弁済期が到来していなければ，あなたは弁済期に普通にBに返済してもらえるかもしれないからです。

（2）転抵当権者が受けられる優先弁済の範囲

　上記の要件を充たして原抵当権が実行された場合，転抵当権者は，原抵当権の被担保債権の限度で，自身の債権の優先弁済を受けられます。上記 Case で，上記（1）の要件を充たし競売が認められた場合，あなたは 500 万円の債権を有していますが，Bが有している債権 300 万円の限度でしか配当を受けることができません。Aは 300 万円しか責任を負っていないからです。

5．原抵当権者による原抵当権の実行

　原抵当権者も，原抵当権の被担保債権の額が転抵当権の被担保債権の額を超過し，かつ，自分の被担保債権の弁済期が到来していれば原抵当権を実行できます（大決昭

7.8.29)。上記4.のCaseでは，「B→A」の債権が300万円で「あなた→B」の債権が500万円なので，原抵当権の被担保債権の額が転抵当権の被担保債権の額を超過していないため，Bが原抵当権を実行することは認められません。もし，債権額が逆（「B→A」の債権が500万円で「あなた→B」の債権が300万円）であり，Bの債権の弁済期が到来していれば，Bは原抵当権を実行できます。

　「B→A」の債権額が「あなた→B」の債権額を超過している必要があるのは，そうでなければBが配当を受けられず，実行する意味がないからです。

　Bの債権の弁済期が到来している必要があるのは，弁済期が到来していなければ，Aは抵当権を実行される筋合いはないからです。

3　抵当権の譲渡・抵当権の放棄

1．意義

P300

　抵当権の譲渡・抵当権の放棄は，抵当権の処分の相手方が「一般債権者」である場合のハナシです。

※抵当権の譲渡・抵当権の放棄を受けた一般債権者による抵当権の実行

　抵当権の譲渡・抵当権の放棄を受けた一般債権者が，譲渡・放棄を受けた抵当権を実行（競売など）することもできます。ただ，そのためには，一般債権者の被担保債権の弁済期だけでなく，抵当権者の被担保債権の弁済期も到来している必要があります。でなければ，設定者からすると抵当権を実行される筋合いはないからです。

2．抵当権の譲渡

Case

　Aが所有している建物に抵当権を有するBが，Aに対して債権を有する無担保債権者であるあなたに抵当権を譲渡した。その後，その建物が競売された場合，Bとあなたに配当される金額はそれぞれいくらか？　Bの債権額は300万円，あなたの債権額は200万円であり，建物は300万円で買い受けられたものとする。

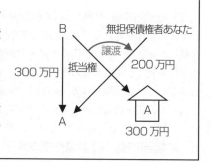

（1）意義

　抵当権の譲渡とは，抵当権者が一般債権者に対して，「私の優先枠で優先していいよ～」とすることです（民法376条1項）。

　上記Caseの場合，Bがあなたに「私の優先枠300万円で優先していいよ～」としましたので，まずあなたが200万円の配当を受け，次にBが残額100万円の配当を受けます。

　Bの300万円の優先枠であなたが優先しますので，仮にあなたの債権額が300万円であったなら，あなたが300万円の配当を受け，Bは配当を受けられません。

（2）設定

　抵当権者（上記CaseだとB）と譲受人である一般債権者（上記Caseだとあなた）の契約で成立します（P295の「Realistic rule」）。基本的に，抵当権者と譲受人である一般債権者以外には影響がないからです。

3．抵当権の放棄

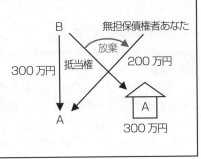

> Case
>
> 　Aが所有している建物に抵当権を有するBが，Aに対して債権を有する無担保債権者であるあなたに抵当権を放棄した。その後，その建物が競売された場合，Bとあなたに配当される金額はそれぞれいくらか？　Bの債権額は300万円，あなたの債権額は200万円であり，建物は300万円で買い受けられたものとする。

（1）意義

　抵当権の放棄とは，抵当権者が一般債権者に対して，「私の優先枠を平等に使おう～」とすることです（民法376条1項）。「平等に」とは，債権額の割合で按分して（に応じて）ということです。

　上記Caseの場合，Bがあなたに「私の優先枠300万円を平等に使おう～」としましたので，Bが180万円，あなたが120万円の配当を受けます。債権額が「300万円：200万円」なので，抵当権の優先枠300万円を3：2で使うことになるからです。

（2）設定

　抵当権者（上記 Case だと B）と放棄を受ける一般債権者（上記 Case だとあなた）の契約で成立します（P295 の「Realistic rule」）。基本的に，抵当権者と放棄を受ける一般債権者以外には影響がないからです。

4　抵当権の順位の譲渡・順位の放棄

P298

1．意義

　抵当権の順位の譲渡・抵当権の順位の放棄は，抵当権の処分の相手方が「抵当権者」である場合のハナシです。その点は異なりますが，考え方は上記 3 の抵当権の譲渡・放棄と同じです。

※債務者は同一である必要があるか？

　民法 376 条 1 項（P294）には，「同一の債務者に対する他の債権者の利益のために」とありますが，順位の譲渡・順位の放棄をする抵当権者とそれを受ける抵当権者の債務者は同一でなくても，設定者が同一であればよいとされています（昭 30.7.11 民事甲 1427，昭 33.11.11 民事三.855）。
　なお，上記 3 の抵当権の譲渡・放棄は，この点については争いがあります。

2．抵当権の順位の譲渡

Case

　Aが所有している建物に 1 番抵当権を有するBが，その建物に対して 2 番抵当権を有するあなたに抵当権の順位を譲渡した。その後，その建物が競売された場合，Bとあなたに配当される金額はそれぞれいくらか？　Bの債権額は 300 万円，あなたの債権額は 200 万円であり建物は 300 万円で買い受けられたものとする。

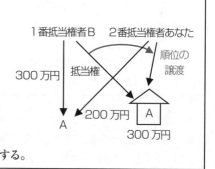

（1）意義

　抵当権の順位の譲渡とは，先順位抵当権者が後順位抵当権者に対して，「私とあんたの優先枠で優先していいよ〜」とすることです（民法 376 条 1 項）。抵当権の譲渡と異なり，譲渡を受ける者が抵当権者であるため，譲渡を受ける者にも優先枠があり

ますので，「私（先順位抵当権者）とあんた（後順位抵当権者）の優先枠で後順位抵当権者が優先する」となります。

　上記 Case の場合，B があなたに「私とあんたの優先枠（300 万円プラス 200 万円）で優先していいよ〜」としましたので，合計 500 万円の優先枠の中で，まずあなたが200 万円の配当を受け，次に B が残額 100 万円の配当を受けます。建物は 300 万円で買い受けられましたので，B が受けられる配当は 100 万円のみです。

　B とあなたの合計の優先枠であなたが優先しますので，仮に不動産が 500 万円で売れ，あなたの債権額が 500 万円であったなら，あなたが 500 万円の配当を受け，B は配当を受けられません。

（2）設定

　先順位抵当権者（上記 Case だと B）と後順位抵当権者（上記 Case だとあなた）の契約で成立します（P295 の「Realistic rule」）。基本的に，先順位抵当権者と後順位抵当権者以外には影響がないからです。

3．抵当権の順位の放棄

> ### Case
>
> 　A が所有している建物に 1 番抵当権を有する B が，その建物に対して 2 番抵当権を有するあなたに抵当権の順位を放棄した。その後，その建物が競売された場合，B とあなたに配当される金額はそれぞれいくらか？　B の債権額は 300万円，あなたの債権額は 200 万円であり建物は 300 万円で買い受けられたものとする。

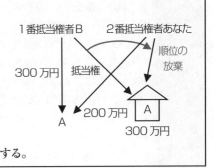

（1）意義

　抵当権の順位の放棄とは，先順位抵当権者が後順位抵当権者に対して，「私とあんたの優先枠で平等に使おう〜」とすることです（民法 376 条 1 項）。「平等に」とは，債権額の割合で按分して（に応じて）ということです。抵当権の放棄と異なり，放棄を受ける者が抵当権者であるため，放棄を受ける者にも優先枠がありますので，「私（先順位抵当権者）とあんた（後順位抵当権者）の優先枠で先順位抵当権者と後順位抵当権者が債権額の割合で按分する」となります。

　上記Caseの場合，Bがあなたに「私とあんたの優先枠500万円を平等に使おう～」としましたので，Bが180万円，あなたが120万円の配当を受けます。債権額が「300万円：200万円」なので，抵当権の優先枠500万円を3：2で使うことになるからです。上記Caseは，建物が300万円で買い受けられましたので，「Bが180万円，あなたが120万円」の配当ですが，仮に競売価格が500万円であったなら，「Bが300万円，あなたが200万円」の配当となります。

（2）設定
　先順位抵当権者（上記CaseだとB）と後順位抵当権者（上記Caseだとあなた）の契約で成立します（P295の「Realistic rule」）。基本的に，先順位抵当権者と後順位抵当権者以外には影響がないからです。

5 抵当権の処分の計算問題
　抵当権の処分は，上記 2 の転抵当以外は，計算問題で出題されることが最も多いです。上記 3 と上記 4 で説明した知識を基に，以下のCaseで練習してみましょう。

Case	債務者Aが所有している建物に，Bの1番抵当権（債権額300万円），Cの2番抵当権（債権額200万円），Dの3番抵当権（債権額700万円）が設定されている。また，Aには，一般債権者E（債権額700万円）がいる。この場合において，その建物が1000万円で競売された場合，どのように配当されるか？ B（300万円）　C（200万円）　D（700万円）　E（700万円）（一般債権者）　A 1000万円			
処分方法	BがEに抵当権を譲渡した	BがEに抵当権を放棄した	BがDに抵当権の順位を譲渡した	BがDに抵当権の順位を放棄した
配当額（答え）	B＝　　0円	B＝　90万円	B＝100万円	B＝240万円
	C＝200万円	C＝200万円	C＝200万円	C＝200万円
	D＝500万円	D＝500万円	D＝700万円	D＝560万円
	E＝300万円	E＝210万円	E＝　　0円	E＝　　0円

抵当権の処分の計算問題の処理手順

抵当権の処分の計算問題は，以下の①→②→③の手順で処理してください。

①抵当権の処分がなかった場合の配当額を求めます。
②抵当権の処分の当事者以外の配当額（上記①の額になります）を確定します。
　抵当権の処分は，抵当権の処分の当事者以外には影響がないからです（P295）。
③抵当権の処分の種類に応じて，当事者の配当額を出します。

　上記 Case をこの手順に当てはめていきます。

①抵当権の処分がなかった場合の配当額を求めます。
・1番 ─────── B：300万円
・2番 ─────── C：200万円
・3番 ─────── D：500万円
・一般債権者 ── E：0円
　1番でBの優先枠が300万円，2番でCの優先枠が200万円，3番でDの優先枠が500万円あることになります。この3つの優先枠から誰が配当を受けるかが問題となります。

②抵当権の処分の当事者以外の配当額（上記①の額になります）を確定します。

1番（300）				
2番（200）	C：200	C：200	C：200	C：200
3番（500）	D：500	D：500		
一般債権者（0）			E：0	E：0

③抵当権の処分の種類に応じて，当事者の配当額を出します。
　P299（1），P299の3.（1），P300～301（1），P301～302（1）に従って配当額を出します。
　以下の表は，1番，2番，3番のどの優先枠から，誰が配当を受けるかを正確に書いています。以下の表の数字を合計すると，この⑤の冒頭の表の「配当額（答え）」となります。

1番（300）	E : 300	B : 90 E : 210	D : 300	B : 90 D : 210
	B :　0	(B300 : E700)	B :　0	(B300 : D700)
2番（200）	C : 200	C : 200	C : 200	C : 200
3番（500）	D : 500	D : 500	D : 400	B : 150 D : 350
			B : 100	(B300 : D700)
一般債権者（0）	E :　0	B : 0 E : 0	E :　0	E :　0
	B :　0	(B300 : E700)		

6 対抗要件

抵当権の処分（転抵当，抵当権の譲渡・抵当権の放棄，抵当権の順位の譲渡・順位
の放棄）の対抗要件は，下記1.と2.に分けて考えます。

1．債務者，保証人，設定者およびこれらの者の承継人に対しての対抗要件
（1）対抗要件

抵当権の処分を債務者，保証人，設定者およびこれらの者の承継人に対して対抗す
るには，抵当権の処分をしたことを抵当権者が債務者に通知するか，債務者が承諾す
る必要があります（民法377条1項，467条）。

抵当権の処分は抵当権者とその処分を受ける者（転抵当権者，一般債権者，後順位
抵当権者）との間だけでできるので，債務者は抵当権の処分がされたことを知らない
まま抵当権者に弁済してしまいます。そうして付従性で抵当権が消滅してしまうと，
処分を受けた転抵当権者，一般債権者，後順位抵当権者は，せっかくの優先枠が使え
なくなってしまいます。それを避けたいのです。ですが，債務者が何も知らされなけ
れば抵当権者に弁済してしまうのは当然なので，抵当権者が債務者に知らせるか，債
務者自らが「わかったよ～」と承諾しない限り，債務者などに対抗できないとされた
のです。

※登記は対抗要件にならないのか？

抵当権の処分は登記することができます（不動産登記法で学習します）。しかし，
これでは，この1.の対抗要件にはなりません。

たとえば，住宅ローンの返済において，債務者が毎月，抵当権の処分がされていな
いかを確認するために登記記録を見るとは考えがたいからです。登記をしただけでは，
通常は債務者が知ることはないでしょう。

（2）対抗要件が備えられると

上記（1）の対抗要件が備えられた後は，債務者が抵当権の処分を受けた転抵当権者，一般債権者，後順位抵当権者の承諾を得ないで弁済してしまうと，抵当権の処分を受けた者に対抗できなくなります（民法377条2項）。

この場合は，債務者も，転抵当権者，一般債権者，後順位抵当権者が優先枠を使うことをわかっていますので，勝手に抵当権者に弁済することは債務者の落ち度といえるからです。

2．第三者に対しての対抗要件

上記1.の者以外の第三者に対しての対抗要件は，抵当権の処分の「登記」です（民法177条）。

第三者はこれから取引に入ってくる者であるため，上記1.の債務者などと異なり，登記を確認するのが普通です。よって，通常どおり民法177条が適用されるのです。

第10節　共同抵当権

1 共同抵当権とは？

共同抵当権：債権者が同一の債権の担保として複数の不動産の上に有している抵当
　　　　　　権

　簡単にいうと，同一の債権を担保するために，2つ以上の不動産が担保（人質）に差し出されているということです。実務でも，抵当権の目的物が1つではなく，2つまたはそれ以上ということはよくあります。

ex1. 住宅ローンを組んでマイホームとして一軒家を購入したときに，住宅ローンを担保するために，購入したその土地と建物を担保に差し出すと，土地と建物に設定された抵当権が共同抵当権となります。住宅ローンを組んでマイホームを購入する場合，ほとんどがこのパターンとなります。

ex2. すでに1つ土地を持っている人が，新たに土地を購入する際に銀行から融資を受けるために，すでに持っている土地と新たに購入する土地を担保に差し出すと，その2つの土地に設定された抵当権が共同抵当権となります。

2 趣旨

　担保（人質）が2つ以上あって嬉しいのは，抵当権者です。債権を回収できる不動産が増えるからです。また，担保に取っている不動産のうちの1つが災害などで滅失してしまった場合などのリスクヘッジにもなります。

3 設定

　共同抵当権は，同一の債権を担保するために，2つ以上の不動産に抵当権を設定すれば，それだけで当然に成立します。「共同抵当権にする」という意思は不要ですし，抵当権の設定契約書にも共同抵当権である旨を記載する必要はありません。

※設定の時期

　それぞれの不動産の抵当権の設定時期は，同時である必要はありません。

ex. 住宅ローンを組んで更地を購入し，その更地の上に建物を建てる場合，銀行は土地と建物に抵当権を設定することを要求します。そうすると，2回抵当権を設定することになります。更地を購入した際にその更地に抵当権を設定し（以下の図の①），その後に建物を建てた際にその建物に抵当権を設定します（以下の図の②）。これでも共同抵当権となります。

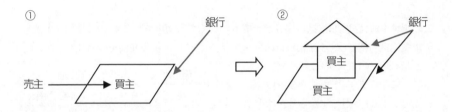

4 効力

　上記の知識を前提に，共同抵当権の論点をみていきます。共同抵当権の論点は，「後順位抵当権者」がいる場合に問題となります。

*以下，この第10節のCaseでは，Xを債務者，Yを物上保証人，Aを共同抵当権の抵当権者，あなたを後順位抵当権者で統一しています。

1．同時配当

Case

　Aは債務者Xが所有している甲土地と乙土地に1番で共同抵当権（債権額3000万円）の設定を受け，あなたは甲土地に2番抵当権（債権額2000万円）の設定を受けている。甲土地の競売価格は3000

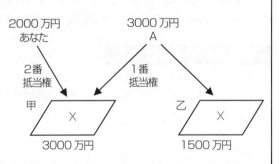

万円，乙土地の競売価格は1500万円である。この場合において，Aが，甲土地と乙土地の双方の競売を申し立てた場合，どのように配当されるか？

民法392条（共同抵当における代価の配当）

1　債権者が同一の債権の担保として数個の不動産につき抵当権を有する場合において，同時にその代価を配当すべきときは，その各不動産の価額に応じて，その債権の負担を按分する。

　同時配当：上記 Case のように，共同抵当権の目的となっている不動産が同時に競売され，同時に配当されること
　同時配当の場合には，共同抵当権の抵当権者は，それぞれの不動産の競売価格に応じた額の優先弁済を受けます（民法392条1項。これを「割付主義」といいます）。

この割付主義は，後順位抵当権者がいてもいなくても適用されます（大判昭10.4.23）。
　後順位抵当権者は，残額があれば，その残額について優先弁済を受けます。
　上記Caseでは，右のとおり配当されることになります。甲土地が3000万円，乙土地が1500万円ですから，Aは甲土地・乙土地から「2：1」で配当を受

甲土地	乙土地
A：2000万円	A：1000万円
あなた：1000万円	

けます。甲土地は1000万円残額がありますので，あなたが甲土地から1000万円の配当を受けます。

　このような配当がされる理由ですが，Aには，担保となる土地が2つありますが，あなたには担保となる土地が1つしかありません。先順位抵当権者であるAが，あなたへの嫌がらせで「同時に競売したけど，甲土地だけから3000万円を回収したい」と思った場合にこれを許してしまうと，後順位抵当権者であるあなたは，不動産から1円も回収できないことになってしまいます。それは余りにもあなたがかわいそうなので，Aは不動産の価格に応じて弁済を受けるとされました。

共同抵当権の問題の処理方法

　この同時配当が基本となります。この後，同時配当でない事例を色々とみていきますが，同時配当でない事案であっても，まず，同時配当がされた場合のそれぞれの配当額を求めてください。

2．異時配当

Case

　Aは債務者Xが所有している甲土地と乙土地に1番で共同抵当権（債権額3000万円）の設定を受け，あなたは甲土地に2番抵当権（債権額2000万円）の設定を受けている。甲土地の競売価格は3000

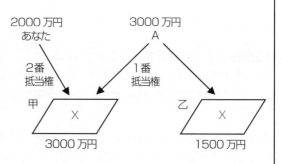

万円，乙土地の競売価格は1500万円である。この場合において，Aが，甲土地のみの競売を申し立てた場合，どのように配当されるか？

> **民法392条（共同抵当における代価の配当）**
>
> 2　債権者が同一の債権の担保として数個の不動産につき抵当権を有する場合において，ある不動産の代価のみを配当すべきときは，抵当権者は，その代価から債権の全部の弁済を受けることができる。この場合において，次順位の抵当権者は，その弁済を受ける抵当権者が前項の規定に従い他の不動産の代価から弁済を受けるべき金額を限度として，その抵当権者に代位して抵当権を行使することができる。

（1）負担按分の原則

　異時配当：上記 Case のように，共同抵当権の目的となっている不動産の1つの不動産が競売され，その不動産についてのみ配当されること

　異時配当の場合は，後順位抵当権者が「同時配当だったら，配当を受けられたのに～」となる可能性があります。そこで，後順位抵当権者が先順位の共同抵当権の抵当権者に代位できるとされたのが民法392条2項です。

　この「代位」とはなんなのか，また，どのような場合に適用されるのかをみていきましょう。

（2）民法392条2項の適用
（a）双方債務者所有型

　これは，共同抵当権の目的となっている不動産の双方を債務者が所有している場合です。上記 Case がこれに当たります。この場合において，異時配当がされたときは，共同抵当権の抵当権者は競売した不動産の代価から債権の全部の弁済を受けることができます（民法392条2項前段）。

　上記 Case において，Aは甲土地から債権額3000万円すべてを回収できます。

　ですが，そうすると，後順位抵当権者が「同時配当だったら，配当を受けられたのに～」となってしまいます。そこで，後順位抵当権者は，同時配当がなされたならば先順位抵当権者が競売されなかった不動産から配当を受けたであろう額の限度で，競売されなかった不動産に代位できるとされています（民法392条2項後段）。

　といってもわかりにくいので，具体的な事例で考えましょう。上記 Case でいうと，あなたは，Aが競売されなかった乙土地から配当を受けたであろう 1000 万円の限度で乙土地に代位できます。「代位できる」とは，将来乙土地が競売されたときに，あなたが，乙土地から優先弁済を受けられるAの地「位」に「代」わって，1000万円の優先弁済を受けられるということです。

　　上記 Case では，右のとおり配当され
ることになります。

甲土地	乙土地
A：3000万円	あなた：1000万円

　　不動産の双方を債務者が所有している場合は以上のとおりなのですが，物上保証人
がからんでも同じ結論となるでしょうか。

（b）債務者・物上保証人所有型
ｉ　債務者所有不動産から先に競売された場合

Case

　　Aは債務者Xが所有し
ている甲土地と物上保証
人Yが所有している乙土
地に１番で共同抵当権
（債権額3000万円）の設
定を受け，あなたは甲土
地に２番抵当権（債権額
2000万円）の設定を受け

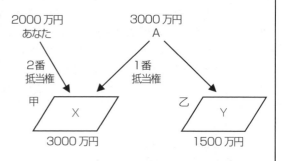

ている。甲土地の競売価格は3000万円，乙土地の競売価格は1500万円である。
この場合において，Aが，甲土地のみの競売を申し立てた場合，あなたは何かし
らの請求ができるか？

債務者・物上保証人所有型の考え方

　　物上保証人の負担軽減を優先すべきというのが判例の考え方です。
　　物上保証には，補充性（債務者が弁済できない場合に初めて責任が生じる性質）が
あるからです。
　　よって，みなさんが仮に後順位抵当権者になるなら，物上保証人が所有している不
動産のほうをお薦めします。

　　まず，債務者所有の甲土地と物上保証人所有の
乙土地が共同抵当権の目的である場合，それぞれ
の不動産の負担額は右のとおりとなります（最判
昭61.4.18）。

甲土地	乙土地
A：3000万円	

まず債務者Xの不動産である甲土地が負担し，それでも足りなければ物上保証人Y所有の乙土地が負担します。債務者が負担した債務なので，「お前の債務なんだから，お前の不動産から負担しろよ！」ということです。

よって，「後順位抵当権者は，競売されなかった不動産に代位できる」とする民法392条2項後段は，適用されません（最判昭44.7.3）。

上記Caseの配当額は，右のとおりとなり，あなたは何の請求もできません。

あなたがかわいそうですが，債務者所有の不動産から責任を負担すべきなので，これが債務者所有の不動産の後順位抵当権者となった者の運命なのです。

甲土地	乙土地
A：3000万円	

ii　物上保証人所有不動産から先に競売された場合

Case

Aは債務者Xが所有している甲土地と物上保証人Yが所有している乙土地に1番で共同抵当権（債権額3000万円）の設定を受け，あなたは甲土地に2番抵当権（債権額2000万円）の設定を受け

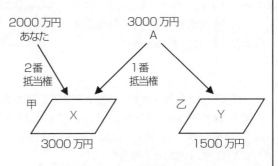

ている。甲土地の競売価格は3000万円，乙土地の競売価格は1500万円である。この場合において，Aが，乙土地のみの競売を申し立てた場合，Yは何かしらの請求ができるか？

（ⅰ）求償権確保のための代位

物上保証人が所有している不動産も担保に入っていますので，上記Caseのように，Aが乙土地から先に競売することも可能です。

物上保証人が所有している不動産から先に競売された場合，物上保証人は債務者に「求償権」を取得します。求償権とは，債務はあくまで債務者が負担したものであるため，物上保証人の不動産が競売された場合には，物上保証人が債務者に「負担してやった分をよこせ！」と言える権利のことです。

　そして，その求償権を確保するため，物上保証人は抵当権者に代位することができます（民法499条，501条，502条）。「代位」とは，抵当権者の抵当権を使うことができるということです。上記Caseでいえば，右の図のように，YのXに対する求償権を担保するため，Aの甲土地の抵当権の一部がYに移転するのです。

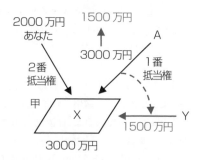

（ⅱ）物上保証人と債務者所有不動産の後順位抵当権者との関係

　このように，Aの甲土地の抵当権の一部がYに移転して，Yが1500万円について甲土地に優先権を持ちます。では，Yと甲土地の後順位抵当権者であるあなたとは，どちらが優先するでしょうか。この場合，Yが優先します（最判昭44.7.3）。

　よって，上記Caseの配当額は，右のとおりとなります。

　本当に債務者所有の不動産の後順位抵当権者となるのはお勧めしません……。

甲土地	乙土地
A：1500万円	A：1500万円
Y：1500万円	

（ⅲ）物上保証人と物上保証人所有不動産の後順位抵当権者との関係

　債務者所有の不動産の後順位抵当権者が泣くのはわかりましたが，では，物上保証人所有の不動産のほうに後順位抵当権者がいる場合はどうでしょうか。上記Caseを少し変えて，乙土地に2番抵当権者B（債権額1500万円）がいたとします。

　この場合，物上保証人所有の不動産の後順位抵当権者は，物上保証人が他の不動産について代位する権利の上に，物上代位と同様の優先権を持ちます（大判昭11.12.9，最判昭53.7.4）。わかりにく

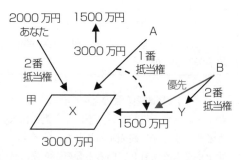

い言い方ですが，具体的には，Yが代位した甲土地のAの1番抵当権の一部1500万円について，Yに対してBが優先権を持つということです。

　Bの抵当権はYが負担したものですから，BがYに優先するのです。

よって，この場合の配当額は，右のとおりとなります。

甲土地	乙土地
A：1500万円	A：1500万円
B：1500万円	

なお，AとYとの間で，「Yは，Aの同意がない限り，弁済等をすることにより取得する権利を行使しない」という特約をしていても，Bには対抗できず，上記の結論は変わりません（最判昭60.5.23）。Bが特約をしたわけではないからです。

（c）双方同一物上保証人所有型

Case

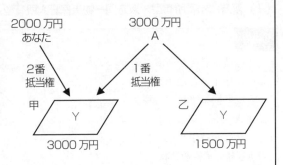

Aは物上保証人Yが所有している甲土地と乙土地に1番で共同抵当権（債権額3000万円）の設定を受け，あなたは甲土地に2番抵当権（債権額2000万円）の設定を受けている。甲土地の競売価格は3000万円，乙土地の競売価格は1500万円である。この場合において，Aが，甲土地のみの競売を申し立てた場合，あなたは何かしらの請求ができるか？

今回は，あなたは安心してください。あなたは，物上保証人所有の不動産の後順位抵当権者です。

まず，同一の物上保証人の所有の不動産が共同抵当権の目的である場合，それぞれの不動産の負担額は右のとおりとなります。

甲土地	乙土地
A：2000万円	A：1000万円
あなた：1000万円	

どちらも物上保証人所有の不動産ですから，「どちらの不動産が先に負担するべき」というハナシになりません。

よって，異時配当のときは，民法392
条2項後段の規定が適用され，後順位
抵当権者は，他の不動産について先順
位抵当権者に代位できます（最判平

甲土地	乙土地
A：3000万円	あなた：1000万円

4.11.6）。上記 Case においては，Aが甲土地から3000万円を回収しますが，あなた
は乙土地からAが回収するはずであった1000万円について代位できます。

3．一方の抵当権の放棄

次は，共同抵当権の一方の抵当権を放棄した場合のハナシです。ここでも，後順位
抵当権者がいる場合に問題が生じます。

（1）双方債務者所有型・双方同一物上保証人所有型

Case

Aは債務者Xが所有し
ている甲土地と乙土地に
1番で共同抵当権（債権
額3000万円）の設定を受
け，あなたは甲土地に2
番抵当権（債権額2000万
円）の設定を受けている。
甲土地の競売価格は3000

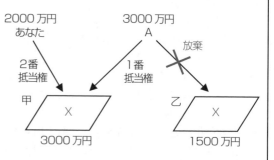

万円，乙土地の競売価格は1500万円である。この場合において，Aが乙土地に対
する抵当権を放棄し，甲土地のみの競売を申し立てた場合，あなたは配当を得ら
れなくなってしまうのか？

（a）優先弁済権主張の可否

まず，双方債務者所有型・双方同一
物上保証人所有型の場合，それぞれの
不動産の負担額は右のとおりでした
（P308，313）。

甲土地	乙土地
A：2000万円	A：1000万円
あなた：1000万円	

この場合に，1番抵当権者が乙土地の抵当権を放棄したとき，1番抵当権者は甲土
地について，放棄がなければ後順位抵当権者が代位することができた額について，後
順位抵当権者に優先権を主張できなくなります（大判昭11.7.14，最判平4.11.6）。

　よって，上記Caseの場合，右のとおり配当がされます。Aは甲土地から3000万円を回収することはできません。

甲土地	乙土地
A：2000万円	抵当権が放棄された
あなた：1000万円	ので負担なし

　Aが乙土地の抵当権を放棄することにより甲土地に優先権を集中させ，甲土地から3000万円を回収できてしまうと，あなたがあまりにもかわいそうだからです。

（b）先順位抵当権者が配当を受けてしまっている場合

　上記の結論となるのですが，Aが乙土地の抵当権を放棄した後，誤ってAが甲土地から3000万円の配当を受けてしまったことがありました。この場合は，あなたはAに，1000万円の返還を請求できます（最判平4.11.6）。

　あなたが甲土地から1000万円回収できたはずなので，Aが甲土地から3000万円の配当を受けた場合には，1000万円が不当利得となるからです。

（c）共同抵当の目的不動産の一方が売却された後，その不動産上の抵当権が放棄された場合

　上記Caseを少し変えて，乙土地が抵当権付きのままZに譲渡された後に，Aが乙土地の抵当権を放棄した場合は，どのような配当となるでしょうか。その他の条件は，上記Caseと同じです。

2000万円
あなた

3000万円
A

②放棄

2番
抵当権

1番
抵当権

甲

乙

X

X

Z

①譲渡

3000万円

1500万円

　この場合も，上記Caseの場合と同じく，右のとおり配当がされます。

　抵当権設定時に双方の土地が債務者所有ですので，その後にZに譲渡されたという事情は影響しません。

甲土地	乙土地
A：2000万円	抵当権が放棄された
あなた：1000万円	ので負担なし

（2）債務者・物上保証人所有型

Case

Aは債務者Xが所有している甲土地と物上保証人Yが所有している乙土地に1番で共同抵当権（債権額3000万円）の設定を受け，あなたは甲土地に2番抵当権（債権額2000万円）の設定を受け

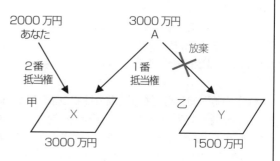

ている。甲土地の競売価格は3000万円，乙土地の競売価格は1500万円である。この場合において，Aが乙土地に対する抵当権を放棄し，甲土地のみの競売を申し立てた場合，あなたは配当を得られなくなってしまうのか？

（a）優先弁済権主張の可否

まず，債務者・物上保証人所有型の場合，それぞれの不動産の負担額は右のとおりでした（P310）。

甲土地	乙土地
A：3000万円	

この場合に，1番抵当権者が乙土地の抵当権を放棄したとき，甲土地の後順位抵当権者は，先順位抵当権者に対し，何の請求もできません（最判昭44.7.3）。

よって，上記Caseの場合，右のとおり配当がされます。

甲土地	乙土地
A：3000万円	

あなたはそもそも甲土地から1円も回収できませんでしたので，これで問題ないのです。

（b）先順位抵当権者が債務者所有の不動産の抵当権を放棄した場合

上記 Case を少し変えて，債務者Xが所有している甲土地にあなたの2番抵当権は設定されておらず，Aが放棄したのが，物上保証人Yが所有している乙土地の抵当権ではなく，債務者Xが所有している甲土地の抵当権であった場合は，どのような配当となるでしょうか。その他の条件は，上記 Case と同じです。

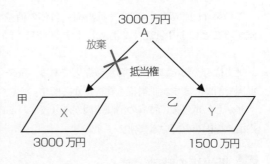

この場合，もちろん，Aは抵当権を放棄した甲土地について優先権を主張できません。そして，乙土地についても原則として優先権を主張できません。YはAに，免責の効果を主張できます（民法 504 条 1 項前段）。もし，Yが乙土地をZに譲渡していたのであれば，Z（乙土地の譲受人）も原則として免責の効果を主張できます（民法504 条 1 項後段）。

負担をすべき債務者X所有の不動産の抵当権を放棄したAが悪いからです。Aの放棄により，補充性（P310）のある物上保証人Yが負担を負う必要はありません。

このように，債権者には担保保存義務があるのです。

ただし，担保保存義務を免除する旨の特約をすることもできると解されています（最判平 7.6.23）。上記の例において，AとYが担保保存義務を免除する旨の特約をしていた場合は，Aが甲土地の抵当権を放棄しても，YやZ（乙土地の譲受人）は免責の効果を主張できないと解されます。

第11節　抵当権の消滅

　この第11節で扱うのは，「抵当権」自体の消滅です。抵当権は被担保債権が消滅することにより付従性で消滅しますが（P179 1），そのハナシではありません。

　抵当権も，物権に共通する消滅原因である，P65～66の目的物の滅失，放棄および混同で消滅します。抵当権も物権だからです。
　しかし，抵当権に特有の消滅原因があります。この第11節では，その抵当権特有の消滅原因をみていきます。

1 抵当権の時効消滅

> **民法396条（抵当権の消滅時効）**
> 　抵当権は，債務者及び抵当権設定者に対しては，その担保する債権と同時でなければ，時効によって消滅しない。

　抵当権は，債務者と物上保証人に対する関係では，被担保債権が時効消滅したときに限り消滅します（民法396条）。
　抵当権は，民法166条2項の「債権又は所有権以外の財産権」ですので，消滅時効期間は20年です（Ⅰのテキスト第2編第10章第3節 1 2.）。そうすると，「被担保債権の消滅時効期間が短期5年・長期10年なんだから（民法166条1項。Ⅰのテキスト第2編第10章第3節 1 1.（1），（2）（a）），抵当権のほうが先に消滅時効にかかることはないのでは？」という疑問が湧いたかもしれません。しかし，債権のみ時効更新の措置がされた場合には，抵当権の20年の消滅時効期間が先に経過することもあります。この民法396条は，そういった場合のハナシです。
　抵当権の20年の消滅時効期間が先に経過しても，債務者と物上保証人は「抵当権が時効で消えたよ」とは言えません。債務者と物上保証人は，いずれも自ら責任を負った者だからです。

　上記は債務者と物上保証人に対する関係のハナシですから，抵当不動産が第三者に譲渡された場合の第三取得者に対する関係では，抵当権は民法166条2項により20年で時効消滅します（大判昭15.11.26）。

2 目的物の時効取得による消滅

民法 397 条（抵当不動産の時効取得による抵当権の消滅）

　債務者又は抵当権設定者でない者が抵当不動産について取得時効に必要な要件を具備する占有をしたときは，抵当権は，これによって消滅する。
---

1. 原則

　抵当不動産が時効取得されると，時効取得者は所有権を原始取得（アダムとイブ取得。P17～18①）するので，原則として抵当権はふっ飛びます。これは，債務者または物上保証人以外の者が時効取得した場合には，そのまま当てはまります。

2. 例外

　しかし，民法 397 条は，上記 1. の例外を定めています。債務者や物上保証人が時効取得した場合，抵当権はふっ飛びません（民法 397 条）。

ex. 物上保証人が所有している抵当不動産を債務者が時効取得しても，抵当権は消滅しません。

　理由は上記 1 と同じです。債務者と物上保証人は自ら責任を負った者ですので，「時効取得で抵当権をふっ飛ばしたよ」という主張は虫がよすぎるのです。

3 抵当不動産の第三取得者の保護

　抵当権が設定されていても，設定者は不動産を譲渡できます。この譲渡を受けた者のことを「第三取得者」といいます（P238）。

　しかし，抵当権は消えませんので，第三取得者は取得した不動産を有効活用できません。そこで，抵当権を除去する制度が認められています。それが，「代価弁済」（下記1.）と「抵当権消滅請求」（下記2.）です。

1．代価弁済

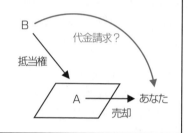

> **Case**
>
> 　Bの抵当権の設定されたA所有の土地をあなたが買い受けた。この場合において，Bはあなたに対して，その土地の売買代金をAに支払うのではなく自分に支払うよう請求できるか？

民法378条（代価弁済）

　抵当不動産について所有権又は地上権を買い受けた第三者が，抵当権者の請求に応じてその抵当権者にその代価を弁済したときは，抵当権は，その第三者のために消滅する。

方向性

　代価弁済は，抵当権者から第三取得者に対して行います。

　代価弁済は，抵当権者が第三取得者に請求できる，つまり，抵当権者にイニシアティブのある制度です。よって，第三取得者の保護としては不十分であり，実際にもほとんど使われていません。

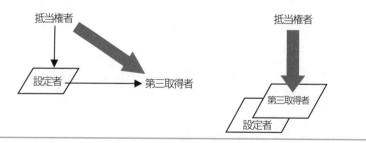

（1）意義

　抵当権者が第三取得者に対し，売主に支払うべき抵当不動産の売買代金を直接自分に支払うように請求し，第三取得者がこれに応じて売買代金を抵当権者に支払うと，抵当権は第三取得者のために消滅します（民法 378 条）。

　上記 Case の場合，Bはあなたに対して，土地の売買代金を自分に支払うよう請求できます。

（2）趣旨

　売買代金は競売代金よりも高いこともあり，競売は半年〜1年くらいかかることもあります。よって，抵当権者は競売するよりも，代価の弁済を受けたほうがよいこともあるので，用意された制度です。

（3）要件

　代価弁済の要件は，以下の①〜③です。

①抵当不動産について所有権または地上権を買い受けた第三取得者の存在（民法 378 条）

P324

　第三取得者の取得は，有償の場合に限られます。

　無償だと抵当権者に支払うべき「代価」が存在しないからです。代価を売主ではなく抵当権者に支払うのが，代価弁済です。

※永小作権は代価弁済の対象となるか？

　永小作権を買い受けた第三者がいても，永小作権は代価弁済の対象にはなりません（民法 378 条参照）。

　永小作権は戦前の小作制度の名残りとして残っている物権であり（P161），永小作権の価値はほとんどない（ものすごく安い）ので，上記（2）の「競売代金よりも高いこともあり」に当たらないからです。

②抵当権者の請求と第三取得者の承諾（民法 378 条）

　抵当権者が請求し，第三取得者がその請求に応じることを要します。

※保証人は第三者に当たるか？

　保証人も第三者に当たります。

　抵当権者にイニシアティブのある制度ですので（上記の「方向性」），代価弁済が行

P324

われるということは抵当権者が納得しているということですから，無限責任を負う保証人でも構わないのです。

③代価の弁済（民法378条）

第三取得者が，抵当権者に代価を弁済する必要があります。

（4）効果

第三取得者が抵当権者の請求に応じて売買代金を支払えば，その額が被担保債権の額に満たない場合でも，抵当権は第三取得者のために消滅します（民法378条。※）。被担保債権の残額がある場合，抵当権者は残額につき一般債権者となります。また，第三取得者は，抵当権者に支払った範囲で，設定者に対する代金債務を免れます。

抵当権者にイニシアティブのある制度ですから（上記の「方向性」），売買代金が被担保債権の額に満たないことも抵当権者は納得しているからです。

※「第三取得者のために消滅する」とは，以下の意味です。

・所有権の売買の場合　→　抵当権は消滅します。

・地上権の取得の場合　→　抵当権は消滅しませんが，地上権は抵当権に対抗できるものとなります。

2．抵当権消滅請求

Case

Bの抵当権の設定されたA所有の土地をあなたが買い受けた。この場合において，あなたのほうから抵当権を消滅させることはできないか？

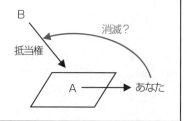

民法379条（抵当権消滅請求）

抵当不動産の第三取得者は，第383条の定めるところにより，抵当権消滅請求をすることができる。

方向性

　抵当権消滅請求は，第三取得者から抵当
権者に対して行います。

　これは第三取得者が抵当権者に請求でき
る，つまり，第三取得者にイニシアティブ
のある制度です。よって，第三取得者の保
護となる制度であり，代価弁済に比べ利用
数が多いです。

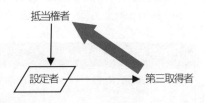

抵当権者に有利に法改正

　抵当権消滅請求の前身は，「滌除」という制度でした。この滌除という制度が悪用
されていたため，平成 15 年に抵当権者（銀行）に有利な形で法改正がされてできた
のが，この「抵当権消滅請求」です。

（1）意義

　第三取得者が自ら抵当不動産の価格を評価して，つまり，自ら価格を決め，この評
価額を抵当権者に弁済することによって，抵当権を消滅させることができる制度です
（民法 379 条以下）。

抵当権者の保護は？

　第三取得者が自ら価格を決めますので，不当に低い可能性があります。そこで，抵
当権者は価格に納得できなければ競売することが認められています。

　「第三取得者が自ら価格を決められる代わりに，抵当権者に競売する権利が認めら
れている」という構造を採ることでバランスを保っているのです。

（2）趣旨

　代価弁済は抵当権者にイニシアティブがあって第三取得者の保護になっていませ
んでしたが，抵当権消滅請求はまさに第三取得者の保護のための制度です。

（3）消滅請求権者

　民法 379 条には「第三取得者」が消滅請求をすることができるとありますが，どの
ような者がこの「第三取得者」に当たるかをみていきます。

要は

　「第三取得者」に当たる者は，要は「所有権のすべてを特定承継で取得した者」です。以下の表の右の④以外は，これで判断することができます。

P321

「第三取得者」に当たる者	「第三取得者」に当たらない者
①所有権を取得した者	①**所有権以外の権利を取得した者** 　抵当権者に有利に法改正がされたため，所有権のみに限定されました。 　なお，譲渡担保権者も第三取得者に当たりません（最判平7.11.10）。譲渡担保権者は完全な所有権を取得したわけではないからです（P335（2））。
②**不動産の所有権のすべてを取得した者**	②**不動産の持分を取得した者** 　持分のみについて抵当権が消滅するとなると，抵当権者が不利益を受けます。持分は，価値が低いからです（P127～128の「好ましくない共有は単有への過渡的な形態」）。仮に，持分2分の1の価格の支払を受けてその持分上の抵当権が消滅し，抵当権の残存した持分2分の1を競売しても，その持分は不動産の2分の1の価格では売れません。
③**特定承継により取得した者**	③**包括承継により取得した者**
④**有償で取得した者・無償で取得した者** 　代価を支払うわけではないため，有償か無償かは関係ありません。	④**主たる債務者，保証人およびこれらの者の承継人**（民法380条） 　これらの者は，本来全額を弁済する立場にある者です。第三取得者にイニシアティブのある制度ですから（上記の「方向性」），全額を弁済すべき者からの請求は認められません。
⑤**解除条件付で取得した者** 　一応，所有権を取得しています。	⑤**停止条件付で取得した者**（民法381条） 　まだ所有権を取得していない者が消滅させられるのはおかしいからです。

P321

（4）消滅請求ができる時期

　第三取得者は，抵当権の実行としての競売による差押えの効力発生前に，消滅請求をする必要があります（民法382条）。

　抵当権者は，第三取得者が決めた価格に納得できなければ競売することができます

（上記の「抵当権者の保護は？」）。価格は第三取得者が自ら決めたものですので，抵当権者が競売を選択する場合は競売のほうが優先するのです。

（5）手続

消滅請求をしようとする第三取得者は，登記をしたすべての債権者に対し，消滅請求の価格など一定の事項を記載した書面を送付する必要があります（民法383条）。

抵当権者は第三取得者が決めた価格に納得できなければ競売することができますので（上記の「抵当権者の保護は？」），競売のチャンスを与えるために消滅請求の詳細を知らせる必要があるのです。

このような趣旨ですので，登記をした債権者が複数いる場合には全員に対してこの書面を送付しなければならず，そのうち1人でも送付を受けない者がいるときは，送付を受けた者に対しても消滅請求の効力を生じません。

なお，「登記をした」と限定がついていますので，登記されていない債権者は無視してOKです。登記されていなければ存在がわからないからです。

（6）効果

登記をしたすべての債権者が，第三取得者が決めた価格を承諾し，かつ，第三取得者がその価格を払い渡しまたは供託したときは，抵当権は消滅します（民法386条）。

なお，債権者が承諾しない場合でも，民法384条1号〜4号のいずれかに該当したときは，承諾したものとみなされます。民法384条には，債権者が上記（5）の書面の送付を受けてから2か月以内に抵当権を実行して競売の申立てをしないとき（民法384条1号），債権者が競売の申立てをしたがその申立てを取り下げたとき（民法384条2号）などと規定されていますが，要は「債権者が競売しなかったとき」です。

※第三取得者が抵当権者に対して金銭債権を有する場合の相殺の可否

抵当不動産の第三取得者が抵当権者に対して金銭債権を有する場合，他に抵当権者がいないときは，第三取得者は，その金銭債権と消滅請求によって支払わなければならない額とを相殺し，チャラにできます（大判昭14.12.21）。

他に抵当権者がいないときに限定されているのは，他に抵当権者がいると，相殺した抵当権者にだけ弁済したことになってしまい，不公平になってしまうからです。

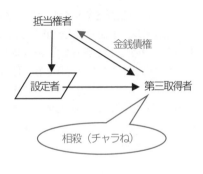

325

（7）債権者の競売申立て

上記（5）の書面の送付を受けたすべての債権者は，その書面の送付を受けた時から2か月以内ならば，競売を申し立てることができます（民法384条1号。上記の「抵当権者の保護は？」）。

なお，抵当権者によっては，「被担保債権の弁済期は10年後」ということもあり得ます。しかし，この場合でも抵当権者は，弁済期未到来のまま競売の申立てができます。

競売できないと，第三取得者が決めた価格で抵当権が消滅してしまうからです。

競売の申立てをする場合，上記（5）の書面の送付を受けた時から2か月以内に，債務者および抵当不動産の譲渡人（P322のCaseだとA）に，競売をする旨を通知する必要があります（民法385条）。

債務者に通知するのは，債務者は第三取得者から求償されるため，事前に弁済する機会を与えるためです。

抵当不動産の譲渡人に通知するのは，抵当不動産の譲渡人は第三取得者に対して売主としての責任が生じることがあるため（民法570条），事前に弁済して抵当権を消滅させる機会を与えるためです。

「なんで通知先に第三取得者（P322のCaseだとあなた）が含まれていないの？」と思われたかもしれません。平成15年の改正前は，第三取得者へも通知する必要がありました。しかし，それにより不良少年や外国人を競売不動産に住まわせるなどの執行妨害が起きたため，平成15年の改正で第三取得者への通知は不要とされたのです。

※「やっぱり競売をやめた」と言えるか？

抵当権者は，上記の競売の申立てをしても，競売の申立てを取り下げて（「やっぱり競売をやめた」）と言って），消滅請求を承諾することもできます。抵当権者が「やっぱり競売をやめた」と言うとき，他の債権者の承諾は不要です。

他の債権者も自分で競売の申立てができますので，気に入らないのならば自分で競売の申立てをすればいいからです。

　民法には，抵当権の最後の民法398条の2～民法398条の22に，「根抵当権（ねていとうけん）」という約定担保物権が規定されています。根抵当権も，抵当権の一種ですが（民法398条の2第1項，2項），抵当権とは異なる性質があり，それが民法398条の2～民法398条の22に規定されています。

　根抵当権について，民法で説明を試みているテキストもあります。しかし，不動産登記法の知識を抜きに根抵当権を理解することはできません。ましてや，根抵当権について最も深い理解が問われる司法書士試験の問題を正解するレベルで理解するのに，不動産登記法の知識を抜きにして説明するのは不可能です。

　不動産登記法の知識が不可欠となるのは，根抵当権が，初めから登記を念頭に置いて制定された制度だからです。条文（民法398条の2～民法398条の22）がすべて枝番であるとおり，根抵当権は民法ができた当初はなかった制度です。根抵当権は昭和46年に新設された担保物権です（それ以前も，判例では認められていました）。新しい制度であるため，わかりやすさが追求され，登記を前提とした制度となったのです（P267の「新しい制度はわかりやすくすることが多い」）。

　たとえば，以下のように，登記を前提とした条文が多々あります。

民法398条の4（根抵当権の被担保債権の範囲及び債務者の変更）

3　第1項の変更について元本の確定前に登記をしなかったときは，その変更をしなかったものとみなす。

民法398条の6（根抵当権の元本確定期日の定め）

4　第1項の期日の変更についてその変更前の期日より前に登記をしなかったときは，担保すべき元本は，その変更前の期日に確定する。

民法398条の8（根抵当権者又は債務者の相続）

4　第1項及び第2項の合意について相続の開始後6箇月以内に登記をしないときは，担保すべき元本は，相続開始の時に確定したものとみなす。

民法398条の16（共同根抵当）

　第392条及び第393条の規定は，根抵当権については，その設定と同時に同一の債権の担保として数個の不動産につき根抵当権が設定された旨の登記をした場合に限り，適用する。

> **民法398条の17（共同根抵当の変更等）**
> 1　前条の登記がされている根抵当権の担保すべき債権の範囲，債務者若しくは極度額の変更又はその譲渡若しくは一部譲渡は，その根抵当権が設定されているすべての不動産について登記をしなければ，その効力を生じない。

　このように，根抵当権は不動産登記法とは切り離せない関係であるため，根抵当権については不動産登記法の中で学習すべきです。よって，このテキストでは，根抵当権については，概略を説明するだけにとどめます。

1 意義

> **民法398条の2（根抵当権）**
> 1　抵当権は，設定行為で定めるところにより，一定の範囲に属する不特定の債権を極度額の限度において担保するためにも設定することができる。

　根抵当権：一定の範囲に属する不特定の債権を，極度額の限度において担保するために設定される約定担保物権

　根抵当権も抵当権の一種であるため（民法398条の2第1項，2項），根抵当権に特有の規定がない場合は，抵当権の規定が適用されます。

　抵当権と異なる最大の特徴は，以下の2点です（＊）。
＊元本確定前の根抵当権に限った特徴です。

①付従性（P179 1）がない
・成立：被担保債権が存在しなくても（「0」でも），根抵当権は成立します。根抵当権は，一定の範囲を定めれば，単に設定することができるのです。
・消滅：被担保債権が全額弁済されても，つまり，被担保債権が「0」になったとしても，根抵当権は消滅しません。
　担保物権（人間）は，被担保債権（地球）を前提とするものでした（P179）。しかし，根抵当権は被担保債権を前提としないので，地球がなくても宇宙空間で生存できる「宇宙人」のようなものです（成立における付従性なし）。根抵当権は宇宙空間で生存できる宇宙人ですので，地球が消滅しても消滅しません（消滅における付従性なし）。

②随伴性（P179〜180 2）がない

被担保債権が移転しても，根抵当権は被担保債権に伴って移転しません。

ex. A銀行が根抵当権の被担保債権をB証券会社に売却しても（債権譲渡），それに伴って根抵当権はB証券会社に移転しません。

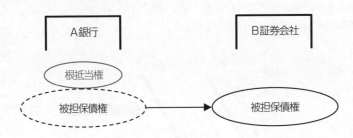

2 趣旨

「付従性」と「随伴性」がないことによるメリットがあります。付従性と随伴性がないメリットを，根抵当権が具体的に使われる場面から説明します。

根抵当権は私人が設定することもありますが，企業間の取引をイメージしてください。

企業間の取引では，頻繁に債権が発生し，消滅します。この場合に，付従性のある抵当権であったならば，その度に抵当権を抹消し，設定しなければならなくなります。企業からすれば非常に煩雑であり，登記費用もばかになりません（司法書士は儲かってよいのですが……）。また，根抵当権を使えば，企業が銀行から融資を受けやすくなります。抵当権だと，次の融資を受けた場合には新たに抵当権を設定する必要がありますが，後順位に担保物権が登記されていれば，その担保物権よりも後順位になり，銀行が融資を渋るかもしれません。こういった実務の要請から生まれ，昭和46年に条文化されたのが，「根抵当権」です。根抵当権であれば，一定の範囲の債権は担保されるため，抹消と設定を繰り返すという必要がありません。

このように，被担保債権と運命をともにしない（付従性と随伴性がない）ことによるメリットがあるのです。

3　根抵当権のイメージ

　まだ根抵当権のイメージがあまり湧かないと思いますが，根抵当権については以下のイメージを持ってください。

　根抵当権とは，つまり，被担保債権ではなく，"枠"が問題なのです。被担保債権があるから根抵当権があるのではなく，根抵当権という"枠"があり，そこに入る被担保債権が根抵当権によって担保されるのです。

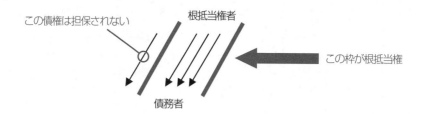

　根抵当権によって債権が何でもかんでも担保されるわけではありません。まず，根抵当権者と設定者の間の根抵当権の設定契約で「枠」を決めます。その枠の中に入る被担保債権が，根抵当権によって担保されます。

ex. A銀行とC社との間で，以下のような根抵当権設定契約が締結されました。

　　①A銀行と —————————————— 根抵当権者
　　②C社との間の —————————————— 債務者
　　③金銭消費貸借取引から生ずる債権を ——— 債権の範囲
　　④1億円を限度として —————————— 極度額

C社が所有する不動産に設定した根抵当権によって担保する。

　上記4点（①根抵当権者，②債務者，③債権の範囲，④極度額）で「枠」を決めます。枠の中に入らない債権は，担保されません。たとえば，A銀行とD社との間の取引から生じた債務は担保されません（上記②を充たさないからです）。また，A銀行とC社との間の取引から生じた債務でも，売買取引から生じた債務は担保されません（上記③を充たさないからです）。

【MEMO】

第1節　非典型担保が認められた背景

1　意義

非典型担保：民法に規定されていない担保物権

第2章〜第5章で民法に規定されている典型担保4種類（留置権，先取特権，質権，抵当権）をみてきました。担保物権の最後に，この第7章では，民法に規定されていない非典型担保をみていきます。非典型担保には，特別法で規定されている（条文がある）「工場抵当」や「仮登記担保」もありますが（P177），それらは不動産登記法で学習します。民法で学習するのは，条文のない「譲渡担保」（第2節），「所有権留保」（第3節），「代理受領」（第4節）です。

2　非典型担保ができた背景

1．便利な担保物権が創り出された

非典型担保ができたのは，簡単にいうと，「典型担保に使いにくいところがあるから」です。典型担保の主なデメリットは以下の2点であり，それを克服する形でできたのが非典型担保です。

【デメリット①】担保に取りづらかったものがあった
→ | 非典型担保のメリット① | 担保に取りづらかったものを担保にすることが可能

動産には，原則として抵当権を設定することはできません。そうすると，動産を担保に取るには動産質権を設定することになりますが，動産質権の場合，質権者に占有を移転する必要があります（P216〜217②）。しかし，たとえば，ある小さな工場が融資を受けようとするとき，その工場内にある機械以外に担保となる財産がないことがあります。その場合に，その機械に動産質権を設定し，質権者に機械を引き渡さないといけなくなると，その工場は業務ができなくなってしまいます。これでは，融資を受ける意味がありません。そこで，動産についても，占有を移さずに担保とすることができる非典型担保が考え出されたのです。

また，典型担保では担保に取ることが難しかった，のれん（得意先，仕入元，営業ノウハウなど）や集合動産なども担保に取れる担保物権が創り出されました。条文にないところからのスタートなので，こういった要請に応えられたのです。

【デメリット②】競売に時間と費用がかかる
→ 非典型担保のメリット② 競売によらない私的実行が可能

　抵当権や質権において，実際に優先弁済を受けるには，目的物を競売にかける必要などがあります。競売は，半年～1年くらいかかることもありますし，費用もかかります。そこで，裁判所の競売によらない私的実行ができる非典型担保が考え出されたのです。私的実行の方法は，P342～345（2）とP350の1.で説明します。

2. 設定者保護にゆり戻し

　非典型担保は，基本的に担保権者が創り出したものです。上記のメリット②は，明らかに担保権者に有利です。そのため，暴利行為が横行しました。「暴利行為」とは，相手の無知や窮迫などを利用して不当な利益をむさぼる行為のことです。

　たとえば，あなたが，Aから100万円の融資を受けるために，あなたが経営している工場の1000万円相当の機械に譲渡担保権を設定したとします。この場合に，あなたが返済を怠ったら，Aは裁判所の競売手続によらずにその機械を自分の物とすることができます（私的実行）。つまり，Aは100万円しか貸していないのに，1000万円相当の機械を手に入れることができていたのです。担保権者が創り出した担保物権なので，このようなことが横行していました。

　しかし，「それはおかしい！」ということで，担保権者には「清算義務」が課せられました。「清算」とは，被担保債権の額を超える額を設定者に返還することです。上記の例でいえば，Aは，900万円（＝1000万円−100万円）をあなたに返還しなければなりません。

　この清算義務は，仮登記担保のように法律で規定したものもあれば（仮登記担保法3条），譲渡担保のように判例で課されたものもあります。

非典型担保の歴史

　以上をまとめると，非典型担保の歴史の大枠は以下のとおりです。

①典型担保に使いにくいところがあったので，それをカバーする非典型担保が生まれた（担保権者が創り出したので，基本的に担保権者に有利な制度となった）
　↓
②非典型担保は担保権者が創り出したものなので，暴利行為が横行した
　↓
③暴利行為を防止するため，法律や判例によって設定者を保護する方向で修正が加えられた（担保権者に「清算義務」を課した）

第2節　譲渡担保

1 譲渡担保とは？

1．意義

譲渡担保：設定者（債務者または物上保証人）が担保の目的物の所有権（＊）を譲
　　　　　渡担保権者に移転してしまう約定担保物権

＊所有権以外の場合もありますが，主に問題となるのは所有権なので，基本的に所有権についてのみ考えてく
　ださい。このテキストでも，基本的には所有権で説明します。

　譲渡担保は，担保の目的物の所有権を譲渡担保権者に移転してしまいます。そのた
め，「譲渡」担保といいます。債務が弁済されれば目的物の所有権が設定者に戻りま
すが，弁済されなければ所有権が確定的に譲渡担保権者に帰属します。

2．譲渡担保の法的構成

（1）学説対立

　「担保の目的物の所有権を譲渡担保権者に移転してしまう」と説明しましたが，実
は，所有権が移転する時期について争いがあります。大きく分けると，以下の2説が
対立しています。

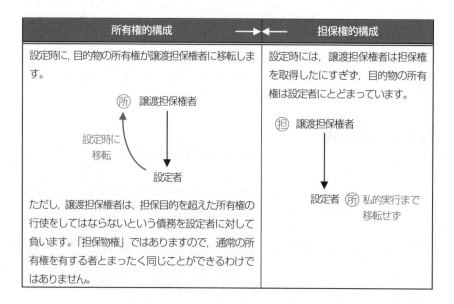

所有権的構成　→	← 担保権的構成
設定時に，目的物の所有権が譲渡担保権者に移転します。 （所）譲渡担保権者 設定時に移転 設定者 ただし，譲渡担保権者は，担保目的を超えた所有権の行使をしてはならないという債務を設定者に対して負います。「担保物権」ではありますので，通常の所有権を有する者とまったく同じことができるわけではありません。	設定時には，譲渡担保権者は担保権を取得したにすぎず，目的物の所有権は設定者にとどまっています。 （担）譲渡担保権者 設定者（所）私的実行まで移転せず

（2）判例の立場

判例は，基本的には所有権的構成を採っていると考えられています。しかし，近時の判例は，完全な所有権的構成（所有権が譲渡担保権者に完全に移転する）ではないと解されています。「所有権は譲渡担保権者に移転するが，その移転は債権担保に必要な範囲であり，設定者にも一定の物権は残っている」というのが，近時の判例の立場だと考えられています。これは，所有権的構成と担保権的構成の中間的な立場です。たとえば，以下の2つの判例はこの立場だと考えられています。

判例（最判昭57.9.28）

第三者が譲渡担保権の目的となっている不動産を不法占拠している場合に，設定者は不法占拠者に対して不動産の返還請求をすることができます。

この請求が認められるのは，設定者にも一定の物権は残っているからだと考えられています。

判例（最判平5.2.26）

譲渡担保の目的物が滅失または損傷した場合に，損害保険から得られる被保険利益は，譲渡担保権者と設定者がそれぞれ有します。よって，譲渡担保権者も設定者も，譲渡担保の目的物について保険契約を締結できます。

これは，所有権は譲渡担保権者に移転するが，設定者にも一定の物権は残っているから，譲渡担保権者と設定者に被保険利益が認められたと考えられています。

なお，判例は，事案によって所有権的構成を重視するか，担保権的構成を重視するかを使い分けています。

難しいハナシとなってしまいましたが，「所有権的構成か担保権的構成か，判例の立場を正確に答えなさい」などという問題は出せないでしょうから，判例の立場を正確に記憶する必要はありません。

3．譲渡担保に当たるか

譲渡担保は担保の目的物の所有権を譲渡担保権者に移転してしまいますが，同じように担保の目的物の所有権を債権者に移転してしまう担保の手段として「買戻し」があります（Ⅲのテキスト第7編第2章第1節 2 2.（3）「Realistic 8」）。

そこで，譲渡担保なのか買戻しなのかが問題となった事案があります。契約の形式は，買戻特約付売買契約（買戻し）でした。しかし，目的不動産の占有の移転をしない契約でした。そのため，この契約は譲渡担保契約と解されるとされました（最判平18.2.7）。

　判例は，契約の形式にとらわれることなく，担保の実質に即してどのような担保か
を判断しようとする姿勢になってきています。たしかに，契約の形式は買戻特約付売
買契約です。しかし，売買契約なら，買主に目的不動産の占有を移転します。それを
しないということは，実質的には譲渡担保と考えられるのです。

2　設定

1．当事者

　譲渡担保の設定契約の当事者は，譲渡担保権者と設定者です。

・譲渡担保権者：被担保債権の債権者
・設定者　　　：債務者または第三者

　設定者に「第三者」とありますとおり，譲渡担保にも物上保証があります（P233
の「約定担保物権→物上保証」）。

2．目的物

　譲渡担保の目的物，つまり，物権レベルのハナシをみていきます。

ヒジョーに広い

　譲渡担保の目的物は，ヒジョーに広く認められています。財産的価値があり譲渡性
があれば，目的物となります。譲渡担保は，典型担保では担保に取りづらかったもの
を担保に取れるようにしたので（P332 の「非典型担保のメリット①」），目的物とな
るものはヒジョーに広いのです。

（1）不動産・動産・債権

　これらは，典型担保でも目的物となりましたので，もちろん譲渡担保の目的物とも
なります。

　なお，工場が融資を受けようとするときに，債権者に機械の
占有を移さずに（移しても構いません）機械に担保物権を設定
できるといったことが非典型担保の1つのメリットなので，動
産を目的物とする場合に譲渡担保権を使うメリットが大きい
です。しかし，不動産や債権を目的とすることもできます。債
権を譲渡担保の目的とした場合の法律関係は，債権質（P224
〜227 2 ）と同じです。

譲渡担保権者

設定者　機械

（2）集合動産

（a）意義

たとえば，ある会社の倉庫の棚(たな)に本が何冊もある場合に，「その棚にある本」が集合動産です。この集合動産も，種類，所在場所および量的範囲を指定するなどの方法により目的物の範囲が特定される場合には，1つの譲渡担保権を設定できます（最判昭54.2.15）。ただ，以下のような定め方では，特定にはなりません。

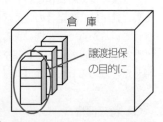

倉　庫

譲渡担保
の目的に

ex1. 「設定者の店舗・居宅内に存すべき運搬具，什器(じゅうき)，備品，家財一切のうち設定者の所有物を目的とする」（最判昭57.10.14）。何が設定者の所有物かわからないからです。

ex2. 「倉庫内の食用乾燥ネギフレーク44トン余りのうち28トンを目的とする」（最判昭54.2.15）。どの28トンかわからないからです。

そこで，契約書に，倉庫のどの位置にある棚かを書いたり，棚を柵で囲んだり，様々な工夫をして特定します。弁護士などが，当事者から「集合動産をどのように特定すればいいですか？」と相談を受けた場合，頭を悩ますところだそうです。

（b）構成動産が変動する集合動産（流動集合動産譲渡担保）

集合動産は，流出・流入を繰り返し，集合動産を構成する動産が変動するものもあります。たとえば，上記（a）の棚の例でいえば，ある本が売れれば集合動産から動産が流出しますし，ある本を仕入れれば集合動産に動産が流入します。この場合でも，種類，所在場所および量的範囲を指定するなどの方法によって目的物の範囲が特定される場合には，1つの譲渡担保権を設定できます（最判昭54.2.15，最判昭62.11.10）。

会社は営業を行っていますので，本を売ったり本を仕入れたりします。担保を設定しても営業を継続できると，営業に使う物を担保に出して資金調達ができて助かります。実務で使いやすいように創り出されたのが譲渡担保なので（P332の「非典型担保のメリット①」），このような要請にも応えられるようになっているんです。

なお，設定時に，目的物たる動産が現実に存在している必要はありません。上記の棚の例でいえば，最初は棚が空でもOKということです。

※設定者の処分権

構成動産が変動する集合動産譲渡担保の設定者が通常の営業の範囲内で集合動産

を構成する個々の動産を売却した場合，その買主はその動産について確定的に所有権を取得できます（最判平18.7.20）。上記の棚の例でいえば，本が売れた場合，購入した人は譲渡担保の負担を負わずに確定的に所有権を取得できます。構成動産が変動する集合動産は，設定者の営業活動を通じて，個々の動産が当然に変動することが予定されているからです。棚にある商品が売れていくのは，当たり前でしょう。

　ただし，通常の営業の範囲を超える売却だと，譲渡担保の目的である集合物から離脱したと認められない限り，その買主は所有権を取得できません（最判平18.7.20）。

（3）将来債権

　将来債権とは，たとえば，医師が国民健康保険団体連合会などに対して将来取得する診療報酬債権（＊）などのことです（最判昭53.12.15）。
＊医療費の7割（通常の場合）は保険から支払われますので，医師は国民健康保険団体連合会などに支払を請求します。

　将来債権も，その発生原因，債権額，債権発生の期間の始期と終期などにより，譲渡担保の目的となるべき債権がその設定者の有する他の債権と識別することができる程度に特定されていれば，債権の発生が確実でなくても，譲渡担保の目的とすることができます（最判平11.1.29）。もし債権が発生しなかったときは，損害賠償請求などで解決すればよいからです。

　将来債権を目的として譲渡担保権が設定された場合，その将来債権が将来発生した時に当然に譲渡担保権の目的となります（最判平19.2.15）。将来債権も，譲渡担保契約を締結した時点で譲渡担保権者に譲渡されているからです。

3．被担保債権

　被担保債権，つまり，今度は債権レベルのハナシをみていきます。

ヒジョーに広い

　被担保債権も，ヒジョーに広く認められています。被担保債権は，特に制限されていません。

P234＝
　金銭債権が被担保債権となることが最も多いですが，金銭債権である必要はありません。たとえば，物の引渡請求権を被担保債権とすることもできます。これも，債務不履行の場合には，金銭債権である損害賠償請求権となるからです。

P237
」
=P213

=P214
P234

　抵当権（P237〜238）のように，利息や損害賠償についての優先弁済が最後の2年分に制限されるということもありません（最判昭61.7.15）。

　また，被担保債権は将来債権であっても構いません。
　増減する不特定の債権を被担保債権とする「根譲渡担保」も有効です（大判昭5.3.3）。
＊根譲渡担保は，不動産登記法で根抵当権を学習した後でないとイメージしづらいので，今はあまり気にされる必要はありません。

※先順位の抵当権・根抵当権の被担保債権を代位弁済したことによって取得する求償債権

　ただし，不動産の譲渡担保権者がその不動産に設定された先順位の抵当権・根抵当権の被担保債権を代位弁済したことによって取得する求償債権は，譲渡担保の被担保債権とはなりません（最判昭61.7.15）。
　この求償債権は，譲渡担保権の被担保債権ではないからです。また，Ⅲのテキスト第5編第6章第1節3 2.（4）（a）で説明しますが，代位弁済した譲渡担保権者に先順位の抵当権・根抵当権が移転しますので（民法501条1項，2項。根抵当権は確定後根抵当権の場合です），求償債権は抵当権・根抵当権できちんと担保されます。

4．対抗要件

　目的物に応じて，対抗要件は以下のようになっています。いずれも，民法の原則どおりです（債権についてはⅢのテキスト第5編第5章第1節2で学習します）。

・不動産：登記（民法177条）
　「譲渡担保」を登記原因として，設定者から譲渡担保権者に所有権の移転の登記をします。
・動産：引渡し（民法178条）
　占有改定（民法183条）でも構いません（大判大5.7.12，最判昭30.6.2）。たとえば，工場が譲渡担保権者に機械の占有を移さずに譲渡担保権を設定できるのが非典型担保の1つのメリットであると説明していますが，これが占有改定の例です。これで対抗要件となるのです。
　なお，「集合動産」（上記2.（2））の場合，譲渡担保権者は，一度集合動産について対抗要件（占有改定など）を備えれば，流入してきた動産について1つ1つ対抗要件を備える必要はありません（最判昭62.11.10）。でないと，あまりにも大変になります。棚の本を目的として譲渡担保権を設定した場合でいうと，毎日，本を仕入れたり

しますから，毎日，対抗要件を備える措置をする必要が生じてしまいます。
・債権：担保に出す債権の債権者（設定者）からその債権の債務者に対する通知，または，担保に出す債権の債務者（第三債務者）の承諾（民法467条）

5．効力が及ぶ目的物の範囲
（1）従たる権利

　借地上の建物に譲渡担保権が設定された場合，従たる権利である土地の賃借権に譲渡担保権の効力が及ぶかが問題となります。

ex. あなたが，Bが所有している土地を賃借し，その土地上に建物を建てました。そして，建物にAの譲渡担保権を設定しました。この場合に，土地の賃借権に譲渡担保権の効力が及ぶかという問題です。

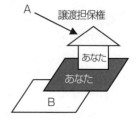

　判例は，土地の賃借権に及ぶとしました（最判昭 51.9.21）。抵当権（P243（1））と同様の扱いをしたのです。

*以下の説明は，Ⅲのテキスト第7編第5章第3節2で民法612条を学習した後にお読みください。

　ここまでは抵当権と同じなのですが，譲渡担保権に特有の問題があります。それは，譲渡担保権を"設定すること"（競売時ではありません）について，土地の所有者（上記 ex.だと B）の承諾が必要かという問題です。譲渡担保権の設定が，民法 612 条 1 項の賃借権の譲渡に当たれば，土地の所有者の承諾が必要となります。譲渡担保権は，抵当権と異なり，設定時に占有を担保権者に移転することがあるため，このような問題が生じるのです。土地の所有者の承諾の要否は，以下のとおりです。

・設定者（上記 ex.だとあなた）が建物を使用する　　→　不要（最判昭 40.12.17）
・譲渡担保権者（上記 ex.だと A）が建物を使用する　→　必要（最判平 9.7.17）

　民法 612 条の賃借権の譲渡に当たるかどうかは，賃借人（上記 ex.だとあなた）以外の者が現実に使用または収益をするかが問題となるので，譲渡担保権者（上記 ex.だと A）が建物を使用する場合のみ，民法 612 条の賃借権の譲渡に当たるのです。

（2）物上代位
（a）売買代金債権

　譲渡担保権者が売買代金債権に物上代位できるかが問題となった，以下のような事案がありました。

輸入業者が商品を輸入するために，その商品の代金を銀行に融資してもらい，それを担保するために，その商品に譲渡担保権を設定しました。譲渡担保権の設定により銀行がその商品の所有権を取得しましたが，銀行は輸入業者にその商品を貸し渡し，処分権限も輸入業者に与え

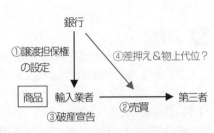

ました。輸入業者はその商品を第三者に売り渡しましたが，その第三者から売買代金を受け取る前に，輸入業者が破産宣告を受けました。そこで，銀行は譲渡担保権に基づく物上代位として輸入業者の第三者に対する売買代金債権の差押えを申し立てました。この物上代位による差押えは認められるでしょうか。

判例は，物上代位による差押えを認めました（最決平 11.5.17）。

この事案は，処分権限が輸入業者に与えられていたため，譲渡担保権者は第三者から商品を取り戻すことができないので，売買代金債権に物上代位を認める必要性が高かったからです。

（b）損害保険金

譲渡担保権者が構成動産が変動する集合動産の損害保険金に物上代位できるかが問題となった，以下のような事案がありました。

魚の養殖業を営んでいる者が，養殖魚などについて譲渡担保権を設定しました。営業をする中で養殖魚が販売されたり補充されたりしますので，構成動産が変動する集合動産譲渡担保（P337（b））です。しかし，赤潮が原因で養殖魚

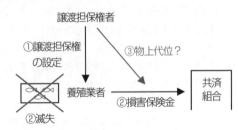

2510 匹が死滅してしまいました。そのため，設定者である養殖業者は共済組合に対して，損害保険金の請求権を取得しました。譲渡担保権者は，この損害保険金の請求権に物上代位できるでしょうか。

判例は，集合動産譲渡担保の効力はこの損害保険金の請求権に及び，譲渡担保権者はこの損害保険金の請求権に物上代位できるとしました（最決平 22.12.2）。

集合動産譲渡担保は，集合動産の交換価値を把握しています。そして，設定者は養殖業を廃止していたので，設定者が取得した損害保険金の請求権は，通常の営業の範囲内（P337〜338※）で取得したものとはいえません。よって，物上代位が認められました。

3 効力

1．対内的効力（譲渡担保権者と設定者の関係）

この1.では，譲渡担保権者と設定者の関係をみていきます。

（1）目的物の占有・利用

工場の機械など，動産であっても譲渡担保権者に占有を移す必要がないのが譲渡担保権のメリットです。設定者が目的物を占有・利用している場合，設定者がなぜ占有・利用できるかは，譲渡担保の法的構成をどう捉えるか（P334（1））によって変わります。

所有権的構成 ──▶　◀──	担保権的構成
譲渡担保権者と設定者の間に，賃貸借契約または使用貸借契約が成立していると解します。譲渡担保権者に所有権が移転しているからです。	設定者が占有・利用できるのは当然です。所有権は設定者にとどまっているからです。

（2）譲渡担保の実行

債務者がきちんと弁済すれば，譲渡担保権は消滅します。このとき，譲渡担保権者に目的物の占有を移転していた場合には，譲渡担保権者が設定者に目的物を返還することになりますが，債務の弁済が先履行であり，債務者は「弁済と同時に目的物を返還しろ」とは請求できません（最判平6.9.8）。これは，抵当権などと同じ考え方です。住宅ローンが抵当権で担保されていた場合，債務者は，住宅ローンを完済した後に，銀行に対して「抵当権の抹消の登記をしてくれ」と請求できます。

しかし，債務者が弁済期に弁済を怠った場合には，譲渡担保権者は譲渡担保を実行できます。

（a）所有権の取得

譲渡担保の実行により，譲渡担保権者は目的物の所有権を取得します。その意味は，譲渡担保の法的構成をどう捉えるかによって異なります。

所有権的構成	→ ←	担保権的構成
すでに譲渡担保権者に所有権は移転していますが，実行により，譲渡担保権者は確定的に所有権を取得します。		実行により，譲渡担保権者は所有権を取得します。

（b）清算

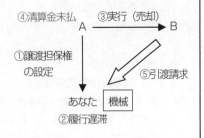

あなたは，Aから100万円の融資を受けるために，あなたが経営している工場の1000万円相当の機械に譲渡担保権を設定した。あなたが，弁済期に弁済を怠ったので，Aは譲渡担保権を実行して，その機械をBに1000万円で売却した。

この場合において，Bから機械の引渡しを請求されたあなたは，Aから清算金900万円を受け取っていないときでも，Bにその機械を引き渡さなければならないか？

ⅰ　清算義務

上記 Case のように，目的物の価額が被担保債権の額を超えるときは，譲渡担保権者は設定者に差額（上記 Case だと900万円〔＝1000万円−100万円〕）を返還しなければなりません。この差額を返還しない暴利行為が横行したので，目的物の価額が被担保債権の額を超えるときは，清算はマストとされています（最判昭46.3.25。P333の「非典型担保の歴史」③）。

なお，逆に目的物の価額が被担保債権の額に満たないときは，譲渡担保権者は債務者に不足額を請求できます。上記 Case を少し変えて，機械が10万円相当のものであったのならば，Aはあなたに90万円（100万円−10万円）を請求できます。これは，債権者ですから当然です。

ⅱ　清算の方法

清算の方法には，以下の2種類があります。

①帰属清算型

これは，譲渡担保権者が目的物を自己に帰属させ，譲渡担保権者が目的物の価額を評価して，被担保債権の額との差額を設定者に清算金として交付する方法です。

典型担保の流質（P215（2））に近い方法です。

②処分清算型

　これは，譲渡担保権者が目的物を第三者に売却し，その売却代金を弁済に充て，残額を設定者に清算金として交付する方法です。上記 Case の A は B に機械を売却していますが，これが処分清算型の例です。A は B に機械を 1000 万円で売却していますので，被担保債権の額 100 万円を弁済に充てたら，残額の 900 万円をあなたに清算金として交付する必要があります。

　典型担保の競売に近い方法です（ただし，裁判所での手続は不要です）。

iii　設定者の抗弁
（ⅰ）同時履行の抗弁権

　設定者が目的物を占有している場合，譲渡担保権者は設定者に目的物の引渡しを請求することになります。この場合，上記 ii の①の帰属清算型であっても②の処分清算型であっても，設定者は，「清算金の支払があるまでは，目的物を引き渡さないよ」と主張できます（最判昭46.3.25）。

（ⅱ）留置権

　不動産を目的とする譲渡担保権が設定されている場合に，譲渡担保権が実行されて，上記 ii の②の処分清算型によりその不動産が第三者に売却されても，設定者は，譲渡担保権者から清算金の支払があるまで留置権を主張できます（最判平9.4.11。動産についても同様であると解されています）。よって，上記 Case において，あなたは清算金 900 万円を受け取っていないので，B からの引渡請求を拒むことができます。

　清算義務は，暴利行為が横行したために譲渡担保権者に課せられた義務であるという歴史的背景がありますので，非常に重要なものです。よって，設定者が確実に清算金の交付を受けられるよう，同時履行の抗弁権や留置権で保護されているのです。

iv　受戻権

　譲渡担保権者が譲渡担保を実行して目的物の所有権を取得しても，以下の時点までであれば，設定者は譲渡担保権者に債権額を提供して目的物の所有権を取り戻すことができます（最判昭62.2.12）。これを「受戻権」といいます。債務者が弁済を怠った後ですが，設定者に目的物の所有権を取り戻すチャンスを与えているのです。

①帰属清算型　→　　（清算金がある場合）設定者が清算金の支払または清算金の提供
　　　　　　　　　　　　を受けるまで
　　　　　　　　　　（清算金がない場合）設定者が清算金がない旨の通知を受けるま
　　　　　　　　　　　　で
②処分清算型　→　　第三者への売却があるまで

　ただし，帰属清算型であっても，譲渡担保権者が目的物を第三者へ譲渡したときは，譲渡担保権者が設定者に上記①の清算金の支払などいずれのこともしていなくても，受戻権を行使できなくなります（最判昭62.2.12）。
　しかも，その第三者が背信的悪意者であっても，設定者は受戻権を行使できません（最判平6.2.22）。背信的悪意者であっても保護されるという，非常に珍しい例です。これは，譲渡担保権者が，第三者が背信的悪意者であるかを知るのは困難だからという理由です。つまり，譲渡担保権者の保護のためなのです。
　また，これらの判例の結論のウラには，以下の清算義務と受戻権の違いがあります。

清算義務と受戻権はまったく違う

　清算義務と受戻しの重要性はまったく違います。
【清算義務】
　暴利行為が横行した歴史的背景からも（P333の「非典型担保の歴史」③），清算義務は非常に重要な手続であり，設定者に確実に清算金を受け取らせる必要があります。
【受戻し】
　上記のとおり清算金を受け取れるとしても，債務不履行があった場合に設定者が担保の目的物をとられるのは当たり前です。その場合に，目的物を取り戻すチャンスを"与えてやった"のが受戻しです。よって，受戻しは，あまり重要ではありません。

※受戻権を放棄して清算金の支払を請求することの可否

　設定者が，譲渡担保権者が譲渡担保を実行する前に，受戻権を放棄して，譲渡担保権者に対して清算金の支払を請求することができるかが問題となります。
　これは，できません（最判平8.11.22）。
　これを認めると，設定者が実行の時期を決められることになってしまうからです。いつ実行するのかや，そもそも実行するのかを決めるのは，譲渡担保権者です。

２．対外的効力（譲渡担保権者・設定者と第三者の関係）

次に，この２．では，譲渡担保権者・設定者と第三者の関係をみていきます。

（１）譲渡担保権者側の第三者と設定者の関係

まずは，譲渡担保権者側のほうで第三者が出てきた場合のハナシです。以下のCase
のようなハナシです。

Case

あなたは，Aから融資を受けるために，あなたが経営している工場の機械に譲渡担保権を設定した。その後，Aは，その機械を弁済期前にBに譲渡してしまった。Bは，その機械の所有権を取得できるか？

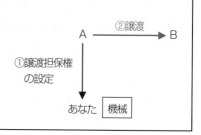

上記Caseにおいて，Bが機械の所有権を取得できるかは，譲渡担保の法的構成を
どう捉えるか（P334（1））によって変わります。

所有権的構成 ━━→	←━━ 担保権的構成
Bは，善意でも悪意でも，所有権を有効に取得できます（大判大9.9.25）。Aに所有権が移転しているため，BはフツーにAから所有権の移転を受けることができるからです。 そして，Bとあなたのどちらが所有権を有することになるかは，対抗要件を備えた先後で決まります。あなたはAに弁済して，所有権を取り戻すことができます。よって，Aを起点にBとあなたへの二重譲渡のような関係になるからです。 なお，Bが目的物について対抗要件を備えれば，Bの所有権は，負担（担保目的を超えた目的物の行使をしてはならない）のないものとなります。上記のとおり，Bとあなたの優先関係は対抗要件を備えた先後で決まるので，Bが対抗要件を備えれば，負担のない所有権となるのです。	Bは，所有権を取得できず，譲渡担保権を取得することができるにとどまります。Aは所有権を有しておらず，担保権を有しているにすぎないからです。 ただし，BがAが所有者だと信じて譲り受けた場合，不動産なら民法94条2項類推，動産なら即時取得の要件を充たすならば，Bは完全な所有権を取得できます。

※弁済後に第三者に譲渡された場合

　設定者であるあなたが弁済によって譲渡担保権を消滅させた後に，譲渡担保権の目的となっていた不動産が譲渡担保権者Aから第三者Bに譲渡されました。この場合，あなたとBのどちらがその不動産の所有権を有することになるかは，どのように決まるでしょうか。

　この場合，Bが背信的悪意者でない限り，あなたとBのどちらが登記を備えたかで決まります（最判昭62.11.12）。

　この判例は，所有権的構成を採りました。上記Caseにおいて所有権的構成を採った場合と同じく，Aを起点にBとあなたに二重譲渡された関係になるので，登記で決まるのです。

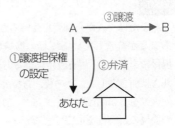

※弁済期後に譲渡担保権者の債権者が差し押さえた場合

　設定者であるあなたが弁済期に弁済せず，弁済期後に，譲渡担保権者Aの債権者Bが譲渡担保権の目的である不動産を差し押さえ，その旨の登記がされました。その後，あなたは債務の全額を弁済して，不動産の所有権を主張することができるでしょうか。

　できません（最判平18.10.20）。

　設定者は，弁済期後は，目的不動産が換価処分されることを受忍すべき立場にある

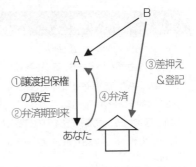

からです。「約束を守らず弁済期に弁済しなかったんだから，不動産を奪われるのは当然だよね」ということです。

（2）設定者側の第三者と譲渡担保権者との関係

今度は，設定者側のほうで第三者が出てきた場合のハナシです。

（a）設定者が目的物を譲渡した場合

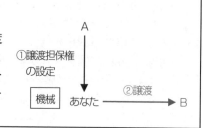

Case
あなたは，Aから融資を受けるために，あなたが経営している工場の機械に譲渡担保権を設定し，占有改定による方法によりAに引き渡した。その後，あなたは，その機械をBに譲渡してしまった。Bは，その機械の所有権を取得できるか？

上記 Case において，Bが機械の所有権を取得できるかは，譲渡担保の法的構成をどう捉えるかによって変わります。

所有権的構成　　　　→	←　　　　担保権的構成
Bは，所有権を取得できません。 Aに所有権が移転しており，Bにも移転しましたが，Aが対抗要件（占有改定による引渡し）を先に備えているので，BはAに対抗できません。民法178条の対抗要件は，占有改定による引渡しも含みます（P48（1））。	Bは，所有権を取得します。あなたは，所有権を有しているからです。 ただ，Aが譲渡担保の対抗要件（P339〜340の4.）を備えていますので，Bが取得する所有権は，譲渡担保の負担の付いたものです。不動産を抵当権付きで取得した第三取得者（P238）と同じ扱いということです。
ただし，Bは，即時取得の要件を充たせば，完全な所有権を取得できます。	ただし，Bが譲渡担保権の存在について善意無過失であれば，即時取得により譲渡担保の負担のない所有権を取得できます。

（b）二重に譲渡担保権を設定した場合

> **Case**
>
> あなたは，Aから融資を受けるために，あなたが経営している工場の機械に譲渡担保権を設定した。その後さらに，Bに対してもその機械を目的として譲渡担保権を設定した。Bは譲渡担保権を取得できるか？

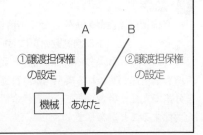

上記 Case において，Bが譲渡担保権を取得できるかは，譲渡担保の法的構成をどう捉えるかによって変わります。

所有権的構成 ⟶	⟵ 担保権的構成
Bは，譲渡担保権を取得できません。Aに所有権が移転しており，あなたは目的物の処分権を有していないからです。	Bは，譲渡担保権を取得できます。あなたは，所有権を有しているからです。
ただし，目的物が動産の場合には，Bが譲渡担保権を即時取得する余地はあります（＊）。 ＊譲渡担保権を即時取得することもできます（P57※）。	AとBの優先順位は，譲渡担保権の対抗要件（P339～340の4.）を備えた先後で決まります。

判例が所有権的構成か担保権的構成かを明言しているわけではありませんが，動産について譲渡担保権の二重設定を認めた判例はあります。

P262」

1つの動産について複数の譲渡担保権者の譲渡担保権が設定されている場合（譲渡担保権の二重設定ができるということです），後順位の譲渡担保権者は，私的実行をすることができません（最判平18.7.20）。

譲渡担保権は，民法で規定されている典型担保のように，裁判所の厳格な手続による競売や配当による必要がありません。よって，後順位の譲渡担保権者が私的実行をすることができてしまうと，後順位の譲渡担保権者が先順位の譲渡担保権者に目的物の売却金を渡さなかったりと，先順位の譲渡担保権者を害してしまう可能性があるため，後順位の譲渡担保権者の私的実行は認められていないのです。

第3節　所有権留保

1　意義

　　所有権留保：商品の売買代金完済前に商品の占有を売主から買主に移転する売買
　　　　　　　（主に割賦販売）において，売主の売買代金債権を担保するために，
　　　　　　　商品の所有権を売主に留保する担保方法

　　所有権留保が使われる典型例は，自動車の割賦販売です。買主が自動車の売買代金
を分割で支払う場合，売主の売買代金債権を担保するために，売主に自動車の所有権
を留保することがあります。

2　設定

　　売主と買主の契約により成立します。

　　動産を目的とすることが多いですが，不動産を目的とすることもできます。

　　所有権留保には，登記などの公示方法がありません。

3　効力

1．所有権留保の実行

　　所有権留保の実行方法は，基本的には，買主が支払を怠ると，売主が売買契約を解
除して，買主から目的物を取り上げる方法です。裁判所の手続によらない私的実行が
可能です。

　　このとき，買主が第三者に目的物を転売し引き渡していても，売主は第三者に目的
物を引き渡すことを請求できます。

ex.　A販売店がBに自動車を割賦販売
　　の方法により売却し，Bへ自動車を
　　引き渡しましたが，代金全額が完済
　　されるまで，自動車の所有権はAに
　　留保するという契約でした。その後，

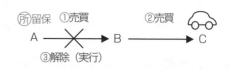

　　Bは，Cにその自動車を転売し引き渡しました。しかし，Bが売買代金の支払を
　　怠ったため，AはBとの売買契約を解除しました。この場合，AはCに自動車を
　　引き渡すよう請求できます（Cが自動車を即時取得した場合を除きます）。

　　実は，これが所有権留保の1つの大きなメリットです。Ⅲのテキスト第6編第4章
第4節[2]1.で学習するのですが，所有権留保によらない通常の売買の場合，解除前に
Cに転売され，Cが引渡しを受けていると，AはAB間の売買契約を解除してもCに
自動車の返還を請求できません（民法545条1項ただし書）。しかし，所有権留保であ
れば，Aに所有権が留保されているので，自動車の引渡しを請求できるのです。

※第三者に対する引渡請求は常に認められるか？

　上記のとおり，基本的には，目的物が買主から第三者に転売され引き渡されても，売主は買主との売買契約を解除して第三者に目的物の返還を請求できます。

　しかし，それが認められなかった事案があります。以下のような事案です。

　ディーラーがサブディーラーに所有権を留保して自動車を販売し，その自動車をサブディーラーがユーザーに転売しました。ディーラーは，ユーザーへの転売についての車検手続や車庫証明などに協力しました。その後，サブディーラーがディーラーへの売買代金の支払を怠ったので，ディーラーはサブディーラーとの間の売買契約を解除し，ユーザーに自動車の返還を請求しました。しかし，この請求は，権利の濫用に当たるとされ，認められませんでした（最判昭50.2.28）。

　権利濫用に当たるとされたのは，以下のような理由によります。

①ディーラーはサブディーラーと協力して自動車の販売を行っており，サブディーラーにより利益を得ています。にもかかわらず，代金回収不能の危険をユーザーに転嫁するのはおかしいです。
②ディーラーは，サブディーラーからユーザーへの転売について，車検手続や車庫証明など協力をしています。にもかかわらず，後で返還を請求するのはおかしいです。

２．売主と譲渡担保権者との関係

　所有権を留保していた売主は，買主から目的物について占有改定の方法により譲渡担保権の設定を受けた者に対して，所有権を対抗できるでしょうか。

　対抗できます（最判昭58.3.18）。

　所有権は売主に留保されていますので，買主は譲渡担保権を設定できません。譲渡担保権も即時取得することができますので（P57※），譲渡担保権の即時取得も問題となりますが，占有改定では即時取得は成立しません（P55〜56④）。

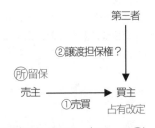

第4節　代理受領

1 意義

代理受領：債権者が，債務者が第三債務者に対して有する債権の取立てまたは受領の委任を受け，債権者が第三債務者から受領した金銭を債務者に対する債権に充当する担保方法

　たとえば，Aに債務を負担しているB建設会社が，国から公共事業を請け負い，国に対する請負代金債権を取得したとします。この場合に，BからAに，Bの国に対する請負代金債権の取立てまたは受領の委任をすることができます。Aが国から請負代金債権を取り立てるか受領し，それとAのB

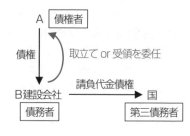

に対する債権を相殺することで，AのBに対する債権が消滅します。
＊代理受領においては，上記の例におけるAを「債権者」，Bを「債務者」，国を「第三債務者」といいます。

　ここまでお読みになって，「それなら，請負代金債権に債権質を設定したり，請負代金債権をAに譲渡すればいいんじゃないの？」と思われたかもしれません。しかし，債権質の設定（P224～227 2）や債権譲渡（Ⅲのテキスト第5編第5章第1節）は，国や地方公共団体が債務者である債権の場合，特約で禁止されていることが多いのです。このように，債権自体をあげられないときに，取立てまたは受領の権利のみを債権者に与えるのが，この「代理受領」なのです。

2 効力

1．対内的効力（債権者・債務者・第三債務者の関係）

（1）直接取立権の有無

　債権者が第三債務者から直接取り立てる権利を有するかは，「取立委任」がされたか「受領委任」がされたかによって変わります。「債権者が債権の取立てまたは受領の委任を受け」と説明してきたとおり，代理受領には2つの種類があるのです。

・取立委任：債権者に直接取立権があります。「取り立てていいよ」という委任だからです。

・受領委任：債権者に直接取立権はありません。「第三債務者が弁済してきたのであれば，受け取っていいよ」という委任だからです。

（2）第三債務者が義務に違反した場合

　代理受領の場合，債権者と債務者の間で取立委任または受領委任がされると，債権者と債務者の連名で第三債務者にその承認を求めるのが普通です。でなければ，債務者が勝手に第三債務者から取り立てたり，第三債務者が債務者に弁済してしまったりするからです。

　第三債務者がこの承認をしたにもかかわらず，債権者ではなく債務者に弁済した場合，どうなるでしょうか。

　この弁済は有効であり，第三債務者の債務者に対する債務は消滅します。第三債務者の債務の債権者が債務者のままであることに変わりはないからです。しかし，第三債務者は債権者に対して不法行為責任を負います（最判昭44.3.4）。

　第三債務者がした承認は，単に代理受領を承認するというだけでなく，代理受領によって得られる債権者の利益を承認し，正当の理由なくその利益を侵害しないという意味も含まれるからです。

　債権者と第三債務者との間に契約関係はないため，判例は，債務不履行責任とはせず，不法行為責任としました。

２．対外的効力（第三者との関係）

　債権者は，代理受領権について，第三者に優先的地位を主張することはできません。
ex. 代理受領の委任がされた後に，債務者の
　　第三債務者に対する債権が差し押さえ
　　られた場合，債権者は差押債権者に対し
　　て，代理受領権に基づく優先権があるこ
　　とを主張できません。

　代理受領は公示する方法がないので，第
三者に対抗できないのです。

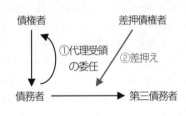

事 項 索 引

条 文 索 引

判 例 索 引

― 著者 ― 松本 雅典（まつもと まさのり）

　司法書士試験講師。All About 司法書士試験ガイド。法律学習未経験ながら，5か月で平成22年度司法書士試験に合格。それまでの司法書士受験界の常識であった方法論と異なる独自の方法論を採ったことにより合格した。

　現在は，その独自の方法論を指導するため，辰已法律研究所にて，講師として後進の指導にあたる（1年合格コース「リアリスティック一発合格松本基礎講座」を担当）。合格まで平均4年かかる現状を超短期（4～7か月）で合格することを当たり前に変えるため，指導にあたっている。

　なお，司法書士試験に合格したのと同年に，宅建試験・行政書士試験も受験し，ともに一発合格。その翌年に，簡裁訴訟代理等能力認定。

【著書】

『【第4版】司法書士5ヶ月合格法』（自由国民社）

『予備校講師が独学者のために書いた司法書士5ヶ月合格法』（すばる舎）

『試験勉強の「壁」を超える50の言葉』（自由国民社）

『【第4版】司法書士試験リアリスティック1 民法Ⅰ［総則］』（辰已法律研究所）

『【第4版】司法書士試験リアリスティック2 民法Ⅱ［物権］』（辰已法律研究所）

『【第5版】司法書士試験リアリスティック3 民法Ⅲ［債権・親族・相続］』（辰已法律研究所）

『【第4版】司法書士試験リアリスティック4 不動産登記法Ⅰ』（辰已法律研究所）

『【第4版】司法書士試験リアリスティック5 不動産登記法Ⅱ』（辰已法律研究所）

『【第3版】司法書士試験リアリスティック6 会社法・商法・商業登記法Ⅰ』（辰已法律研究所）

『【第3版】司法書士試験リアリスティック7 会社法・商法・商業登記法Ⅱ』（辰已法律研究所）

『【第2版】司法書士試験リアリスティック8 民事訴訟法・民事執行法・民事保全法』（辰已法律研究所）

『【第2版】司法書士試験リアリスティック9 供託法・司法書士法』（辰已法律研究所）

『司法書士試験リアリスティック10 刑法』（辰已法律研究所）

『司法書士試験リアリスティック11 憲法』（辰已法律研究所）

『司法書士試験リアリスティック12 記述式問題集 基本編［不動産登記］［商業登記］』（辰已法律研究所）

『【第2版】司法書士リアリスティック不動産登記法記述式』（日本実業出版社）

『【第2版】司法書士リアリスティック商業登記法記述式』（日本実業出版社）
【監修書】
　『司法書士<時間節約>問題集　電車で書式〈不動産登記90問〉』（日本実業出版社）
　『司法書士<時間節約>問題集　電車で書式〈商業登記90問〉』（日本実業出版社）
【運営サイト】
司法書士試験リアリスティック
https://sihousyosisikenn.jp/
【X(旧 Twitter)】
松本　雅典（司法書士試験講師）@matumoto_masa
https://twitter.com/matumoto_masa
【ネットメディア】
All About で連載中
https://allabout.co.jp/gm/gt/2754/
【YouTube チャンネル】
松本雅典・司法書士試験講師
https://www.youtube.com/channel/UC5VzGCorztw_bIl3xnySI2A

辰已法律研究所 (たつみほうりつけんきゅうじょ)

https://www.tatsumi.co.jp

　司法書士試験対策をはじめとする各種法律資格を目指す方のための本格的な総合予備校。実務家というだけではなく講師経験豊かな司法書士，弁護士を講師として招聘する一方，入門講座では Web を利用した復習システムを取り入れる等，常に「FOR THE 受験生」を念頭に講座を展開している。

司法書士試験　リアリスティック②　民法Ⅱ

令和4年4月30日	第4版　第1刷発行
令和5年9月20日	第2刷発行

著　者　松本　雅典
発行者　後藤　守男
発行所　辰已法律研究所
〒169-0075
東京都新宿区高田馬場4-3-6
TEL. 03-3360-3371 (代表)

印刷・製本　壮光舎印刷 (株)

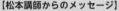

従来の勉強法 ⟷ 松本式 5ヶ月合格勉強法 — ここが違う。

従来型 ⟷(比) 松本式	従来型 ⟷(比) 松本式
従来型 合格まで4年は覚悟する。	**松本式** 絶対に合格できるという自信をもつ。合理的な勉強法で真剣に学習すれば1年で必ず合格できる試験である。

従来型 本試験「直前」に使えるように情報を一元化する。	**松本式** 本試験「当日」に問題を解くときに、頭の中で思い出す検索先を一つに特定する＝情報の一元化ではなく検索先の一元化

従来型 自分にあった勉強法を探す。	**松本式** 最短で合格できる勉強法に、ただひたすら自分をあわせる。

従来型 過去問は何回も何回も繰り返し解く。	**松本式** 過去問の元になっている条文・判例自体を思い出すようにすれば過去問は何回も解く必要がない。

従来型 忘れないためには、覚えられるまで何度でも繰り返し復習するしかない。	**松本式** 一度頭に入ったことは頭からなくなることはない。思い出すプロセスを決めて、そのプロセスを本試験で再現できるよう訓練するのが勉強である。

従来型 過去問を「知識が身についているかの確認」に使う。	**松本式** 過去問を「問題の答えを出すために必要な知識」を判別するために使う。知識の確認ツールとしては、過去問は不十分である。

従来型 テキスト・過去問にない問題に対処するためにもっと知識を増やすように努力する。	**松本式** テキスト・過去問に載っていない知識の肢を、テキスト・過去問に載っている知識から推理で判断する訓練をする。知識を増やすことに労力をかけない。

従来型 テキストに、関連する他の科目の内容や定義などをどんどん書き込んでいく。	**松本式** 基本テキストに関連する他の科目の内容や定義などは、「言葉」としては書かない。本試験で思い出すための記号しか書かない（リレイティング・リコレクト法）。

従来型 インプット＝テキスト、アウトプット＝問題演習	**松本式** インプットもアウトプットもテキストで行う。

従来型 記述は書いて書いて書きまくる。	**松本式** 記述式を書いて勉強するのは時間がかかり過ぎる。申請書はシャドウイング＋音読で。

【講座案内】

学習環境に応じて選べる2つのコース

2024年合格目標　8ヶ月合格コース

2023年秋 Start

リアリスティック一発合格 松本基礎講座 (全129回)

リアリスティック導入講義	オリエンテーション講義	民法 ※根抵当権については不動産登記法で取り扱います。	不動産登記法	会社法（商法 商業登記法
4回	1回	28回	21回	31回

※8ヶ月合格コースにお申込みになった方も左記「全体構造講義」「オリエンテーション講義」（全5回）をご受講ください。

←————————————————— 6ヶ月速習コース ————

←——————————————————————— 8ヶ月合格

2025年合格目標　ロングスタディコース

2023年秋 Start

リアリスティック一発合格 松本基礎講座 (全129回)

リアリスティック導入講義	オリエンテーション講義	民法 ※根抵当権については不動産登記法で取り扱います。	不動産登記法	会社法（商法）商業登記法
4回	1回	28回	21回	31回

※ロングスタディコースにお申込みになった方も上記「全体構造講義」「オリエンテーション講義」（全5回）をご受講ください。

ロングスタディコースでご視聴いただく講義はリアリスティック一発合格松本基礎講2024年向けのために収録したものです。
受講開始後に2025年司法書士試験に向けて追加・修正等の必要が生じた箇所につきしては、2025年対応レジュメを配付するとともに、特別に収録した2025年対応講義追加し、2025年に向けて万全のフォローを行います。

←————————————————— ロングスタラ

スケジュール・受講料等の詳細は
右記より資料をご請求ください。 https://r-tatsumi.com/pamphlet/

8ヶ月 or ロングスタディ

短期合格を目指す人のために

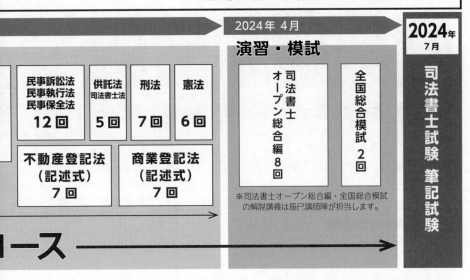

2024年 4月

演習・模試

民事訴訟法 民事執行法 民事保全法 **12回**	供託法 司法書士法 **5回**	刑法 **7回**	憲法 **6回**

不動産登記法 （記述式） **7回**	商業登記法 （記述式） **7回**

司法書士オープン総合編 8回

全国総合模試 2回

※司法書士オープン総合編・全国総合模試の解説講義は辰已講師陣が担当します。

2024年 7月

司法書士試験 筆記試験

ロース

時間がとれない社会人・主婦のために

2025年 1月

2025年 4月

演習・模試

民事訴訟法 民事執行法 民事保全法 **12回**	供託法 司法書士法 **5回**	刑法 **7回**	憲法 **6回**

不動産登記法 （記述式） **7回**	商業登記法 （記述式） **7回**

司法書士オープン総合編 8回

全国総合模試 2回

※司法書士オープン総合編・全国総合模試の解説講義は辰已講師陣が担当します。

2025年 7月

司法書士試験 筆記試験

ロングスタディコースにおいては、演習の始まる2025年4月までに十分な準備期間を確保するため、2024年12月末までに講義の視聴が終わるスケジュールとしてあります。

イコース

リアリスティック一発合格 松本基礎講座

本講座では、松本雅典著『**司法書士試験リアリスティック**』を講座テキストとして使用します。

「司法書士試験
リアリスティック」は
各自でご用意下さい。

本講座を全科目一括（または
これを含むパック）でご購入いた
だいた方には『司法書士試験リ
アリスティック』民法Ｉ、民法Ⅱ、
民法Ⅲ、不動産登記法Ｉ、不動
産登記法Ⅱ、会社法・商法・
業登記法Ｉ、会社法・商法・
業登記法Ⅱ、民事訴訟法・民
事執行法・民事保全法、供託法・
司法書士法、憲法、刑法、記
述式問題集の全12冊をプレゼ
ントいたします。

テキストの見開き見本

受講者に記憶していただくのは、テ
キストのほか、各科目で配付する数
ページのレジュメ、それだけです。

図、Case、イメージの湧きや
すい例など様々な工夫を駆使
し、初めて法律を学ぶ人にも
理解できるテキストとなって
います。

簡単な例からスタートしますが、法律
の根本的な考え方まできちんと説明し
ています。

←詳細は
こちら

スケジュール・受講料等の詳細は
右記より資料をご請求ください。https://r-tatsumi.com/pamphlet/

このような理由から、「意思能力」「行為能力」という問題が生じます。つまり、第2節と第3節で扱う意思能力と行為能力は、「権利能力はある（取引社会の主体（メンバー）ではある）が、物事の分別がつかない者や、保護する必要がある者をどう扱うか？」という問題なのです。
意思能力はこの第2節で、行為能力は次の第3節で説明します。

特に重要な条文は、ボックスにして原文を掲載しています。

> 民法3条の2
> 法律行為の当事者が意思表示をした時に意思能力を有しなかったときは、その法律行為は、無効とする。

1 意義
意思能力：自分の法律行為の結果を弁識するに足るだけの精神能力
かつては、意思能力については明文規定がありませんでした。しかし、今後は高齢社会になり、意思能力が問題となる事件は増えると考えられ、意思無能力者を保護する必要性が高まります。そこで、平成29年の改正で明文化されました。

> 用語解説 —「明文規定」
> 「明文規定」とは、条文があるということです。学説問題の肢（選択肢）の中で、「明文規定がある」「明文規定がない」という文言はよく出てきますので、意味がわかるようにしておいてください。

59

第10章 時効

4. 援用権者

> Case
> Aは、Bから100万円を借りており、あなたはAの保証人となっている。AのBに対する債務が、弁済されないまま弁済期から5年が経過した場合、あなたはAのBに対する債務の消滅時効を援用できるか？

取得時効の占有者や消滅時効の債務者自身が時効を援用できることは、問題ありません。上記 Case でいえば、Aは問題なく消滅時効を援用できます。では、保証人であるあなたは援用できるでしょうか。こういったことが問題となります。

援用権者として認められるかの判断基準
援用権者として認められるのは、援用をしなければ自身の財産を失ってしまう者です。
＊以下の表には、この後に学習する用語が多数出てきます。よって、いったん飛ばし、財産法の学習がひととおり終わった後（裏のテキスト第8編までお読みになった後）にお読みください。

援用権者として認められる者	援用権者として認められない者
①保証人（民法145条かっこ書） ②連帯保証人（民法145条かっこ書） 　援用をしなければ自身の履行の責任を負いますので（民法446条1項）、自身の財産を失ってしまます。 　よって、上記Caseの保証人であるあなたは、AのBに対する債務の消滅時効を援用できます。 　①②は、平成29年の改正で判例（大判大4.7.13、大判大4.12.11、大判昭7.6.21）が明文化されました。	①連帯債務者 　連帯債務者は、かつては援用権者と解されていました。しかし、平成29年の改正で、連帯債務における時効の効果は相対的になりました。他の連帯債務者の債務が時効によって消滅しても、連帯債務者の債務に変化が生じないようになったので（民法441条本文）、連帯債務者は援用をしなければ自身の財産を失ってしまう者とはいえなくなったんです。 ②一般債権者（大判大8.7.4） 　一般債権者は債務者の特定の実権を目的としていませんので、援用をしなければ自身の財産を失ってしまう者とはいえないんです。またP115の「一般債権者が相当するかどうかの記憶のテクニック」もご確認ください。

この講座のテキストは、「できる」「当たる」「認められる」などその事項に該当するものは左に、「できない」「当たらない」「認められない」など該当しないものは右に配置するという一貫した方針で作成されています。これは、本番の試験でテキストを思い出す時に、「この知識はテキストの表の左に書いてあったな。だから、『できる』だ」といったことができるようにするためです。

担保物権である、⑦の留置権、⑧の先取特権、⑨の質権、⑩の抵当権は、物の利用価値と交換価値のうち、「交換価値」を把握する物権です。つまり、原則として物を使うことはできませんが、他人の物を売っ払ったりすることはできます。たとえば、銀行が建物を目的として抵当権の設定を受けた場合は、銀行からみると、その建物は右の図のように見えているんです。銀行にとってはその建物にシステムキッチンが付いていて使いやすいなどはどうでもよく、銀行は「金に替えるといくらになるのか」しか考えていないのです。

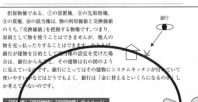

「所有権」「用益物権」「担保物権」のイメージ
物の所有者が物に対して持つオールマイティーな権利が「所有権」です。所有権は「利用価値」と「交換価値」を把握しています。その「利用価値」と「交換価値」を他人に切り売りすることができます。利用価値を切り売りしてできた他人の物権が「用益物権」であり、交換価値を切り売りしてできた他人の物権が「担保物権」です。

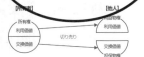
重要ポイントについては、図を記載。

> 会社法309条3項（特別決議による必要がある場合）（会社法309条31項1～3号）
> ①譲渡する全部の株式の内容として譲渡制限規定を設ける定款変更
> 公開会社から非公開会社にする定款変更です。
> ②吸収合併消滅株式会社又は株式交換完全子会社が公開会社であり、かつ、それらの株式会社の株主に対して交付する対価が非公開株式である場合の吸収合併契約又は株式交換契約の承認
> ③新設合併消滅株式会社が公開会社であり、かつ、それらの株式会社の株主に対して交付する対価が非公開株式である場合の新設合併契約の承認

株主から見ると
この3項の決議は特別決議による必要があるのは、自身の株式が公開株から非公開株になってしまうということです（上記①～③は、すべてこれです）。これは、株主にとなり不利なことだからです。非公開株になると株式の譲渡が大変になります。上場廃止をイメージしてください。

3 人数要件
議決権を行使することができる株主の

	【人数】			【議決権】

半数以上（人数ベース）、かつ、議決権を行使することができる株主の議決権の2/3以上（議決権数ベース）の賛成で決議（会社法309条3項柱書）。「かつ」という量

ex. 株主が10人、発行済株式の総数が1000株（すべて議決権がある）である場合、・・・以上667株以上の賛成が必要になります。人数要件があります１人のうち１人が900/1000株保有していた者でも、その者１人の賛成では成立しません。「公開株から非公開株にするには、少人数の大株主で決めるな！」という趣旨で、人数要件があるわけです。

講義スタイル

本講座出身の合格者が「この形式の講義以外は受けられなくなるほど」と絶賛する講義スタイル！

教室での講義の様子

板書は効率が悪い。
口頭の説明だけでは
後で思い出せない。
だから、この講義スタイル！

実際の講義を例えば
WEBスクールの画面で
見るとこうなります
（LIVE受講生は教室内の
モニターで見られます）

「どこに線を引けばいいの？」
「どこを説明しているの？」
などということは起こりません。

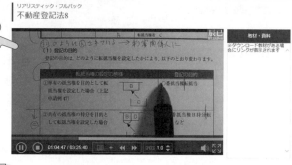

書き込みが完成するとテキストの
ページはこうなります。

書き込んだ時の記憶が残っているので、復習がし易い！
試験の時に思い出し易い！

詳細は→
こちら

お得な辰已の受験生割引制度

本気のあなたを全力で支援します。

1
松本式なら一挙に司法書士も狙える！
他資格からのトライアル割引
行政書士、宅建士、社労士、など法律系国家資格をお持ちの方や、
これらの資格を目指されている方を応援！

15%割引

2
松本式勉強法なら在学中合格を狙える！
在学生キャッシュバック
やる気のある学生の皆さんを応援いたします。お申込の際にキャッシュ
バック申込書を添付してください。定価でのお申込後にキャッシュバッ
クをいたします。

15%キャッシュバック

3
独学者支援・受験経験者支援・基礎再受講者支援
Re-Try 割引

15%割引

4
友人と一緒に申し込めば二人ともお得
スタディメイト支援
友人と一緒に申し込めば、お二人ともに、割引が適用されます。

15%割引

5
合格って嬉しいご祝儀！！
合格者・研修費用贈呈
2024 年度（8 ヶ月合格コース・6 ヶ月速習受講者コースに限る）または 2025 年
度（ロングスタディコース受講者に限る）の司法書士試験に見事最終合格された暁には、
お祝いといたしまして「リアリスティック一発合格松本基礎講座」へのお支払金額（オー
プン総合編・全国総合模試の部分は含みません）の半額を司法書士会の研修費用な
どに活用していただくために贈呈いたします。

お申込額の
50%

書籍プレゼント

8 ヶ月合格コース（6 ヶ月速習コース）または
ロングスタディコースの受講者には、松本雅典
講師執筆でリアリスティック一発合格松本基礎
講座の指定テキストをプレゼントいたします。

リアリスティック・フルパック（8ヶ月合格コース・ロングスタディコース）

パックで申し込めば、合格に必要なカリキュラム（講義＆演習）が全て揃います。受講料もお得です。（8ヶ月合格コース・ロングスタディコース共に同価格です）

リアリスティック
一発合格松本基礎講座
＋
司法書士
オープン
総合編
＋
全国総合
模試

3講座合計価格
通学部¥532,900
通信部¥571,500
(DVD)
通信部¥532,900
(WEB)
通信部¥596,200
(WEB＋DVD)

コース価格
通学部¥502,100　　*¥30,800のお得*
通信部¥531,500　　*¥40,000のお得*
(DVD)
通信部¥502,100　　*¥30,800のお得*
(WEB)
通信部¥554,500　　*¥41,700のお得*
(WEB＋DVD)

※通信部についてはオプション講座も通信部で計算

受講生フォロー

講座専用ブログ

受講生限定　　参加無料

松本基礎講座では受講生だけが利用できるブログを開設しています（一般の方はアクセスできません）。
このブログでは松本講師が講義で扱った内容についてフォローをしたり、復習してほしいポイントを伝えます（記述式科目を除く）。

利点　カコ問の全肢についてテキストの根拠ページを記載

質問受付システム

受講生限定　　質問無料

24時間対応。講座に関する質問なら何でもOKです。

本講座では、講義内容や勉強方法に関して、本講座専用の質問制度をご用意しています。
質問は全て自動的に松本講師宛てにも届き、松本講師も全ての質問に目を通しています。回答はスタッフからメールでお送りします。

講座専用クラスマネージャー

受講生限定　　相談無料

勉強内容以外でもきっちりフォローします！

本講座には「質問受付システム」を使った学習内容に関する充実した質問制度があります。

でも、受験勉強を続ける上では学習内容以外のことについて次のような悩みを持たれる方も多いことでしょう。
受験環境に関する様々な悩みについて辰已スタッフがご相談に応じます。

リアリスティック中間テスト

全科目一括受講者限定　　受験無料

到達度確認のためのテストを実施！

講座進行中に学習の到達度確認のためのテストを実施します。
科目の終了後に択一式35問を出題（全4回）。
成績はWEB上ですぐに確認できます。
実施方法：受講者特典マイページ上で実施（WEB限定）。
問題はPDF形式。解答はWEBのフォームに入力。

スケジュール・受講料等の詳細は
右記より資料をご請求ください。https://r-tatsumi.com/pamphlet/

今すぐ無料で視聴できる！
松本基礎講座ガイダンス

通学部も通信部も
すべて無料

松本講師の5ヶ月合格法のノウハウの一部を公開します。
聴くだけでもためになるお得な無料公開講義です。

詳細は→
こちら

無料公開講義の流れ

1月	3月	4月		5月	7月	9月

ガイダンス → リアリスティック導入講義 民法 → オリエンテーション講義 → 本編開講 → 導入講義 不動産登記法 → 導入講義 会社法・商業登記法

受験勉強を始めるにあたって知っておきたい情報を提供しています。

■司法書士の"リアルな"仕事・就職・収入（60分）
■これが司法書士試験だ！ - データで徹底解剖（60分）
■合格者を多数輩出するリアリスティック勉強法とは？（60分）

講座の申込を決めた方は、こちらのオリエンテーション講義と導入講義を必ず受講して下さい。

■オリエンテーション講義〜効果的な授業の受け方〜（90分）
■リアリスティック導入講義　民法の全体像①②（各90分）
■リアリスティック導入講義　不動産登記法の全体像（180分）
■リアリスティック導入講義　会社法・商業登記法の全体像（180分）

視聴方法

WEBでの視聴（無料）

辰已YouTubeチャンネルにて配信中です。
【アクセス方法】
YouTube →「辰已法律研究所」で検索
→辰已YouTubeチャンネル→再生リスト
→司法書士試験→当ガイダンスを選んでください。

DVDでの視聴（無料）

通信部DVDのお申込みは、辰已HPからが便利です。
辰已HP ＞オンラインストア＞ CATEGORY ＞司法書士試験＞ガイダンス

※ガイダンスDVDのお申込みは上記HP受付の他、本校の窓口、電話（代表）、郵送のいずれかに限ります。デリバリーサービスでのお申込みはできません。

右の二次元バーコードを読み取ると、動画視聴ページへアクセスできます。→

郵 便 は が き

169-8790

115

料金受取人払郵便

新宿北局承認
6816

差出有効期間
2025 年 4 月
20 日まで
（切手不要）

東京都新宿区高田馬場 4-3-6
辰已法律研究所
リアリスティック民法Ⅱ（第 4 版）
読者プレゼント係行

（キリトリ線）

||ı|ı·ı|ı||ıı|ıı|ı·||ı|ı|ıı|ıı|ıı|ıı|ıı|ıı|ıı|ıı||ıı|ı||

読者プレゼント請求用ハガキ　　K230907

本書の読者限定で、著者である松本雅典講師によるガイダンス「リアリスティック民法を使った民法学習法」をご視聴いただけます。

ガイダンスは WEB 上で配信いたします。

ガイダンス視聴をご希望の方は、本ハガキの下記記入欄にご記入の上、辰已法律研究所宛てにお送りください。ハガキをお送りいただいた皆様に漏れなく、ガイダンス視聴用の URL を書面にてお送りいたします。

※プレゼントの請求期限は 2025 年 4 月 20 日（消印有効）とさせていただきます。

司法書士試験リアリスティックのうち購入されたものを○で囲んでください。	民法Ⅰ　民法Ⅱ　民法Ⅲ 不動産登記法Ⅰ　不動産登記法Ⅱ 会社法・商法・商登法Ⅰ　会社法・商法・商登法Ⅱ 民事訴訟法・民事執行法・民事保全法 供託法・司法書士法 刑法　憲法　記述問題集（基本編）		
フリガナ 氏名		ご職業・学校名など	
生年月日　　　年　　月　　日　　歳		性別　　男　　女	
〒 住所			
電話番号　　　　（　　　　　）			
e-mail address